I dedicate this book to my grandmother Hualiang Wu,

my violin teacher Harriet Murray and Miss Shi,

to the inspiration from them,

and to the memory of London (2006—2012)

♪

谨以此书献给我在天堂的奶奶、

我的小提琴老师哈瑞特·穆雷和史女士

和她们带给我的灵感

以及伦敦的回忆（2006—2012）

夏梦狂诗曲

The Rhapsody Of A Summer Dream

君子以泽 著

中国华侨出版社

图书在版编目（CIP）数据

夏梦狂诗曲 / 君子以泽著. —北京：中国华侨
出版社，2014.10
　　ISBN 978-7-5113-4479-3

　　Ⅰ．①夏…　Ⅱ.①君…　Ⅲ.①长篇小说－中国－当代
Ⅳ．①I247.5

　　中国版本图书馆CIP数据核字（2014）第248099号

夏梦狂诗曲

著　　者：君子以泽
出 版 人：方　鸣
责任编辑：紫　夜
封面设计：所以设计馆
版式设计：刘碧微
经　　销：新华书店
开　　本：700mm×980mm 1/16　印张：46　字数：637千字
印　　刷：北京慧美印刷有限公司
版　　次：2015年1月第1版　　2015年1月第1次印刷
书　　号：ISBN 978-7-5113-4479-3
定　　价：59.80元（全两册）

中国华侨出版社 北京市朝阳区静安里26号通成达大厦3层 邮编：100028
法律顾问：陈鹰律师事务所
发 行 部：(010) 82068999 传真：(010) 82069000
网　　址：www.oveaschin.com
E-mail：oveaschin@sina.com

如发现图书质量问题，可联系调换。质量投诉电话：010-82069336

Members' Room

CITY
OF
LONDON

8th February 2013

Dear Junzi,

I am pleased to learn about your upcoming book *The Rhapsody Of A Summer Dream* from the UK China Culture Association.

I would like to share the excitement I am feeling towards the intriguing content of this book, as well as to express my appreciation to you both for all the dedication and hard work you've put into promoting the United Kingdom.

Books are windows on the world, and broaden the minds of people, encouraging us to interact with each other and aspire for a better future together. I therefore sincerely hope to see more young talents like you get involved in projects that will bring the world closer.

I hope that collaboration in literacy projects and wider cultural exchanges will continue to foster a strong partnership between the UK and China, and I wish you both in particular a prosperous and successful future.

Yours Sincerely,

Kevin Everett CC
Member of the Court of Common Council

亲爱的君子以泽：

　　我很高兴从英国华夏文化协会那里了解到了你的新书《夏梦狂诗曲》即将出版。

　　这本书从一个中国作家的角度，刻画了当代英国的城市与古典音乐，让世界上更多的民族了解到了我的祖国，这让我非常激动。

　　书是世界的窗户，可以扩大人们的思维，让我们看到更广阔的世界；书亦是心灵的阶梯，拉近彼此的距离。这需要更多如君子以泽小姐这般富有创造性的作家创作出更多优秀的作品。

　　我希望在文学项目协作和更多的文化交流中继续推进英中两国的更强的伙伴关系。祝你前程似锦，新书顺利出版！

　　此致

敬礼

（英）凯文·埃弗雷特　英国议员

2013年2月8日

目录

♪ Contents

目录 ♪ Contents

自序

　　初步动笔写下《夏梦狂诗曲》，编辑曾经问我，这本书你打算写多久。我说，三年。其实说要写三年不过是开玩笑，因为故事大纲我都拟好了，怎么也不可能写这么久。没想到，从2011年到2014年的今天，我真的花了三年差三个月才把它完成。真是越来越相信吸引力法则这种"中邪"的东西了。而且，创作这本书的地点一直在变化。作为一个热爱出游的自由职业者，这本书跟随着我跑了很多地方：伦敦、曼彻斯特、爱丁堡、内蒙古、苏梅岛、曼谷、素叻他尼、洛杉矶、怀俄明州、爱达荷州、旧金山、巴黎……到最后，我都快忘了《夏梦狂诗曲》"旅游"了多少地方。

　　到底说来，给这部小说灵魂的城市，还是伦敦。

　　不得不说，伦敦是一座非常迷人的城市。它的动人就像西安、巴黎、京都一样，每一个角落都写满了历史，很多现代化都市都不能与之媲美。它是那么陈旧，却依旧这样华丽。不论走到哪里，你好像闭着眼都能想象出一段古典优雅的故事；不论把相机对准哪一座建筑，都可以把它直接洗印出来当画挂在墙上。在伦敦市中心，到处都有彩色灯泡串包围着牌匾的戏剧院，门口站满人的古老英式酒吧，以及世界顶级古典乐团排队演出的音乐厅。在这样的环境里，有一个女孩儿渐渐在我的脑海中诞生……

她有英伦气质，那就一定会穿黑衣。她高贵且冷漠，有一双会说话的深邃眼睛。她是一个艺术家。她会玩音乐，音乐一定是古典的，她会拉小提琴。她是孤僻的，她会一个人在阴雨天练琴。她的冷漠只是为了掩藏内心对梦想狂热的追求。她的艺术具有感染力，最后影响了所有人……就这样，像爬阶梯一样，这个女孩儿的形象越来越具体，越来越丰满。最后，我为她取名裴诗。

一个主角的形象会影响到整篇文章的风格。有了这样一个形象的女主角，"夏梦"的整体基调也基本确定了下来。许多读者读过连载，都说哪怕没写伦敦，《夏梦狂诗曲》也很有英伦气息。我想，这大概是因为女主角的灵魂绑定在那个地方吧。遗憾的是，现实总是特别残酷。女主角是天赋异禀的音乐之才，作者却是个只在小时候学过点钢琴的生手。如果想要把这部长篇小说写得更真实一些，我觉得光靠查资料是肯定不够的。于是，在开始写大纲之前，我终于一咬牙，开始学小提琴。中间的各种折磨一言难尽，不过我挺下来了，考了英国皇家音乐学院小提琴演奏五级。直至几个月前，老师拿了一堆协奏曲给我，说："你现在的水准，演奏巴赫双小提琴没问题了，进步很快，还是有高度热情啊。"那一刻，我都忘了自己最初勤奋练小提琴，只是为了写《夏梦狂诗曲》，可见古典音乐确实是很有魅力的。这里可不是我在为自己小说的题材卖专利啊（笑）。

说到古典音乐描写，我和小提琴老师、钢琴老师沟通的过程中，发现她们其实对各个艺术家和古典音乐背后的故事了解得并不像我们想的那么多。例如像很多读者都知道的，帕格尼尼用琴弦杀死妻子，用单根弦在监狱里练小提琴的故事，我先后问过英国和中国的小提琴老师，她们居然都不知道。然后，我跟她们聊了很多关于演奏会的事，发现她们的侧重点也是在演奏技巧和心理上，例如站在第几排该怎么做、出错该怎么办、第一次演奏和已经习惯演奏的心情有什么区别，等等。当我开始用一些比较文学或优美的方式来描述一场音乐会的时候，她们居然还会对我露出赞赏的眼光，说很少听人这样比喻或陈述。

于是，我从这里找到了自己的价值。古典音乐比通俗音乐技术含量高，懂得欣赏它的人，未必能懂它的技巧层面；分析它技巧层面的书，一般人又不会有兴趣去看。而作为一个记录者，我能把二者融合在一起，以通俗又有故事性的文字将其展现给读者。打个比方说，《茨冈》第三乐章里有个大量激情澎湃擦弦后右手拨弦的细节，那一声轻灵的停顿"咚"是画龙点睛的一笔，可能一般人听这首曲子，很少会留意这里。写到裴诗演奏这首曲子的时候，我特别描写了这一段，一些读者也因此留心了这里，并产生了共鸣——就是这种感觉，哪怕只能传播一点点信息，我也觉得自己做了有意义的事。这个创作的过程，真心很幸福。

当然，创作过程也不光只有开心。如果说拉小提琴只是肉体上的折磨，那么，在创作《夏梦狂诗曲》的过程中，我还遭遇了肉体和精神的双重折磨。例如，为了写这本书，我听了上百场音乐会。古典音乐厅的要求非常多，例如不能说话、不能玩手机、不能拍照，一首曲子的乐章结束停顿时期不能鼓掌，直到整首曲子完了才能鼓掌。这一点在国内稍微宽松一点，在伦敦真是跟在教堂听弥撒一样（事实上很多音乐会确实是在教堂里举行的），连咳嗽都会被人看几眼，所以，我的创作也变得特别艰难。为了描写管弦乐队的现场演奏效果，很多创作我都是在音乐厅完成的。现在看到那写得像鬼画符一样的厚本子，我都会想起在音乐厅不堪回首的过去。尤其是有一次，我带本子到音乐厅一边听表演一边记录音乐会细节，旁边坐了一位很严厉的英国大婶，她看我一直在本子上写写画画，写的是中文她也看不懂，就一直用眼角瞄我，似乎对我很不满。但因为演奏会没有规定不能写字，她也没什么好说的。终于，我写完了一页，翻了一下本子。那一页轻轻的翻纸声，就让她猛地拧过头来，把食指放在嘴唇上很不愉快地说了一声"嘘"。我道歉也不是，不理她也不是，那种如芒在背的感觉，真是终生难忘……

可能有的读者不明白，为什么一定要在音乐厅写稿子？看过以后回家写不可以吗？

其实，作者的心境真的能很好地反映在书里。在实地写的文章，和回家以后再写的感觉是不一样的。记得之前我去内蒙古玩，觉得那边有一个湖特别漂亮，但那里实在太冷了，当时只想拍了照就走，回家对着照片写。可当时我觉得回家感觉肯定就不一样了，于是现场把这个画面写了出来。果然，回家以后数月，再去看这段话，就在里面发现了"苔藓气息"与"蚊虫带给我的惊吓感，都被美景驱散了"这样的描写。如果是回家写，这些东西肯定就会忘记，文章的真实度也就没这么高了。

类似的经验，还有对湖区和罗蒙湖的描写。当时我去这两个地方是早春四月。湖区在英格兰还好，罗蒙湖在苏格兰，冷得我连笔都快握不住了，但还是在那个寒风凛凛的桥上坚持不懈地写完了几个片段。那会儿看见湖面上随波逐流的鸭子，瞬间就想到了裴诗。然后，我就写下了她和夏承司那段很多读者都喜欢的对话。不过，最有趣的事是在湖区，坐在船上看风景，景色真的很美，然后我又忍不住掏出笔来写当时的画面。旁边的游客都很不解地看着我，因为他们都在拍照，就只有我在写字。有个英国大叔笑眯眯地凑过来看，但是看不懂中文，我解释说自己在写文章，他朝我伸了个大拇指。之后我将这次经历告诉了朋友，朋友们都说："会出去玩还这么强迫症的，只有你了吧……"

不过，我的认真到底还是得到了读者满意的反馈。每次看到他们如此喜欢

《夏梦狂诗曲》，我就只剩一个感觉：能坚持下来真好。

当然，会这样想，还是因为这一份坚持在中间其实动摇过。

记得搬回国之前最后一年，也就是2012年，我的心情一直很低落。因为从2006年到英国，这么多年一直都有小伙伴儿们陪伴，但后来有一天，我却突然发现，周围的中国朋友越来越少，该走的都走了，只剩下部分打算永居的朋友、英国和欧洲其他地方的朋友。那一年，祖母因为脑血栓发作去世了。在她去世之前没多久，我才刚刚开始写《夏梦狂诗曲》，想写裴诗面对人生挫折不放弃的精神，以此送给祖母。只可惜作品未完，已人去楼空。第一次失去亲人的经历给我带来了极大的痛苦，那段时间，我在家做的所有事，就只有拉小提琴和写这本书。可我经常想，既然奶奶都已不在，为什么要写这部小说呢？

到2012年年中，我压抑得都怀疑自己得了轻度抑郁症。伦敦确实是一个容易调动人情绪的地方。这里常年阴雨绵绵，会给人很多灵感，但也让人心情低落。我还时常跟朋友调侃说："你知道为什么诺贝尔文学奖获得者英国作家最多吗？那是因为英国根本没什么好玩的，天气又糟糕，大家都宅着创作了。"前面那句是戏言不必当真，但英国天气差让人低落想创作也确实是真。只是，当时我觉得自己状态不行，机智地订了机票回国调养。果然一回国，告别了孤独，整个生活都变得很灿烂。而之前那一份没有目标的犹豫，终于随着故事的发展消失不见——人的生命确实是会老去死去，但只要活着，坚持过，努力过，精神是会永垂不朽的。

这也是我为这个故事寻找到的归宿。

曾有一位读者说过："每个作者总有一本书是写给自己的。闪闪，我相信《夏梦狂诗曲》就是你的这本书。"倒是不能说它只是为自己写的，正如前面所说，这本书是为奶奶、小提琴老师和伦敦的年少时光而写。但要说这本书代表了我的精神、愿望与梦想，也绝对不夸张。

　　最后要说的是，《夏梦狂诗曲》能顺利写完出版，能顺利被你拿在手上，我发自内心感到开心。

　　终于，我完成了它。

君子以泽

2014年7月16日，于伦敦

楔子 ♪ 神秘旧照

"既然我们已经快要订婚了，这女人的照片可以删除了吧。"

酒宴开始之前，夏娜把手机还给柯泽，面无表情地点了点里面的一张照片。刚才，她借柯泽的手机打电话，顺带偷偷把他的短信、通话记录、微信、相册统统翻了一遍。最终，她在相册里发现了最不想看见的东西。他们在一起已有八年，她非常了解他的性格。如果要他听自己的话，对他大吼大叫是没有用的，最好的方法就是直接告诉他她想要的结果。

柯泽接过手机，毫不意外地看着那张黑衣女子的照片：她脸型与肩胛清瘦，嘴唇如火，嘴角扬起，似笑非笑，在白皙的肌肤上，像是被雪地贪婪吸收的鲜血。她将短发别到耳后，眼睛如同深坑的铁矿般闪着漆黑的冷光。这是对着洗印相片拍的照片，像素并不高，但女子的眼睛依然有着鹿的美丽和狼的冷漠。谁都不会想到，拍照时她还只是个大孩子。

"哦。"柯泽把照片发送到邮箱里做好备份，然后故意把手机亮在夏娜面前，删掉了那张照片。

那个人还在的时候，他一直讨厌她十来岁就总穿黑衣，讨厌她除了音乐目空一切的孤僻性格。每次看见她对任何事都无所谓耸肩的样子，抑或是在所有聚会上不告而别的背影，他总是想要狠狠教训她一顿，想要改变她，让她留长发、穿明艳的裙子、说话得体温柔、小鸟依人般对自己撒娇、远离那把独占她所有热情的小提琴……然而，她失踪后，他却一直病态地在所有女人身上寻找她的影子。

夏娜换好直接从T台秀上拿下来的黑色皇家晚礼裙，将及腰的长发从衣领里撩出来，巧克力色的卷发有弹性地抖动着。她把一边的头发拨在耳后，露出颈项豆腐般白嫩的肌肤。她对自己的头发和皮肤素来都很满意。从镜子里看见柯泽投来的目光，她自信地一笑，对着镜子涂抹当季流行的橘红色口红，享受着男友的注视。

柯泽嘴角带着轻蔑的笑，却像是在嘲笑自己。

转眼间，又是一年。这样算下来，她已消失了五年。就算是报复，这么久的时间也该足够了。他会向她证明，她彻底错了。从今天开始，他的生活还要继续，不会继续陷在她的泥潭中无法自拔。他不可能永远活在过去。

盛夏浓黑的夜晚里，绿藤爬满了窗前的盆景，花瓣在迷雾中合拢。黑暗在高旷的森林上空沉睡，斗大的星河流出的沉寂，将夏氏最高的楼盘、纵横交错的街道，笼罩在夜的银色婚纱中。回忆像一只偌大的黑色死鸟，你看不见它，可它时刻悬挂在城市的脖子上。柯泽望向窗外被夏娜兄长掌控的楼盘帝国，"啪"的一声按下了手机的锁定键，屏幕上瞬间一片漆黑。

就这样。

他死心了。

如果爱情是一场生命，那么我便生在与你相识的那一天，活在与你相爱的岁月，死在和你分手的那一刻。

柯诗，你知道我最恨你什么吗？

到最后，你连让我活一次的机会都不曾给过。

♪

回归之诗

有的时候，
当一个人消失，
整个世界的人也跟着变少了。

就好像是工业革命时期的伦敦，南北战争后的纽约，第二次世界大战后的东京，这座城市正在经历着每一个大都市都必经的经济爆炸时期。

四年前的金融危机后，数十个与基金、银行和地产关联的家喻户晓的名字，忽然从媒体中消失了。金融巨头们把自己关在笼子里围追堵截，做困兽之斗，最终笑容血腥的赢家，现在已占据了媒体的每一个角落：打开报纸，金融版的头条赫然写着"强强联合谁与争锋？夏柯合资大型音乐厅落成"；娱乐八卦版头条写着"夏明诚最新情妇曝光，二十一岁名模Keira声称要嫁入豪门"；随便扫一眼报刊亭，漫画区有夏承逸重印了五十多次的漫画《星之船》，杂志区有他二哥夏承司作为封面人物的财经杂志，上面写着亮眼的头衔"财富新贵"。

这就是当代最为春风得意的家族，一个由一名花花公子建立起来的金钱帝国——盛夏集团。

这个花花公子的名字是夏明诚。二十多年来，他一直绯闻不断，从亚洲到欧洲，从娱乐圈到时尚圈，从模特明星到豪门名媛……任何领域的美女他都有涉猎。就连他的私人助理，都是身高一米八、穿着白色皮草紧身短背心的混血女性。不论他走到哪里，总有记者对他的不忠进行尖锐提问，他也总是指天誓日地说挚爱是自己的太太。回答这些问题时，他眼神中既有包含笑意的孩子气，又有五十岁男人的深邃。头发半白的英俊男人拥有这样的眼神，哪怕是最刻薄的女记者，也很难再与他针锋相对。

夏明诚的一生有三个爆点：一是他白手起家成就了盛夏集团，二是他接连不断的桃色新闻，三是他的二儿子夏承司重振盛夏产业。

如果说夏明诚是手握大权的国王，那么夏承司就是诸多王子里最冷酷的杀手。金融风暴席卷全球后，商场黑暗，横尸遍野，夏承司像是一头雄狮，烈火般烧红了这黑色的莽丛。短短五年内，他不仅让盛夏集团东山再起，而且把盛夏楼盘的商标盖在了英国，甚至还把伦敦市中心soho旁的蓝色玻璃五星级大酒店直接买了下来送给母亲，让一群西装革履的黑人保镖看守，以便她去欧洲旅游有个歇脚之处。

毋庸置疑，夏承司是个孝子，但不代表他就是个有血有肉的人。见过他的人都知道，他有一张犹如混血儿的完美比例的脸，同时也有一颗堪比苹果电脑的商务脑袋——精准且缺乏感性细胞。任何事情在他看来都像股市中跳动的数字，都可以通过操盘学有计谋地做出技术性买卖。

这样传奇的一家人，尽管曝光率高得惊人，但丝毫不影响报刊的销量。只要是带有"夏"字的纸张都会被一抢而空，书店报刊亭老板也会把和他们有关的读物摆在最外面。像现在印有"财富新贵"的杂志封面上，夏承司坐在雍容华贵的斑马纹沙发上，身体略微前倾，十指交握放在下巴前，深邃的瞳仁泛着暗琥珀色的光芒，有着洞察一切的沉稳与冷漠。他的左耳垂上戴着一颗黄水晶耳钉，十分醒目。不过，他不是他年轻花哨的漫画家弟弟，戴耳钉自然也不是为了新潮好看。黄水晶招财，左进右出。他和他父母都很信这个。只是，这一颗耳钉一旦配上奢侈品代言男模般的脸孔，外加杂志下方颇具噱头又如实描述的标题，他招来的就不单是财了，还有一堆冲着"当代花泽类"名号前赴后继的女粉丝。

这么多财经报纸，没有一张不是在讨论盛夏集团和柯氏音乐的合作。不过是两个家族一起盖了个大型音乐厅，居然垄断了整个夏季的商业资讯领域。然而，当这么多人买报刊关注新闻并议论纷纷的时候，一只纤长的手却将一堆报纸杂志扔到了路边的垃圾桶里。

十五分钟后，玻璃写字楼六十三层，盛夏集团执行董事夏承司的办公室中，特助彦玲上下打量了一下眼前的年轻女子：她脸上的妆很淡，嘴唇微白，长发如厚厚的泼墨毯一样披在背上。她穿着质地极佳的黑色套装，保守且稳重，但并没能遮掩住清瘦姣好的身材。此时，她正不卑不亢地回望着自己。

来盛夏集团之前，彦玲曾当过平面模特，对女人的打扮妆容往往一眼便能看破。很显然，这个女子跟那些恨不得把胸前的V领开到腹部、贴着两三层假睫毛、专心致志想要与夏承司来一段办公室恋情的应聘者不一样。她对自己的美貌保留了不止三四分，似乎是真心想要这一份工作。据说她最后一门考试还一对十九，以优秀的团队统率能力秒杀群雄。年纪轻轻就如此懂得拿捏分寸实属不易。如果boss不是夏承司，彦玲会觉得让她当私人秘书略显浪费。

只是，她并不是很喜欢这女子的眼神。那双眼睛漆黑明亮，就好像凛冬冰层下深不见底的湖水，美丽却又有着冷冷的疏离感。看人的时候也是毫不避讳，漠然锐利得像把冰刀。尽管夏承司喜欢用这样的人，彦玲却私心地认为，她如果能再柔和一些就好了。彦玲看了看手中的资料："你好，裴诗，你大学毕业才一年，履历表上却写着已婚，是最近才结婚的吗？"

"是的，就在去年。"

开口说话的裴诗，瞬间与刚才不一样了。她把声音压得微低，音色很动听，就好像每一个字的发音都被乐器调音器拨弄到最佳状态一样。彦玲发现，她虽然冷漠，却和"干练""物质""精英"扯不上关系。相反，她有一种不食人间烟火的艺术气质，很像那种小伙伴儿们还在玩弹弓皮筋时，会一个人穿长裙骑自行车上钢琴课的女生。想到这里，彦玲忽然觉得这样比喻一个职场女性不大合适，便继续问道："丈夫是做什么的？"

"在柯氏音乐第二中心市场部工作，负责推销和联络客户。"

"为什么想要得到这份工作？即便夏柯部分企业即将合并，这份工作也会占据你大量的私人时间，你与丈夫相处的时间并不会因此增加。"

"盛夏集团一直都是我的奋斗目标，在这里工作会让我有荣誉感，并不会成为负担。"

"那你觉得自己有什么优势？"

"分析力强，观察力敏锐。擅长时间管理，做事认真负责。来面试之前，我已经将贵公司的情况了解过，最感兴趣的是夏承司先生近期准备投资的柯娜古典音乐厅。他的初步规划相当完善，也很好地结合了柯氏音乐的风格。我希望自己能帮助他。"她说话时语速很慢，吐字清晰，眼神坚定，有一种让人无法打断的魄力。

彦玲沉默着听她说完，发现自己愣怔了有一会儿，于是回头唤了一声坐在办公桌前的少董。夏承司这才把视线从电脑上转移到裴诗身上，不紧不慢地打量着她。这不是裴诗第一次见他，却是第一次看见他坐在这个位置上。他真人比杂志硬照看上去更加年轻、白皙，鼻梁就像冰冷的雪山，点缀着这张极度不真实的美丽容颜。

"裴小姐，我有一个问题。"夏承司看了一会儿裴诗的履历表，中间的停顿很短暂，却给人以无形的压迫感，"你在美国芝加哥大学读了一年预科，四年本科，主修经济，是吗？"

"是的。我的大学毕业证、护照签证复印件都在提交的文档中，夏先生可以随时查阅。"

"你的档案我都看了。你的大四成绩单里还有一门选修科目是毕业求职学习。"

"是的。"

"但是你提交给我的履历表上，却没有附带自己的照片。"

裴诗愣了愣，一时间没有反应过来对方话中的意思。而夏承司用一种不冷不热让人看不透的眼神一直盯着她，这让她不由自主地在底下将手轻轻握成拳——难道他看出了什么？不，夏承司对她的了解不会这么多。她已经杀出重围走到了这里，宁可冒险也不可以放弃。她微微一笑，平静地说道："既然要成为夏先生您的秘书，那对您的经历和习惯就应该有所了解。您曾经在英国居住多年，也只有在英国时为别的公司工作过。英国与别的国家不同，履历表都是不贴照片的，我想您看到了相同格式的履历表，会觉得更加亲切。"

接下来，室内有数秒的静默，却像是永远那样漫长。墙角处的咖啡煮熟了，"咕噜噜"地响了起来。修长美丽的彦玲站在旁边，一时间不知是该看咖啡杯，裴诗，还是自己的老板。

终于，夏承司把手中的文件夹丢在桌子上："明天来上班。"

接下这份万人抢破头的工作，裴诗已准备好第二天开始为夏承司上刀山下火海杀遍商场闯进联合国总部，但实际真正从彦玲那里接到简简单单的工作清单时，她还是一下子傻眼了："彦姐，这就是我的第一份工作？"

"你是秘书，还想做什么？"彦玲把清单推给她，踩着高跟鞋噔噔噔地走了。

那是一张长长的购物清单，上面写满了密密麻麻的英文、法文、意大利文女装品牌和该品牌夏末初秋主打的各种衣裙鞋包。裴诗皱了皱眉，发现自己竟不认得几个牌子，不由得皱了皱眉。不过看了看购买地点——维多利亚女王购物中心，她就知道，如果真照着清单买下来，估计花出去的钱够买一套海景小洋房。这不是一份很重要的任务，却是一份很贵重的任务。因此，为了防止发生意外，她决定把韩悦悦叫上。

下午两点，盛夏集团外，裴诗站在大老远的地方，就看见了一袭红裙、身材火爆的韩悦悦。对方昂头挺胸地向她走来，一路上的男人都像见了花儿的蜜蜂一样，不断对她行注目礼吹口哨。一身职业套装的裴诗和她站在一起，简直就像是护送明星参加宴会的经纪人。只是一打了车，明星还要给经纪人开门的动作就有些不协调了。从她们在出租车里坐下，韩悦悦的嘴就一直没有闲着："诗诗，你看到最新的娱乐八卦了吗？柯泽和夏娜昨天宣布订婚消息了，过两天电视台有对他们的采访，我们一定要回去看看啊。我一直觉得他们特别般配，一个是音乐娱乐集团的大少爷，一个是新锐美女音乐家，比那些乱七八糟的明星八卦有看头多了……"

裴诗看着车窗外移动的楼房和行人，漫不经心地点头。她现在认真思考的问题，和韩悦悦似乎不在一个次元。因为，夏承司并没有给她钱。这只说明了一件事：维多利亚女王购物中心的东西，是可以免费签单的。如果她没记错，这个商场是夏明诚的产业，夏承司并没有插手。它几时转到了夏承司的手上，外面竟没有任何新闻报道。看来，她不够了解的事情还有很多，需要小心的细节也有很多。

维多利亚女王购物中心是一座都铎式建筑，外观典雅贵气，传闻是十八年前，夏明诚为一位英国美人修建的"城堡"。 进入店内，西装革履的保安神经兮兮得仿佛CIA特工一般。淡金色的灯光打在一间间橱窗里，那么大的空间，只放着寥寥几件手袋、衣裳和珠宝。韩悦悦拿着裴诗的清单上前去问货，像抚摸自己的孩子一样，温柔地抚摸着一个皮包说："这就是皮革的味道。"

每次看见她对着鳄鱼、蟒蛇、山羊、狐狸的毛皮制的东西露出这种表情，裴诗就总是会联想到西方恐怖故事里专吃生肉的女巫婆。裴诗理解韩悦悦对时尚的毒瘾，所以看着表打算让她多做十分钟的花痴。但没过一会儿，所有傲慢得仿佛公主一般的店员都倒吸一口气，朝着商店某一个方向赶集似的跑去。然后，他们众星捧月般护送来了一个女子。

韩悦悦早练就了一双扫描仪般的火眼金睛，她只需要轻轻一瞄，大方面能看出对方的全身装备出自哪个国家哪个牌子哪一年哪一季主打，小方面可以看出对方内眼角是哪一年开的。但是，那女子拎着和她口红相配的橘黄单一色铂金手袋、一袭欧美复古风连衣长裙，像维纳斯女神一样站在保镖店员中间，韩悦悦连点评的力气都提不上来，直接傻了眼掉了下巴——那是夏娜，才华横溢的小提琴家，豪门名媛，时尚杂志的宠儿，音乐世家贵公子柯泽的未婚妻，夏承司的亲妹妹。

每个小萝莉的眼中，都有一个完美的偶像女神。

夏娜就是韩悦悦心中的那个女神。

人们说话的音量堪比呼吸声，唯一的动静便是夏娜高跟鞋回荡的声音。她没有感到丝毫不适，只是懒洋洋地进入裴诗和韩悦悦停留的专卖店，微微抬起高傲的下巴，从她们身边目不斜视地走过，指着衣架上的衣服说："这件，这件，还有这件，不要。"然后，她挥挥手，保镖们瞬间变成了土匪，冲过去动作迅速地洗劫了她没点到的衣服，以光速将它们打包。

见韩悦悦一直处于痴呆状，裴诗淡漠地检查着手中的购物名目，并没有说话。她知道，韩悦悦并不了解自己，更不了解夏娜。韩悦悦不会知道，这样一个优雅的美人曾经有多失态，失态到大半夜淋着雨冲到自己面前，不顾满脸被雨水冲花的黑色眼妆，失心疯一样摇晃着自己的肩："还给我，把我的一切都还给我！柯泽！音乐会演出！小提琴冠军！电影的编曲！这些原本都是我的，你有什么资格抢走它们！你凭什么抢走它们！"

之后，那一记耳光真是响彻天际。到现在想起来，裴诗都觉得脸上有些发痛。

"啪！"

此时，一个保镖横冲直撞地擦过裴诗的肩，把她撞倒在了地上！裴诗原本拿在手里的购物袋散落一地，七零八碎地在大理石地面上滑了很远。她膝盖和右手肘磕在地上，左手胳膊却使不上力，一时半会儿没能站起来。韩悦悦这才回过神来，蹲下来扶她，对这保镖颐指气使的行为也看不过去："你这是怎么回事啊，撞倒人不知道道歉？"

裴诗摆摆手，声音压得很低："悦悦，帮我捡一下东西。"

"可是他们这也太……"

"没事，是我自己没站好。先捡东西。"

到这时夏娜才稍微留意了一下这个角落。原本，她只是随意地看了一眼裴诗，眼睛却蓦然睁大，挎着手袋的手腕也显得有些僵硬。裴诗捡起东西没有花太长时间，但是夏娜的动作像是定格一样，直到对方快要站起来，她才往前走了一步。

这时，手机铃声突然响起。她从手袋里翻出手机，有些慌乱地接了起来："喂。泽，怎么了？我还在买东西，你可以先到外面……"她一边打电话一边走出专卖店。保镖们也跟着她一起出去。

韩悦悦走向柜台前的裴诗："诗诗，今天你是怎么回事？那个保镖这么过分，你居然就这样让他们走了？"

裴诗拿起柜台前的一张专卖店名片，指了指上面的一行字——盛夏集团维多利亚女王购物中心。她微微笑了一下，张开淡且素雅的嘴唇说："夏娜是这里的大小姐，不得罪她会比较好吧。"

韩悦悦不得不服气，却还是有些不悦："可是，她本人竟然是这样的，连句对不起都没说，真是令人失望。"

裴诗没接话，只是把盖了章的清单递给店员："我是少董的秘书，他让我来拿这些东西。"

不满没能得到发泄，韩悦悦的小嘴一直翘得可以挂油瓶。裴诗用自己的钱背地里给韩悦悦买了一个手袋，从购物中心出来后交给她："这是我在清单里偷偷加的，给你了。"

"刚才你不说话原来是因为这个？诗诗你太好了！"韩悦悦眨眨眼，扑过去抱住她，但很快便严肃地说道，"你也太大胆了，第一天工作就浑水摸鱼！"

看着韩悦悦笑得那么开心，那双捧着手袋的手也相当修长，裴诗不由得暗想她真是个美人，不仅天生丽质，还很爱惜自己：她会第一时间买下最适合自己的裙子，清晨起来为自己化上完美的妆容，这已经变成了和洗漱一样重要的事。

裴诗一直认为，这样漂亮的人，一定配得上漂亮的梦想。

完成任务后，她为韩悦悦打了一辆出租车后，便扛着大包小包的购物袋跑到马路对面，对着又一辆空车招了招手。就在这时，一辆灰色的豪华跑车正巧从维多利亚女王购物中心的停车场里驶出来。开车的男人衣冠楚楚，戴着巨大的蛤蟆镜。前方的交通堵塞令他心烦，他叼着烟，刚掏出打火机，却因看见街旁迅速钻入出租车的侧影，迅速将墨镜摘了下来。

隔着玻璃窗，他看见了裴诗。她正把长长的黑发别到耳后，嘴唇是淡粉花瓣色，就好像是雪地中生长出的一抹明艳。她的眼角仿佛有从天而落的飞星，闪烁着浓密睫毛也无法覆盖的清冷。

是她？他的心脏忽然剧烈地跳动起来。在出租车开动的瞬间，那个秀丽的侧影也随着缓缓移动。持续多年的空落钝感排山倒海而来，此刻的他早已完全忘记准备忘记一切的誓言，脑中一片空白，把打火机和墨镜都扔在副驾上，跳下车，狂奔向她搭乘的出租车。但他没看见，一辆凶悍的摩托车加到最大油门飞驰而来……

烈日透过玻璃窗照进出租车，司机摇下窗子，跟着所有堵车的司机一起看向后方。裴诗也跟着转过头去："怎么了？"

"好像那边出车祸了。"司机看了一会儿，又转过头来，"堵成这样都能出事，也不知道这些人眼睛长在了哪里。还好我们先出来了，不然不知道要堵多久。"

裴诗看看表，倚在座椅靠背上闭目养神。她并不很关心身后发生的事，只是忽然觉得很累。因为，刚才夏娜在商店里接到了电话，叫的是那个人的名字。

第二乐章 ♪

盛夏交锋

"我即使被关在果壳之中，
仍自以为是无限空间之王。"

正式到夏承司身边工作前，裴诗不是没有听过他的管理作风。他有着敏锐的市场目光、快速准确的判断力和强势的策划能力，但同时也有一个在裴诗看来是致命缺陷的特点——男权主义。在她听过的所有首席执行官里，夏承司绝对是最为崇尚男性力量的一位。自从他就任盛夏执行董事以来，公司职员在两年内大换血，男女比例严重失调，到现在男人比例居然占了整个企业的百分之八十七。

　　在集团强大的工作压力下，别说女人，有时男人都会因为精神承受能力有限，在公司痛哭。而比起工作压力更加雪上加霜的是，这些人立刻就被炒掉了。夏承司仿佛永远不能理解那种以温暖、感性与平等为主题的女性企业的运营模式是什么，他理性、支配、独断、主动、野心勃勃，要的是那种绝对强势森严的帝国式等级制度。在别的现代化大型企业里，大厅中时常会有踩着高跟鞋噔噔噔来回走的女人。但在夏承司管辖的范围内，放眼望去几乎只有男人。偶尔冒出一个女人，也一定是理性到性别模糊。

　　尤其是公司高层，唯一的女性便是彦玲，那还是因为她是夏明诚亲自安排给夏承司的，从夏承司出国留学起一直跟随到现在，从管家到秘书到特助，几乎有着陈保之劳。夏承司对她持有感恩之情，待她有所不同，但除此之外，他就任执行董事后从来没有用过任何贴身女性员工。

　　裴诗是第一个。因此，她才第一次正式到他那里报到，他就先来了个下马威："上班之前，我必须跟你交代清楚三件事：第一，在我眼里，职员没有男女之分，只有精英和垃圾。第二，我不喜欢因感情耽误公事的人。第三，我不喜欢体质虚弱的人。"

第三条裴诗无法理解，于是去问了彦玲。彦玲冷冰冰地说："少董不喜欢女职员因例假、怀孕或者任何女性病痛耽搁工作。进了盛夏集团你就要忘记自己的性别，迟到了以'家里卫生巾用完了''例假肚痛'这种理由当借口，或者因为化妆和衣服搭配而耽误工作，那么第二天就不用来了。"这话说得仿佛她自己就不是女人一样。

裴诗看了看坐在办公室里的夏承司，低声向彦玲问道："如果真的怀孕怎么办？"

彦玲连头也没抬："那就说被车撞了在医院抢救，你不会因此丢掉工作的。"

夏承司是个对生活和事业都很有规划也很敢冒险的人，最典型的例子就是金融风暴席卷全球后他的作为：无数地段房产抵押政府，多家公司宣布破产，盛夏集团也有多处房产被查封。夏明诚把夏承司从英国招了回来，让他担任临时执行副董辅佐作为执行董事的大哥。夏明诚偏心老大是众所周知的，大家都以为夏承司会努力从细节方面奋斗向父亲邀功，然而他回来以后却只是天天悠闲地跟弟弟妹妹听音乐看报纸，让夏明诚无比失望。来年全球经济慢慢复苏，但地产还是属于重灾行业，抵押的房产如果冒险收回可能会迎来更大的亏损，可拖得越久，资金就越是像无底洞一样被薪水和贷款消耗。大哥无能为力，只能痛心地准备第三次裁员，可没想到被夏承司阻止。这个阶段，所有巨头都坐立不安，伺机不动，他却一口气把所有查封的房产全部收回。

虽然那时经济最萧条的地区是欧洲，但经济复苏初期就这样重新运作的地产公司，盛夏是第一个。这无异于把公司推向了一个又一个深渊。在董事会紧急会议上，夏明诚当着所有人的面把夏承司劈头盖脸地骂了一顿，气得差点儿犯心脏病进医院。员工们当着夏承司的面不敢多话，底下都在偷偷议论，说他的一时冲动会让大家都丢了饭碗。

可是，仅过了几个月，所有的责备声全都消失了。迄今为止，不少人都忘不了当年盛夏股市红字乱蹦的惊心动魄的场面。在最为得意的时候，夏承司也保持着异样的冷静，不动声色地集资、融资，吞并、扩张势力版图。他的决策不仅获得了业内人士的赞誉，还令他代替大哥接下盛夏集团执行董事一职。某些媒体报刊甚至夸张地描述夏承司为"在危机时刻漫不经心，却会在最关键的刹那捕杀猎物的狼王"——夏明诚年轻时纵然有再多的雄心壮志，也只敢把这种冒险精神用在女人身上。

事实上，人无完人。一个人在事业上的成功，往往会换来让人不敢恭维的私下性格。例如，他有很多辆好车，但都是黑色宽版，导致裴诗只能靠车牌号区分它们。这些车时常因公事被调动得来无影去无踪，为他安排行程时，她下了不少苦功。另外，对于双排轿车的坐法，企业家都有条不成文的规矩：前排左边坐司机，右边坐保镖，后排左边坐秘书，右边坐boss。夏承司的家人都是这么坐的，可他却喜欢坐在保镖的位置上，让裴诗坐在boss的位置上，然后把座位调到最大空间好放腿。于是，坐在后排的裴诗被挤到缩成一小团，只能对着靠背上的显示器发呆。每天被夏承司挤来挤去，她经常觉得还不如坐地铁好，最起码在地铁里被人挤，还可以不爽地叹口气。

有一次，夏承司坐了自己最喜欢的车，舒舒服服地靠在靠背上，侧过头用那外国杂志封面模特般的侧脸对着裴诗，声音慵懒得仿佛在为男性古龙香水打广告："这车底盘稳，比昨天那辆舒服，对吗？"

裴诗在狭小的空间里闭眼用力地去感受，只能说："是很稳。"

不仅如此，他对宾馆和飞机的挑剔程度绝不亚于车辆。只要订的飞机不是他喜欢的型号，住的五星级酒店不是他心中的五星级——

"那么，你可以直接去卧轨。"彦玲一脸虚假地微笑着，顿了顿，还补充一句，"就像安娜·卡列尼娜一样。"

听完这句话，裴诗有点震惊。不是因为她惊悚的威胁，而是因为夏承司身边的人居然知道谁是安娜·卡列尼娜。

只是，像夏承司这样看上去和阳光、感性、真善美完全绝缘的男人，居然也会对音乐厅这种充满了欧洲艺术气息的东西感兴趣，而且还将它盖在盛夏旗下最贵的楼盘里。夏承司搞艺术，这种违和的感觉如何形容，就像是把纽约帝国大厦迁移到法国拉图葡萄庄园。好在他还有个艺术家妹妹。天才小提琴家和音乐世家公子的结合，竟让这一明显有着利益关系的联姻变得浪漫起来。夏娜和柯泽的订婚虽然属于双方的自愿行为，但实际上最大的获利者是夏承司。近些年地产市场渐渐趋于饱和，集团收益虽然还是稳步上升，但目光长远的夏承司已经猜到不久后这一行即将萎靡，开始考虑开拓新行业。他最先相中的领域，是能够满足现代年轻人追求高品质生活的古典商业音乐。

被夏承司当驴一样使唤了一个星期之后，裴诗终于在他那冷硬的黑色大理石办公桌旁看见了一个活生生的人，而不是夏承司和他的电脑。那是他聘请的音乐厅建设顾问。早上，她悄声推开门，踩着灰色的地毯，走到他们身边送上冰水、果汁和咖啡。

"不用了不用了，谢谢。"顾问明明说到嘴唇干裂了，却依然谨慎又神经质地摆摆手。

"休息一下吧。"夏承司翻了翻桌面上的文件夹。

顾问这才放心地接过果汁。裴诗不知道夏承司对他做了什么，顾问颤颤巍巍地接过果汁后，杯子里的果汁竟差点溅出来。夏承司看了几页纸，头也没抬："裴秘书，你去音乐厅总监那里帮我拿一下昨天的图纸。"

她来去动作很快，回来时顾问把整杯果汁都喝完了，但还是夹紧屁股坐在原处，简直跟上了绞架的死囚似的。夏承司冷不丁地说道："裴秘书，你过来第一天不是说对我这个项目很感兴趣吗？怎么，一点建设性的意见都没有给？"

裴诗不卑不亢地说："我喜欢在老板没有要求的时候保持沉默。"

"我允许你说。现在顾问的意思是在音乐厅开业第一天请著名音乐家来演奏。我想请安德烈·里欧[1]来演奏，你觉得如何？"

"安德烈·里欧在欧洲确实很红，一张音乐会前排的票提前一年都能炒到

---

1 安德烈·里欧（Andre Rieu, 1949— ），荷兰小提琴家、指挥家，编制了约翰斯特劳斯管弦乐团，被媒体称为"新生代欧洲圆舞曲之王"。

成千上万元，他擅长的圆舞曲也很符合柯娜音乐厅的欧洲风格……"裴诗停了停，"但是，在亚洲知道他的人有几个呢？"

"你继续。"

"据我所知，夏先生您建设这个音乐厅的目的是商业盈利，而不是拓展客户对音乐领域的认知。小资们喜欢的是音乐给他们带来的文艺气质，并不是音乐本身。所以，在亚洲有品牌效应的音乐家会比安德烈·里欧好很多。"

夏承司点了点头，眼角有一丝嘲意："你很瞧不起这些客户。"

"品牌效应不一定代表烂俗。久石让、陈美，都是很优秀的音乐家。"

"久石让的风格不适合柯娜音乐厅。"

"那就请陈美，她的爆发力很强，演奏风格激烈，和夏小姐的成名作有异曲同工之妙。而且，她们的母校都是伦敦皇家音乐学院，如果她们能在开业第一天同台演奏，这对音乐厅对夏小姐都有很大好处。"

"嗯。"夏承司沉默了一会儿，"还有吗？"

"夏小姐和柯先生的订婚典礼也可以在那一天进行。"

夏承司抬头看向她，左耳上小而精致的黄色宝石微亮，眼中只有浓重的调侃之意："不，在那结婚最好。让夏娜穿上白色的婚纱，在音乐会现场举行婚礼，再让新娘把花束夹着彩虹糖果抛到观众席里去。"

听他这样调侃充满女性特质的事物，裴诗一点也笑不出来。这男人的长相真是说不出的微妙，明明轮廓深邃、身材高大，五官和打扮没有一点花哨的意味，却总是让人忍不住想用一个英文单词来形容他：beautiful。她一度以为美丽与男人味是不可以共存的，夏承司却将这二者和"贱人"完美地三合一了。她早该猜到了。这年头好男人要么结婚了，要么就是同性恋。连柯泽那种罄竹难书的男人都能结婚，更不要说是夏承司这台外形美丽的印钞机。夏承司如此讨厌女人，难道是因为他只爱男人？裴诗静默地看了夏承司许久，缓缓说道："夏先生，我只是就事论事。提出这样的建议，是因为考虑到夏小姐和柯先生的知名度与影响力。如果你还用狭隘的男权目光来看待事情，那就不要再让我为你提意见了。"

她说得如此直接，一旁的顾问听得胆战心惊。夏承司愣了一下，嘴角渐渐

浮现出笑意:"裴秘书,你似乎不怕我。"

"我为什么要怕你?"裴诗把图纸放在桌子上,走出办公室。

*** *** ***

七月下旬。连续二十多天没下过雨,雾气蔓延在空中,呈现着薄薄的奶白色,罩住东城住宅区所有苍翠欲滴的树叶。干燥的风不断摇晃着它们的枝丫,使得空气更加燥热。住宅区中搭建的音乐房里,韩悦悦放下手中的小提琴,琴弦在空荡荡的房间里微微震颤。她甩了甩因长时间举琴而发痛的手臂,跨过满地快被太阳烤焦的五线谱,蹲下身从包里掏出梳子,想要好好地把镜子里快要被汗水淹没的凄惨女子收拾一下。可不经意间,她看见镜子里多了一个人影,吓得手一抖把梳子掉在了地上。

"啊,小曲,你要吓死我啦。"她拍了拍胸口,拾起梳子站起来梳头,"唉,要练琴一会儿再开始吧,今天好热,我一个下午没吃饭也快饿死了。不知道你姐什么时候回来……"

说到一半,她又看了一眼镜子里的人,终于停下动作,慢慢回过头去:"诗……诗诗?"她惊得立刻捂住胸口,"我的天哪,你们姐弟俩长得这么像,迟早会把我弄出心脏病的,太可怕了!"

"你又偷懒。"裴诗斜眼看了一下旁边的乐谱架,"几首曲子练得怎样了?"

韩悦悦长叹一声,捉住裴诗的手臂摇了摇:"好了好了,我的大经纪人,看看这天,你就别责备我了。这些曲子我都熟练得不得了,尤其是《卡门》,你叫我倒着拉我都没问题了。能不能换换别的呢?"

"悦悦,你应该知道,成为优秀的演奏者,只是熟练是不够的。"裴诗皱了皱眉,"你说说,你想练什么?"

"这一首。"

韩悦悦转身打开笔记本电脑,迅速点开一个存在网页收藏夹里的视频。缓冲结束后,一道金色的灯光从音乐厅上方打落。交响乐团员们穿着黑色燕尾服,将一个白裙女子包围住。拖地长裙勾勒出她美妙的身材，她把小提琴肩托架在锁骨上，右手握着长长的弓，随着蓄势待发的前奏缓缓打着节拍……直到音乐正式进入主旋律，她闭着眼，将弓子压在弦上快速一拉，左手手指仿佛光速般跳跃，几十个音节在短短几秒内演奏出来！这首曲子令听众沸腾，他们的眼中写满了对艺术的赞赏。而演奏者如痴如醉，不论奏出什么音节，身体总是会随着一起摇摆……这就是现代小提琴曲的里程碑，全曲总共五分四十秒，前奏和中间停顿处的片段，有欧洲中世纪的黑暗宏伟风格。小提琴演奏部分节奏极快，风格昂扬澎湃，从头至尾都充满了波涛般壮烈的激情。这首曲子叫《骑士颂》，作曲人兼演奏人是夏娜。

"虽然夏娜的性格很糟糕，但她真的是天才。你看她还这么年轻就写出了《骑士颂》，将来一定会变成像莫扎特那样流芳百世的音乐家。"韩悦悦一脸景仰地看着那个视频，"所以啊，诗诗，我们也要跟随时代的脚步走，不能老弹奏那些老掉牙的曲子，该试试新的了。"

这时，一个清脆的男声传了过来："天才，《骑士颂》之后夏娜写的曲子都跟韩剧片尾曲一样，只知道一个劲儿煽情，完全没有任何艺术鉴赏价值。你看她都回国几年了，还写出了什么有代表性的曲子？另外，当你在听莫扎特的曲子时，根本连夏娜的名字都不要提。这是对莫扎特的不尊重。"

裴诗和韩悦悦一起转过身去。阳光像无数条交织的金线，从无云的蓝天透过交叠的繁枝，洒在眼前男生的身上。他的头发蓬松而柔软，像是被阳光烤软了一样，随着身上的那一件雪白衬衫融入到了夏日的香气中。他走近了一些，用一种近乎于小动物的眼神看着裴诗，然后拉了拉她的手："我们不用夏娜的曲子。"

"好，不用。"裴诗回答得言简意赅，却带着十二分的宠溺。

他立刻绽开笑容，然后在温暖的阳光中默默搂住了裴诗。裴诗也微笑着轻轻回抱他，顺便在他背上轻轻拍了两下。虽然裴诗从来不说，但韩悦悦知道，哪怕是他说出"我们不用夏娜的曲子，我们去把夏娜切成碎片喂狗"，裴诗也会说"好，喂狗"。

韩悦悦终于看不下去，一个劲儿摆手："我受不了了，你们赶快分开！长成一样的人还天天搂搂抱抱的，不觉得难过吗！"

　　这个男生是裴诗的双胞胎弟弟裴曲。他们应该是世界上最相似的双胞胎姐弟，不仅有着几乎完全一样的脸，连眼神、习惯动作和爱好都有些相似。韩悦悦迄今还记得第一次看见裴曲时的情景：那也是一个盛夏的下午，裴诗带她到家里做客，她刚进入客厅就听见外面传来了《帕格尼尼大练习曲No.6》。这首曲子是李斯特由小提琴曲《帕格尼尼第二十四首随想曲》改编的钢琴版本，难度系数很大，但演奏者却很轻松怡然地把整首曲子弹了下来，让她立刻想到了阿劳[1]演奏的完美版本。本以为裴诗家里住着一位中年音乐家，但走到庭院里，她看见的却是坐在南港竹柏下的白衣少年。他正对着一架黑色钢琴演奏，没有用琴谱，垂头弹琴，刘海挡住了大半张脸，但侧脸在薄薄的阳光中依然澄澈得有些不真实。当时韩悦悦就想，这是她这辈子见过的气质最干净的男生了。虽然姐弟俩长一样，性格却是两样，相较有些尖锐的裴诗，裴曲温柔得像个女孩子，外加爱穿浅色衣裳，他们站在一起，简直就像双生的天使和恶魔一样。可惜，这天使有恋姐情结，还不喜欢夏娜。

　　其实，他说的话也没有错。几乎听说过夏娜的人，都会认为她擅长的曲风是激昂型，那完全是因为《骑士颂》家喻户晓。实际上，夏娜的其他琴曲都很婉转温柔，带着淡淡的忧伤，虽然也十分动听，可以带动一时的潮流，却永远比不上《骑士颂》那样震撼……不知不觉间，那个夏娜演奏的视频又重放了。裴诗听着熟悉得不能再熟悉的前奏旋律，想着这首每个音调都凝结了作曲人心血的曲子，嘴角不由自主地勾起了一抹不明意味的笑。

　　这时，手机忽然响了。她接通电话，彦玲的声音传了过来："少董让我把你的方案告诉夏小姐，夏小姐说订婚典礼可以在音乐厅开业当天进行，但不愿意和陈美同台演出。你再想想其他方案。"

　　完全如她预料。裴诗嘴角的笑意更明显了，却还是刻意问道："为什么不愿意呢？"

　　1　阿劳，指克劳迪奥·阿劳（Claudio Arrau，1903—1991），智利钢琴家。20世纪最伟大的钢琴家之一。自幼有"神童"之称，曾到柏林求学，后定居纽约，持续其国际大师的演出生涯，誉满全球。

"这你还不明白吗？夏小姐的订婚典礼上她应该是主角，怎么可以让陈美来抢风头。你材料送好了赶紧回来公司，这里还有工作要做。"

挂了电话，裴诗又一次看向那个视频。她知道，夏娜最喜欢的小提琴家就是陈美，订婚现场如果有陈美捧场，不是一件自豪的事吗？夏娜究竟是怕陈美抢了她的风头，还是担心自己其他的琴曲无法配合陈美的风格？毕竟，她只有一首《骑士颂》。裴诗抬了抬左手胳膊，突然发现，那种永远举不起小提琴的无力感竟再不会令她崩溃。她回头看了看韩悦悦："悦悦，曲子你要好好练，不要偷懒。"

"知道啦，大经纪人。"韩悦悦吐了吐舌头。

裴诗把视频关掉。但同时，她看见了新闻网上的醒目标题——"柯泽陪女友逛名品店出车祸 现在市中心医院抢救"。她怔了怔，点开那条新闻，新闻只提到了他下车时被摩托车撞了，并没有提及伤势，里面的配图也是他以前的照片。

这些年她有意识回避了所有与他有关的新闻，不愿意让自己再回到过去。可是，过往的一段记忆还是倏然涌入脑海：多年前深冬的伦敦，圣诞前最后一个留学生聚会临近尾声。夏娜喝多了酒想早点回去，柯泽让朋友开车把她送回家，自己却留在了聚会场等裴诗一起回家。她酒量一向很好，到整个聚会结束后都还很清醒，只可惜当天穿的鞋鞋跟实在太高，她又走了太多路，两人刚走出来没多久，就崴了两次脚。

"你还好吧？"柯泽担心地说道。

她摇摇手："没事，就是鞋子不大舒服。你把车停在哪里了？"

"有点远，这附近都不让停车，可能要走十分钟吧。"柯泽看了看她的脚，吐了一口气，"你这个速度，可能要二十分钟到半个小时。"

"没事，继续走吧。"

柯泽伸手去扶她，很快她又崴了一次脚。他轻叹一声，把风衣脱下来罩在她的身上，在她面前蹲了下来，然后拍拍自己的背。

"欸？"她眨了眨眼。

"上来，我背你。"

虽然夜已深，但圣诞前夕，周末的伦敦被成千上万的聚会填满，走到哪都会有人。她小声说道："哥,我们是在街上啊。"

"那你就跟鬼妹一样把鞋子脱了走吧。"

"不要。"既然要穿高跟鞋,就不能在脱了礼服之前脱下来。

"那快上来。"

她犹豫了一下,默默地伏上他的背。他托着她的膝盖下方,很轻松地站起来。虽然身上披着他的黑色风衣,但她还是感到身下的裙子被抬得很高,几乎要缩到臀部上方,脸很快就微微热了起来。好在他走得慢,也没有碰到令她尴尬的部位,只是半侧过头,低声说:"怎么,跟我你还这么见外?"

"⋯⋯啊?"

他对着自己的肩扬了扬下颌。她这才反应过来,把手搭在他的肩上,环住了他的脖子。就这样,他背着她在冬季的街道上行走。在别样华丽的旧式餐厅里,穿着正装的淑女绅士们拿着酒杯交头接耳,大理石柱内的时光,仿佛回到了19世纪初奢靡的伦敦。因为有了禁烟法,所有英国烟民总是不得不暂时离开热闹的宴会,走到室外的寒风中抽烟。偶尔也有年轻的英国男人穿着黑西装白衬衫,随意地出来敞开领口低头点烟,和门前偶遇的金发女郎畅谈起来,因而展开又一段或许短暂或许浪漫的爱情⋯⋯那时候,她和柯泽都只有十来岁,但柯泽开着欧洲最好的车,身上穿的是昂贵的Dior限量版西装。在伦敦这种喧嚣的城市,她时常会觉得他那个圈子的人没有童年。因为家境富裕,小小年纪就有了许多人一生都得不到的东西,没有可以担心的未来,同时也没有可以期盼的梦想,只能用纸醉金迷来掩藏住内心的脆弱和空虚。柯泽也不例外,尽管有了未婚妻,他身边逢场作戏的女友却从来没有停过。每次玩过一个女人,他就会送对方一个奢侈品来买单。而夏娜又为爱情又为利益的委曲求全,也让她对哥哥很不满意。

他们路过了一座又一座古典建筑,私家旅馆前挂着一个个紫色灯光的圣诞圈。在路上遇到了很多障碍物,柯泽并没有绕过去,而是背着她跳过障碍物,一路狂奔。一阵心惊后,她抱紧他的脖子大笑起来:"你小心待会儿警察来了把你抓走!啊啊,别跳了!哇!"

终于,他们到了停车场,他把她扔到副座上,笑容邪气:"你一天到晚就知道拉小提琴，从来都不理我，现在不吓吓你，以后你还要犯错。"

尽管他把Liberty最好的衣料都穿在了身上，但是，他的皮肤依旧嫩到可以掐出水来，叛逆的眼神依然透着少年的气息。他喘了几口气，弯下腰来拉了拉她的裙子："理好衣服，这像什么样子。"他细心地为她整理衣衫，自己的西装却早已被她弄得皱皱巴巴，捯饬了两个小时的新潮发型也微微凌乱。一切好像回到了小时候，他背着摔跤的她跑到学校医务室的时光。

原本以为他到了英国学坏了，但那一刻她忽然意识到，他在外面再花天酒地，也还是她的哥哥。终于，她低声说道："谢谢哥。"

"嗯。"

他应了一声，又理了理她的头发，微凉的指尖在她的脸颊上划过。狭小的车厢里，他凝视她许久，忽然脸靠近了一些，在她嘴角旁的脸上吻了一下。她微微愣了一下，心扑通扑通乱跳起来。刚才那一瞬，她几乎以为他会……

"跟我不用说谢。"柯泽压低声音，揉乱了她原本理好的头发，"只要以后我老了、病了、残了，你这当妹妹的不会把哥扔到一边就好。"

他们开车回去的路上，天已微微亮了。伦敦的阳光和别处是不同的，因为雾气而总是柔柔地带着淡金色。冬季清晨的第一抹阳光照在街道中心的乳白殿堂上，上方骑士的青铜雕像栩栩如生，连同建筑本身都打上了斑驳的树影。那时候她很困了，看见树影阳光在哥哥的侧脸上重重叠叠，半合着眼，很快就沉沉睡去……

这一切，都是很久以前的事了。

此刻，裴诗看着新闻上的照片，忽然觉得那一觉睡过去之前，一切都只是一场梦。梦见甜美记忆最痛苦的时候，是醒过来的瞬间。她曾经那么努力地去经营他们脆弱的感情，粉身碎骨，血肉狼藉，却还是输得一塌糊涂。所以现在，他是死是活，为什么会出车祸，受伤有多严重，和她已经没有关系了。

莎翁笔下的哈姆雷特曾吟诵过："我即使被关在果壳之中，仍自以为是无限空间之王。"

无垠的世界，狭小的果壳，其实并没有太大差别。

她有要坚持走下去的路。这一路上长满荆棘，所以她不能不坚强。一个坚强的人，不会为同一件事哭泣第二次。

第三乐章

♪

准未婚妻

既然我决定要自由自在地飞，
就早已做好被时间洪流吞没，且灰飞烟灭的准备。

医院单人病房中，夏娜把一群探病的亲友都送走，轻手轻脚地关上门，走到柯泽身边坐下，却看见柯泽正睁着眼睛看自己。

"醒了？"夏娜把艺术创作般的卷发拨在耳后，拿了一个苹果，"我帮你削水果。"

换上病号服的柯泽没了平时野性的气势，板栗色的短发也只能让他的皮肤显得更加苍白。他还是扬了扬眉，笑得很挑衅："娜娜，我一直以为你脾气蛮倔的，没想到错看你了。"

夏娜拿刀的动作停了一下："什么意思？"

"你哥说要你和陈美同台演出，你居然拒绝了。怎么，怕了？"

夏娜不以为然，对着他打了石膏高高挂起的腿抬了抬下巴："现在就因为你这腿伤，我们订婚的时间都不得不延迟了，还讲什么同台演出。"

"我知道你在怕什么。"

柯泽眯着眼睛看了她一会儿。他长得像他的母亲，有一双细长邪飞的凤眼和一张标准的瓜子脸，若再穿上春秋战国时的衣服，可以直接去饰演那个时代胸罗锦绣的少年军师。即便是在现代，他英气十足的古典形象也与音乐世家相当般配。他确实从小就喜欢听音乐，却很早就放弃了乐器。奇特的是，尽管他并没有按照父母预期的那样变成气质贵公子，但穿着名牌、飙车、染发的叛逆风格，竟在女孩子里相当吃香。母亲把他送到欧洲去培养艺术情操，他在那待多久就泡了多久的妞，上了多久的赌场，无聊的时候还会跟一群鬼佬吸大麻。只可惜当年年少轻狂，再有不错的身家和漂亮的皮相，不负责的行为也让他在英国留学生的圈子里形象大跌。尤其是跟自己父母收养的女儿柯诗开房的流言传开以后，他更是没过多久就回了国。别人都猜测他是因为混不下去了才不得不回来，他对此也从来不曾辟谣。

当然，这一切烂摊子夏娜还是照单全收。五年来，他渐渐从当年那个放荡不羁的小屁孩，变成了现在带着点邪气的坏男人。夏娜也终于修成正果和他订下婚约，无奈到这种关键时刻他却被车撞了。如果不是亲眼看见他躺在这里被裹成了个木乃伊，她一定会以为他是故意逃婚。

"有什么好怕的。"她刻意避开橘黄色的指甲，翘着小拇指把苹果切成一小片一小片送到他的嘴边。

"你怕自己再也写不出第二首《骑士颂》。"

水果刀很快在夏娜的手指上划了一下，她低呼了一声。柯泽立刻拉过她的手："怎么这么不小心，我跟你开个玩笑而已。"

"还不是你，一直给我压力。"夏娜微微皱着眉，漂亮得像琉璃宫窗上盛开的鲜花，"想我演奏，起码你要能和我一起出席订婚典礼才可以吧。"

"是是，未来的老婆大人，我会赶快恢复的。"

柯泽指尖绕着她的发梢旋转，脑中却不受控制地出现车祸前看见的情景。那个人，不可能是柯诗。柯诗虽然是他的妹妹，但穿着打扮和言谈举止却相当成熟，也消失了很多年。从她满十五岁开始，他几乎就没有见过她卸妆的样子——他甚至不知道她卸妆后是什么样。她是那种下楼倒个垃圾都要全副武装的人。大概是因为这些年不断重复的梦，他才产生了幻觉……

梦里，他总是回到落叶飞舞的伦敦。那里空气很清新，连深秋即将凋零的叶都呈现着金色，草坪还是翡翠绿。那些落叶完整地飘落在草地上，就像是金子掉在了大片翡翠制的地毯上。裴诗是这幅画的中心。她身着深黑的连衣裙，踩在这片翡翠与金子中，锁骨上架着一把雪白的小提琴。当她缓慢而优美地拉弓时，整个世界仿佛就只剩下了来自天堂的音乐……在她演奏的时候，金色的落叶漫天席卷，乌鸦翅膀般的短发也在风中飘扬。她唇角露出自信的微笑，眼中容不下任何人。

多年来，他一直想说服自己，自己喜欢的是感性的、活生生的女人，而不是只有与音乐为伍时才会激情活着的疯子。可是，她还是形影不离，犹如魔鬼一般跟随了他十多年。

当年那样激烈的争吵后，他们都筋疲力尽了。但他不会想到，那一次的转身后，就再也不会有机会见到她。

原来，人生中最让人遗憾的事，并不是得不到想要的东西。

而是你永远不知道，哪一次转身是永别。

*** *** ***

在夏承司身边工作了几个星期，每周裴诗都会被彦玲发配到维多利亚女王购物中心，拿一堆奢侈品上交。这天下午艳阳高照，原本是夏柯两家联姻的重要日子，却因为柯泽临时发生的事故改成了家族聚会。夏承司、彦玲还有一群穿着黑西装的保镖一起出席了这场聚会，而裴诗这个新来的无关人士只能看他们下楼，目送他们远去。电梯在透明的玻璃中上下穿梭，身后是高楼大厦般的丛林，犹如蚂蚁般穿梭的车辆。在这里，所有路过的车辆都只会轻拍喇叭，象征性地响两声，说明这是一个非常有教养的地段。而在那么多摩登建筑中，最为显眼的莫过于那栋在阳光下泛着光芒的金铜色的大楼。旁边有再多的高楼，最多也只能在它身上留下浅浅的倒影，全然盖不住擎天圆顶的华丽。

那就是柯娜音乐厅，夏承司砸了重金去修筑的王国。彦玲说，早上上班时他多看了两眼那个音乐厅的顶，这说明他对这事有些不高兴了。因此，这一整天公司都乌云笼罩，气氛压抑。那些在夏承司面前说话小声的人开始发抖，说话发抖的人都快尿裤子了。本来所有计划都已经在进行中，夏承司特别聘请了翻倍的室内装修师、宣传组工作人员和乐队造型设计师，等等，甚至还请了十来个交响乐团供夏娜和她未来的婆婆选择。结果，柯泽这一撞可真是把他的高效率的工作成果全部"撞"回到起点。裴诗看了看站在身边的夏少董，他的眉目深邃完美得几乎没有生机，更不要说流露出什么人类特有的情绪。他一向如此喜怒不形于色，但她知道，他心情不是很好。所以，她决定不说话。

盛夏集团门口，夏承司的一系列黑色轿车齐刷刷地等候着。这些车被擦得锃亮，在阳光下闪闪发光，这和他的镶钻黑西装非常相配，只是后面跟着一群系着黑领带的墨镜保镖，说他们这会儿是去参加葬礼都比聚会要可信得多。上车前，彦玲又把一批维多利亚购物清单和一张纸条递给裴诗："今天我要跟少董一起出席聚会，你把这些东西买好了送到这个地址。"随后她又递来了一张空白卡片："还有，别忘了这张卡片。"

裴诗接过卡片一看，上面赫然是彦玲简短的字迹：

给美丽的源莎

夏承司

裴诗又看了一眼手中长长的清单，忍不住再次询问确认："这些，都是要送给源莎女士？"

"是。"彦玲跟着夏承司钻进了轿车。

到底是什么人，要夏承司亲自署名又让彦玲代笔写贺卡，再附送上这么多昂贵的东西？

带着满头问号，裴诗在最短的时间内赶到了源莎的住址。在花园式小别墅外按了几下门铃，一旁的监控器里传来了女子不大善意的声音："你是谁？"

"夏先生的秘书。他派我来送东西给源莎女士。"

几秒之后，"嘀"的一声响起，大门打开。花园里种满了含笑花、白薇和黄刺玫，虽然不大但很有旧时法国宫廷慵懒的气息。正想着别墅主人是个有闲情雅致的人，就看见坐在花园里穿着睡裙的年轻女子。女子的睡裙是玫瑰红色，由于是真丝质地而泛着华贵的光泽。她的身材瘦高，皮肤跟深冬的雪一样，年轻、白皙、毫无瑕疵，再配上那双妩媚又有些冷漠的眼睛，就好像是中世纪西方油画中的贵族小姐。裴诗上前去问道："请问是源莎小姐吗？"

原本以为对方会冷冷地回答"是"，谁知自己话音刚落，得到的回应竟是不带好气的白眼和谴责的口气："你又是谁啊，彦姐去了哪里？"

裴诗把手里大包小包的奢侈品购物袋放到石桌上："彦小姐和夏先生一起出席家族聚会了，今天抽不出时间，所以临时让我把这些东西给你送来。"

来这里的路上提着这些印有一线品牌显眼商标的袋子，裴诗几乎被路边的女子羡慕嫉妒恨的目光看穿。这一大堆袋子扔到任何懂点时尚的女人面前，对方都不可能不心动。可眼前的小姐看了一眼桌子上的袋子，居然一掌把它们全部推到地上！珠宝盒子被摔开，白金钻石的手链和耳环滚了满地，昂贵的上等丝巾也沾满了尘土。源莎提高音量怒道："又是这些东西，要买这些东西我自己会买！夏承司把我源莎当成什么了？他如果真的想和我爸做业务，就让他拿出诚意来谈！以前还好，还叫彦姐，现在连一个实习小秘书都随便给我派过来，他把我当什么了？！"

裴诗平静地答道："源小姐，夏先生现在忙。如果有话想要转告他，我可以代劳。"

源莎一下子怔住了。以往彦玲来送东西的时候总是好言相劝，甚至连哄带骗。但这一回，这小秘书的态度却不冷不热，深黑的双眼像是镀了薄冰一样漠视着她。她忽然冷静了很多，但语气中依然尽是嘲讽："转告？转告是吗？你告诉他，如果他今天不出现在我这里，和我爸的业务就别想谈了。"

源莎扫了一眼地上零散的东西，从里面拿出那张只写了几个字的小卡片，转身走了。

脾气是超出想象的火爆。裴诗沉默着把东西收好，走了出来。然后，她接到一通电话。一看手机上闪烁的名字，她忍不住笑了一下："裕太。"

那一头的人，说着热情洋溢却不太标准的中文："诗诗，你那边事情进展得如何了？"

裴诗回头看了看那个花园式小别墅："你知道源莎是谁吗？"

"源莎，百源董事长的女儿吗？她是夏承司的女朋友。"

裴诗瞬间僵化了。她设想了千百种夏承司和源莎的关系，有商场劲敌、合作伙伴、同父异母的兄妹……甚至连他父亲的又一个情妇都有想到，就偏偏没想到是男女朋友。回头一想，源莎有提到自己父亲和夏承司的合作。裴诗想了想说："他们是联姻？"

"联姻？百源虽然是大企业，但和盛夏比规模小太多了，联姻应该不大可能吧。源莎是夏承司母亲介绍认识的，他们应该是真的在交往。"

裴诗脑中又一次出现了夏承司淡漠的目光，半夜三更把她从被窝里吵醒、用充满磁性的嗓音说一句"明天早上八点直接去市场部拿资料"就挂线的遭遇，站在落地窗前看着音乐厅冷冷说着"裴秘书，两小时后把企划整理好送到我办公室来"的情景……夏承司交女朋友，真是绞尽脑汁都想象不出来的场景。

大概是这边停顿的时间太长，裕太又补充道："诗诗，夏承司那边你别想太多啦，老爷子亲自为你弄的护照和履历表，肯定不会有问题，你这样畏畏缩缩的反而会引起对方怀疑。"

裴诗不由得挺直了背脊，声音也谨慎了许多："替我向老爷子问好。"

一提到老爷子，她就立刻联想到了另一个人，但这种时候不知道是不是不要问反而比较好。正在犹豫，裕太又张扬地说道："你等等，有人要跟你说话。等等啊。"

大概预料到了是什么人。接下来的几秒钟时间，对她来说简直像几天那样漫长。直到那个清冷的声音从电话里传来："喂。"

明明已经紧张得不敢大声呼吸，但裴诗还是忍不住打趣道："组长，好久不见了。"

可能是因为一直开着扬声器，电话那头很快又传过来裕太充满激情的呼声："哟，组长哦组长！"

果然，那一边"组长"的声音变大了许多，应该是把扬声器关掉了："小诗，马上要换季了，你注意保养左手。"

除了裴曲，这是第一个关心她手臂的人。空荡荡的心一下子温暖起来，裴诗点点头："我知道，谢谢。那个，你们现在还在日本吗？"

"在。不过很快就会离开了。"

"离开？你要去哪里？"

"来找你。"他的声音就像春风中流淌的清酒，温柔又令人沉醉。

裴诗眨了眨眼，嘴角禁不住扬了起来："好啊，你要来的时候告诉我，我提前做好你最喜欢吃的梅菜扣肉。啊，组长我要先挂线了，夏承司打电话过来……"

此时，日本京都一座庭院中，石板上包裹着茸茸的苔藓，流水在惊鹿间潺潺作响，几片绿叶随着凉风吹落，飘在石井水面上。一个穿着日式浴衣的男子跪坐在榻榻米上，面前放置着一碗绿茶。茶香溢满庭院，树影随风摇曳。暗红的茶碗上樱花点点，一如男子花瓣似的薄唇。他身后站了几十个黑衣男人和穿着剑道服的男人。电话那一头迅速挂断后，他轻轻叹了一口气，举起墙角的竹剑，对着那十来个剑道男子："一起上。"

男人们迟疑了一下，有几个扶了扶头盔，握着竹剑，以圆形包围的形式朝他一点点挪近。他们握着竹剑的手不自觉地有些用力，加在一起有十几个人，可是面对站在中心的那个人还是止不住恐慌：对方身材瘦长，皮肤白皙得接近透明。明明只是静静地握着剑，纹丝不动，可是那种沉稳的气度里面却散发出一种无懈可击的气场。他的眼睛看也没有看对方，只是低着头，有些失去焦距的黑眸空洞地泛着微光。

突然，空气一动。十几个黑衣人相互一点头示意，高举竹剑以极快的速度同时向中间的人刺去——他们速度极快，脚步灵活，配合极妙。无数黑影冲刺而来，伴随着可怕的大叫声，杀气腾腾。若是一般人一定会感到心慌意乱，心神不稳，可是令这些黑衣人没有想到的是，他们快，对方更快，前进、后退、闪躲，高速在人群中穿梭！短短十多秒时间，击、刺、敲，强大的气势与力量完成漂亮的最后一击！对方极其精准地刺破他们的空门！他明明什么都看不见，却一处不漏察觉到了他们的弱点！

十几个黑衣人七零八落地跌倒在地。

自始至终，他踩在人字拖里雪白的袜子依然一尘不染。而他，只是维持着原来的动作，待四周的人都默默退下，对一边几乎要鼓掌欢呼的裕太轻轻说："现在就去订机票，下个月的。"

*** *** ***

夏氏庄园的豪华卧房中，床上小提琴谱堆积如山，很多画得乱七八糟的五线谱被揉成团扔了满地。夏娜穿着棉质的睡衣坐在写字台前，头发乱成了鹊巢，两个黑眼圈高高挂在眼下。人多热闹的聚会一直是她最喜欢的活动，但这一刻她却连收拾打扮下楼的欲望都没有。她已经快二十四个小时没睡觉了。这一天一夜里，她一直连续不断地创作，写了上百支曲子的片段。对柯泽说的话，她表现得若无其事，实际上，他说的每一个字，都像钢针一样一下下刺入她心底最脆弱的地方。

——你怕自己再也写不出第二首《骑士颂》。

是，她是借着《骑士颂》红了，之后她确实也没有再写出让人印象深刻的曲子。但是，如今她已经有了可以继续发扬光大的平台，加上雄厚家底的支撑，只要再出一首代表作，她的事业就会再上升一个台阶。

只要再出一首！夏娜闭着眼，在五线谱上画下了几个小蝌蚪。但很快她开始看着五线谱出神，又把它揉成一团扔在了地上！她抱住自己的脑袋，把本来已经乱七八糟的头发揉得更乱了，趴在桌子上痛苦地闭上了眼。

回国后几年，她已经尝试了几百次，几千次。可是，她真的中邪了。只要一动笔写激昂的曲子，《骑士颂》熟悉的旋律就会占据她整片脑海，每一个音符，每一个高潮都死死地缠着她……就像魔鬼一样。

终于，夏娜拨通了夏承司的电话。

此时夏承司正在自己家楼下的喷泉旁，和一群衣冠楚楚的男士谈生意。长长的汽车跑道直通向尽头的宫殿式住宅，白金汉宫般的庞大建筑占据了所有视线。他手里端着一杯红酒，西装上的钻石犹如泪珠般闪烁。他刚把裴诗招过来，想继续把她当驴使唤，电话忽然响了。看见来电显示是夏娜的名字，他有些疑惑地回头看了一眼她房间的位置，然后接起电话："娜娜，怎么不下来？"

"哦……我睡过了。"那边传来夏娜懒洋洋的声音，"订婚和音乐厅开业的事，我想了下还是不要请音乐家了，有我坐镇就够了嘛。"

"那你的计划是？"

"请一个专业的音乐团队演奏，然后把柯氏音乐想要力捧的新人安排在当天演出，肯定对以后也有帮助。"

夏承司轻笑了一声："你还真是为柯泽考虑得周到。"

"哥，那可是你将来的妹夫啊，都是一家人了你还计较什么？"夏娜不依不饶地撒娇，"音乐厅你可以开几百个，但妹妹的婚礼一生就只有一次，你就听我一次嘛。"

"我再考虑一下。毕竟柯氏现在没有什么新人，如果真照你说的去做，我们还要重新挑选小提琴手或钢琴手。"

"人选就交给我好了。我做事你放心。"

裴诗在一旁认真听着他们对话的每一个字，好像整个世界都只剩下自己的心跳声。确实，柯泽和夏娜郎才女貌，门当户对，无论走到哪里，他们都是众人瞩目的焦点。不仅韩悦悦这么说，媒体这么说，大众这么说，连很多年前，夏娜也曾告诉过她这个事实："你这来路不明的女人，究竟是凭怎样的勇气才会觉得自己配得上柯泽？他的父亲是大财阀，他的母亲是音乐家，而你，你是什么呢？照镜子看看你自己，再看看我，你拿什么和我比？你真以为自己会乱弹几首曲子被几个来路不明的'大师'称赞过，自己就真的变成音乐家了？你那低俗的、不堪的演奏风格，永远端不上台面！柯泽迟早会爱上我，你死了这条心吧！"

五年了。她原本比谁都有耐心，比谁都能够等。她做了无数准备工作，收紧了自己的拳头，紧紧地收了五年，就是为了在将来的某一日能够重重地打出去。

谁知，他们却不给时间让她等。

裴诗弯着眼角，淡淡地朝夏承司笑了："夏先生，我听你和夏小姐打算推出新人。"

夏承司凝视她片刻："嗯。"

"我这里有一个非常合适的人选，她会四种乐器，尤其擅长小提琴。有才华，长得很漂亮，如果给她一个机会让她发展，她一定不会让你失望。"

"你懂音乐？"

她说话速度很慢，给自己足够的时间去把握这次机会："我不懂乐器，但很爱音乐，也有组织管弦乐队的经验——这些我都写在履历表里了，夏先生大概没看到。本来想毛遂自荐负责音乐厅这个项目，但我在盛夏资历不够，所以这件事我觉得可以交给彦姐负责，然后我来推荐有才能的音乐人。"

夏承司想了片刻："你先把那个小提琴手带来看看。"

*** *** ***

　　一天的工作结束后，裴诗回到家中。刚一打开门，钢琴小提琴合奏的巴赫G大调《小步舞曲》就传了出来。她闻声摸索到裴曲的房间，果然是他和韩悦悦正在练习。原本曲子即将迎来一个小高潮，发现有人进来的裴曲看了一眼门口，立刻停下手上的动作："姐，你回来了。"

　　韩悦悦气得差点用琴弓去抽他："小曲，我好不容易这么认真，你怎么这样就打断了！"

　　"好了，今天回来我是打算告诉你们一个好消息的。"裴诗嘴角带笑地看向韩悦悦，"悦悦，我在夏承司那里给你争取到了在柯娜音乐厅演奏的机会。明天你跟我去一趟公司，他说要见你。"

　　"……真的假的？"

　　"真的，还是开业当天演奏。不过能不能通过夏承司和夏娜那一关，要看你的造化了。"

　　韩悦悦呆了片刻，忽然扑过去抱住裴诗："啊啊啊，我真不敢相信！诗诗你怎么这么厉害！我卧薪尝胆这么多年，终于有机会出头了吗！"

　　裴曲擦了擦汗："卧薪尝胆不是这么用的……"

　　"在柯娜音乐厅演奏啊。诗诗你先坐下来，你肯定累了，我去给你倒茶拿点心……不行，我要冷静一下……"韩悦悦把裴诗按在床上坐着，脚踏彩云般飘到厨房去了。

　　裴曲看了看堆在墙角的一叠曲谱，压低声音说："姐，你写的曲子真的打算就这么给悦悦？悦悦是好人，可是那都是你的心血啊。为什么你不能以作曲家的身份出道呢？"

　　"很早以前不就告诉过你了吗？我选悦悦最主要的原因是她漂亮。毕竟夏娜身上的光环太多了，和她对抗的人，不仅要漂亮、懂音乐、有成为音乐界偶像的潜力，还要会创作。如果她不会作曲，就完全不是夏娜的对手。"

　　裴曲好看的眉毛拧在了一起："你知道我为什么要拼了命去练《帕格尼尼

大练习曲No.6》吗？"

裴诗转过身去，佯装无事地收拾东西："不知道。"

"你知道。因为你喜欢《帕格尼尼第二十四首随想曲》。"裴曲却毫不犹豫地揭穿她，"我以前从来都弹不好这一首，练这么辛苦就是为了和你合奏。你忘记爸当时说过的话了吗？他要我们合奏，不是只有我一个人和其他人演奏。"

裴诗笑着揉乱了他的头发："现在姐姐的手还没恢复，你这样说不是为难我吗？"

裴曲板着脸："那我就等你恢复了再说。"

"你放心，我主要是想捧红悦悦，你明天不用跟我们一起去。只要正式演出的时候你出现就好了。"

"到时候你请别的钢琴手吧，我只和你一起演奏。"

裴诗弯下腰温柔地说："小曲，你这么厉害，演出一定不能少了你的。"

"你只要告诉森川少爷，他肯定愿意花高价请其他钢琴手。有没有我都无所谓。"

"嗯，是个好主意。"裴诗看看别处，佯装理解地点点头，"不过，森川少爷背后的组织你也知道。他们不是福利院，不会白白帮人的。说不定之后我们要付出更多。"

裴曲涨红了白皙的脸，硬气地说："不管，我只和你合奏。"

"裴曲，你够了！"裴诗的声音忽然冷了几个调。

裴曲呆了一下，抬头看向她。她快步走到床边，把韩悦悦的小提琴用双手拿起架在左肩上，以下巴夹住琴边缘，然后松开了右手。如她所料，左手立刻无力地垂了下来。她稳妥地夹着小提琴，指着自己的左手手臂，凌厉地说："现在我连弦都按不动，你是想你姐当着那么多人的面闹笑话吗？"

裴曲咬住下唇，有些无措地看了她许久："可是，姐，过去的事我都已经不计较了，你为什么还这么计较？冒着那么大的风险去闯？你没想过会有不好的后果吗？"

"后果？"裴诗漠然地笑着。

很久以前，她曾在一本书上看到过，鸟类因为生活习性很难留下化石。最早的鸟类始祖鸟出现在侏罗纪，自1861年来到现在一百多年内，被人类发现的化石只有六具骨架和一根羽毛标本。

既然决定要自由自在地飞，就早已做好准备被时间洪流吞没，且灰飞烟灭的准备。

第四乐章 ♪

魔鬼悲泣

古话说得好，破镜重圆。

事实上，与其为修复缺憾的镜子而再次刺伤自己，

不如就这样让它碎了。

早上十点，盛夏集团会议室。夏承司扫了一眼面前的韩悦悦。她穿着黑色小夹克、复古系宫廷式翻领白衬衫、奶油白长裤和白色蕾丝厚底高跟凉鞋。耳钉是利落无累赘的款式，及腰的长发松松地盘在脑后，系上了淡色的蝴蝶结。可以说这是韩悦悦一生中最具艺术气息的一天，但她自己并不喜欢这样风格的打扮。知道要见夏承司，她把自己最好的一身行头全部翻出来了：亮粉色小礼裙、璀璨的白金项链、长坠大耳环和可以打洗发水广告的大卷发，最后却被裴诗折腾成了这个样子。尤其是裴诗给她的这双鞋，一线品牌，但logo只有翻开鞋底才看得到……

　　"既然不是有钱到可以随意消费这个牌子的人，为什么不买有logo的？"韩悦悦早上看着鞋底一脸痛心。

　　裴诗一脸无奈："你是买鞋还是买logo？"

　　"当然是logo。"

　　裴诗白了她一眼后就再也没说话，直接把她打扮得如此中性帅气，送到了夏承司面前。那么火爆的身材被盖得什么都不剩，亏裴诗还说"对抗夏娜就要漂亮"这种话。韩悦悦气得不行，已经做好了直接被夏承司送出去的准备。

　　"韩悦悦，对吗？"夏承司不动声色地说。

"是，是的。"韩悦悦连忙点头。

早就听说夏承司是个非常严厉的人，但现在看来，态度好像……不差？只是，他拿着她的履历表仔细地看了很多遍，也不抬头问问题，这让她觉得更加拘束了。他低头翻着手中的资料，长长的睫毛为他平添了几分美丽，却掩不住睫毛下不容违逆的独断眼神。他一页页翻过一叠厚厚的曲谱，嘴角渐渐浮起了一丝不明意味的笑意："创作还真不少。"

这些曲子都是裴诗写的，韩悦悦有些心虚，并没有回答。夏承司又看了一眼裴诗："我听裴秘书说，你对音乐很在行。有没有兴趣在柯娜音乐厅试试？"裴诗安静地站在彦玲身边，目不斜视地看着韩悦悦，好像她们没有一点关系一样。

"当然！"韩悦悦底气十足地回答。

很快，夏承司把曲谱递给彦玲，随口道："既然如此，我安排夏娜和你见面。"

直到裴诗带着韩悦悦出去，韩悦悦都没能回过神来："怎么回事？发生什么事了？"

"夏承司那一关你过了。"

"什么？就这样？"韩悦悦提起小提琴，"我都没有演奏过。"

裴诗耸耸肩："你以为夏承司那种企业家对音乐会有兴趣吗？他叫你来，就是想看看你的形象是否能给他赚更多钱而已。"

韩悦悦不可置信地说："这么说，我的形象过关了？"

"嗯。"

"啊啊啊，穿成这样都能过关？"韩悦悦禁不住捂住渐渐发红的脸，"那如果我穿早上那套低胸小礼裙，他岂不是要被我迷死！"

裴诗横眼看着她。如果真这样打扮，夏承司会说"赶紧回Hooters[1]工作，别迟到"，然后让一堆疑似黑道打扮的保安把她扔出去。裴诗想了想，还是决

1　Hooters，美国的快餐连锁店，以穿着性感热辣的美女服务员为卖点。

定不要让韩悦悦知道事实的好。毕竟夏承司给太多女孩美丽的幻想，让她们误以为这世界上真有白马王子。

其实引荐了优秀小提琴手，按理说应该得到一点福利，但送走韩悦悦，夏承司送给她的礼物就是加班。晚上十一点，连彦玲都完成工作离开了，裴诗却依然在办公室里帮夏承司打印复印发邮件端茶送水，累得连一个字都不想多说。夏承司精神倒很好，三杯咖啡下肚，就跟装了大号金霸王的机器人似的忙着处理堆积如山的工作。完成最后一个企划时，人已经走光了，整栋大厦的灯几乎都要熄灭。裴诗恨不得把包包直接挂在身上飞奔出去，却听见夏承司动听的声音冷不丁地飘过来："陪我去吃夜宵。"

她几乎可以预料到接下来发生的事：夏承司把她带到一个高级西餐厅，叫上红酒、法式长面包、精心烹饪的兔肉和蜗牛，安排一个穿燕尾服的小提琴手在一旁拉曲子，在浪漫的烛光旁他自己一个人用餐，她则在一边站成木桩或化身扇扇子的小丫鬟，看他慢条斯理地把所有美食用完后，再拿着他的信用卡去买单。在她付钱的时候，他自己调动车子走人，在她上了巴士后打个电话说"明天早上七点把韩悦悦的资料送到负责人那里"然后直接挂掉……

但事实是，他自己开车到一个停车场把车停下后，带着她穿过购物街，然后来到一个热闹的小吃街。烧烤独有的香气溢满街道，夏承司把衬衫袖子卷起来，大步走到一个烧烤摊旁边坐下，指了指身边的位置："坐。"

看着这条街，裴诗想起小时候爸爸经常带着她和裴曲来夜市上吃烧烤。可是，自从爸爸去世，她变成柯家的养女后，每次路过烧烤摊，她连多看几眼都会被柯泽鄙视："那种东西脏死了，你还喜欢吃。我带你去吃有档次的料理。"

柯泽母亲是小提琴家，小提琴起源于意大利，因此他们全家人都非常西化。他所谓"有档次的料理"，就是高级西餐厅的牛排意面了。别的东西不好说，但那些西式肉块怎么可以跟拥有八大菜系的中华料理相提并论呢？所以到了英国以后，柯泽带着她走遍各式各样的高级餐厅，最后她还是选择自己在家里做饭。

　　一直以为出国时间更长的夏承司和柯泽是一路人，所以这一刻裴诗呆了有两三秒才在他身边坐下，看着眼前新鲜的土豆、发亮的金针菇串烧、切好的整齐的藕片和黄瓜出神。夏承司把这些东西一样样夹在铁板上翻来翻去地烤，熟练得像他自己就是卖烧烤的一样。眼见老板又送上了香嫩的小烤鱼和羊肉串，裴诗终于忍不住说："你……居然喜欢吃烧烤。"

　　夏承司头也没抬："不喜欢吃这些，我要喜欢吃什么？"

　　裴诗想了一会儿："以文火炖煮的英式牛排，配博若莱葡萄酒。"

　　"在英国吃了那么多年西餐，还没吃够吗？"

　　裴诗的心忽然提了起来，正在想如何回答，夏承司又迅速转口道："记错了，你是留学美国。"

　　裴诗沉默了许久："是啊。"

　　"伦敦没有这些东西。"夏承司拿起一串烤鱼，在上面涂满酱汁，"英国人不允许设立路边摊，连购物中心都很少有吃东西的地方。"

　　裴诗明知故问地眨眨眼："那他们晚上饿了怎么办？"

　　"用餐时间晚，吃完饭就去喝酒喝到半夜。"夏承司吃了一口烤鱼，想了想又补充道，"难怪肥胖率欧洲第一。"

　　"……"裴诗看着半夜啃烤鱼还叫了啤酒的上司，一时间不知该如何回答。

　　过了一会儿，老板娘把鸡排送上来，看了一眼裴诗，笑道："夏先生，这还是第一次看你带女孩子来吃东西。"

　　"嗯。"

　　见他没再多解释，老板娘一下来了兴致，看了一眼裴诗。这姑娘虽然穿着职业套装，似乎是夏先生的同事，但长得这样清冷漂亮，和夏先生是怎么看怎么配。关键是，她一脸倦容，看上去像是疲惫得不行了啊……

　　"唉，夏先生，你果然不大懂体贴人啊。"老板娘完全忽视了裴诗浑然自成的生疏感，拍了拍她的背，"你看看这姑娘长得多标致，你把人家累成什么样了。"

裴诗不喜欢和别人有身体上的接触，只是淡淡地回避了老板娘的手。

"是吗，裴秘书，我把你累着了？"夏承司饶有兴致地看着她，下颌骨线条相当漂亮。

生物进化史上发生过无数次重大的革命性事件，这些事件很多时候意义超过无数件小事件的总和，其中一件便是脊椎动物出现在生物史上后进化出了颌。所以，当人们看见下颌轮廓分明的人，总是会觉得他们很吸引人，同时也会觉得他们很不好对付。这是因为生物本能告诉我们，他们的大脑比普通人的更复杂。裴诗当然知道，夏承司不仅复杂，还是个冷血动物，不能因为他吃了一点人类的食物就对他放松警惕。她挺直背脊，认真地说："这种程度就累了的话，我也不敢待在夏先生身边。"

老板娘继续无视裴诗的排斥，在她背上重重一拍："小姑娘真有精神！鸡腿快好了，我去给你们拿。"

老板娘刚一走，夏承司就继续胃口大开地吃鸡排，吃完后用纸巾擦擦嘴："对了，明天你跟我一起去一趟音乐厅。到时候你带着韩悦悦去练习，三四天的时间你能完成吗？"

"能。"

"娜娜喜欢风格激昂的音乐。"

夏承司说到一半，没有留意到老板娘已经过来了，只继续说道："所以，时间不是最紧要的问题，重要的是激情和质量。"

"明白。三四天我完全OK，但你不会有问题吗？"夏承司忙成这样，不大可能有时间在那里监督吧。

夏承司漠然道："难道你指望三四天都靠我？"

裴诗还未回答，老板娘就已经跑过来把鸡腿放下来，严肃地看着他们："夏先生，你别愁。遇到这样的女中豪杰也是你的福分。别担心，我有办法。"

现在的年轻人做事果然雷厉风行，这种事居然可以公然讨论。她也不可以跟不上时代的脚步！老板娘犹如旋风一样去去就来，把一盘海鲜放在他们面前："夏先生，吃了它们吧。"

裴诗疑惑地看着那盘生蚝。夏承司看了一眼生蚝，又挑着眉看了一眼老板娘，朝裴诗扬扬下巴："你吃吧，你是需要辛苦三四天的人。"

"慢着，这个姑娘吃了没用的。"老板娘赶紧阻止了准备动手的裴诗，"一定要男人吃了才补。"

夏承司若有所思地点点头："原来如此。那裴秘书，你先生平时都爱吃生蚝吗？"

裴诗这才想起自己的履历表上写着"已婚"，主要是为了让夏家对自己放松警惕。履历表上没贴照片，也是怕被夏娜认出来断了她的后路。她心里有些惊讶于夏承司强大的记忆力，但表面还是很淡定："吃。"

"难怪。"夏承司把老板娘推过来的生蚝又推给了裴诗，"你比我大两岁，我应该也比你先生年轻，不需要这个。"

老板娘诧异地看着他们——报刊亭的杂志上经常当封面人物的夏先生居然，居然是小三！而且，还是姐弟恋小三！

但裴诗心里就不这么想了。她实际比夏承司小三岁，只是在履历表上把年龄报大了五岁，现在夏承司得了便宜还卖乖，令她有些不爽："都是年轻人，一两岁影响不了什么的。"

"也是。不过，这么晚了你还不回去，你先生那边会有意见吗？"

"不会，他知道我在做什么。"

丈夫还知道她在做什么！他们居然就这样公然地……老板娘被这番劲爆的话题震惊得不能言语，终于认输，识趣地走了。

两个人又吃了一会儿，夏承司的手机忽然响了。他看了一下上面的号码，没有接听，只是按下了静音。但没过多久，手机又不依不饶地震动起来，停了又响，响了又停，好像他不接听就会一直响到世界末日一样。裴诗是知分寸的人，不闻不问，只安静地吃东西。也正是因为她的安静，那震动声变得愈发明显，即便是在热闹的夜市上也无法忽视。终于，夏承司不得已，叹了一口气接起电话："喂。"

电话那一头在说什么裴诗听不见，但说话像连珠炮一样噼里啪啦没停过，那个独特的声线她一下就听出来了——是源莎。然而，在那一边漫长的吐槽后，夏承司只说了一句话："我在吃饭，回头再说。"然后就挂断了。

之后，裴诗还是没有多问。夏承司淡淡地说："这就是我不喜欢女人的原因。太吵。"

"那就喜欢男人吧。"裴诗若无其事地啃着羊肉串。

夏承司琢磨她的话有一会儿："你好像对这个很有兴趣？"

"没有，当然没有。"

*** *** ***

次日是九月二十一日。

裴诗之前在公司里看过柯娜音乐厅内部的照片，知道这座音乐厅规模庞大，里面有上百间工作室和教室，一部分工作室还特别安置了玻璃天窗，以便音乐家们能够在晚上观望星空激发灵感。但真正进去以后，裴诗才感受到了亿级投资的艺术殿堂有多么宏伟。虽然夏承司似乎是个音痴，却完全不妨碍柯娜音乐厅变成无数音乐家们神往的殿堂。

通往演奏正厅的入口有一个叫夏树金殿的大厅。这里是给观众提供休息、进行活动和举办展览会的地方，有上千平方米，七根树形金柱支撑着多边形玻璃组成的顶部，夏季灿烂的阳光透过玻璃直射下来，又因玻璃的多角折射而变得愈发璀璨，一到晚上开了所有灯盏后又会变得金碧辉煌，故名夏树金殿。裴诗和韩悦悦随着夏承司踏入这个大厅，浓郁的音乐艺术气息扑面而来。最令裴诗难以接受的是，这个音乐厅跟现在已经快变成灵堂的金树国家音乐厅如出一辙。引领夏承司进去的经理指着大厅说道："少董，这里已经按您和夏小姐的要求翻修过了。您看这里是不是和金树更像了一些？"

夏承司环顾四周："嗯。"

"为什么要按着金树修？"韩悦悦问道。

经理笑了笑："夏小姐最崇拜的音乐家是裴绍啊，裴先生生前第一场和最后一场演奏会都是在金树进行的。他去世后，国家把金树改装成了纪念堂，夏小姐一直觉得这是遗憾，所以特意把这里翻修成了金树的样子。"

听到这里，裴诗禁不住闭上了眼。

…………

"宝贝诗诗，宝贝曲曲，生日快乐！"

年轻男人伸出双臂揽住眼前的龙凤胎，将他们轻轻抱起来坐在自己的手臂上。可是，这一日他的身上不仅有往日绿草味的沐浴液香气，还有一股淡而新鲜的植物清香。小女孩吸了吸鼻子，趴在男人的肩上闻了一会儿："爸爸，这是什么味道？"

"是松香。"他穿着米色衬衫，抱着他们穿过狭窄的客厅，走到他们的小屋前，声音温柔得像是夏季月下浅浅的溪水，"我的小公主和小王子，爸爸为你们准备了生日礼物哦。"

他推开了房门，十平方米的小房间被装点成了一个小小的童话世界。床上放着一把白色的小提琴，墙角放了一架白色的钢琴。男人把姐弟俩抱到钢琴前坐下，把小提琴放在小女孩的手上："这些就是爸爸的礼物。"

"谢谢爸爸！"姐弟俩异口同声地答道。

小女孩抱着对她来说明显太大的小提琴，眨着大大的眼睛好奇地看了它一会儿，用一旁的琴弓在上面拉了几下，吱吱嘎嘎的锯木声让她不由得紧皱起眉："好吵啊。爸爸，这个一点都不好玩。"

他笑了笑，抚摩了下她的头发，接过小提琴和琴弓，站起身把它平行地架在自己的肩上，又把弓以十字状放在琴弦上，轻轻拉动……才开了个头，小女孩就不由得愕然地抬头看着他——那是生日快乐歌!

初夏的阳光洒了进来,在男人米色的衬衫上缓缓旋转。他的身材高挑,背脊笔直,一个个动听的音节有秩序地连接在一起,在手臂优雅的动作下组成了浪漫的旋律。小女孩不知道,仅仅是一首普通的生日歌怎么可以如此动听,每一个音调的转换和起伏都听得她很感动,几乎流下泪来。但是,他拉到一半忽然停下,又一次蹲下来把小提琴放在她的手上,朝她露出温柔的笑容:"恭喜我的女儿、儿子六岁了!"

她不乐意了,开始手舞足蹈地耍赖皮:"为什么不拉下去,我还想听我还想听!"

儿子也挥舞着小手:"我也要听!"

"后面半首你们要自己学,明年爸爸生日的时候,你们合奏生日歌给爸爸听好不好?"

她想了一下,还是乖乖地点头:"好。说不定明年的这个时候,妈妈也回来了哦。"

男人的笑容忽然变得有些忧伤:"是啊,我们一起等妈妈回来。"

他摸了摸她及肩的长发,拿起相机对着三个人:

"好了,现在爸爸要和小公主小王子一起拍照了!来,一、二、三——"

——咔嚓。

…………

裴诗偷偷拿出自己的钱夹,看着里面陈旧的照片——上面是穿着米色衬衫的男人和肉嘟嘟的儿子女儿,男人搂着他们的肩,笑容比窗外的阳光还要温暖。温柔的夏风拂进大厅,扬起了她的裙边和长发。

这时,经理接过助手递来的报纸,打开给他们看:"刚好今天是裴先生逝世十八周年的纪念日,所以夏小姐还专程来过。"

报纸上刊登着醒目的头条:"著名音乐家裴绍辞世十八周年,国家音乐厅粉丝鲜花追忆偶像。"

韩悦悦好奇地说："到现在裴绍的死因还是个谜吗？"

经理将报纸叠起来："只知道他是自杀，但为什么自杀……恐怕会变成永久之谜了。"

裴诗看着报纸上熟悉的脸，脑中迅速闪过多年前的一幕：城市的边缘传来地动天摇的吼声，树叶翻卷，绿草乱飞，黑色的乌云沉沉地压了下来。雷鸣闪电毫无停息，一波接一波地刺着眼睛，震着耳膜。男人在沙发上躺了很久，眼眶深深地凹陷了进去，像是死人一样麻木地看着窗外，任由一道道闪电照白他的脸。裴曲因为胆小一直在房间里哭闹，她怎么都哄不好他，于是跑过去拽住男人的手："爸爸，爸爸，小曲一直在哭，你赶紧去管管他吧……"

男人这才像又活过来一样，摸了摸她的脸："诗诗，你是姐姐，你应该去哄他。"

"可是他只比我小几秒钟而已嘛。"年幼的她已经很会算计得失了。

"那你依然是姐姐。是姐姐，就应该照顾弟弟。如果爸爸妈妈都不在，你就应该对他好，这样他长大了变强了，才会帮你和欺负你的坏男生打架，知道吗？"

"哦……"裴诗似懂非懂地点点头。

"那姐姐现在去哄哄弟弟好不好？"男人温柔地摸着她的头发。

"嗯！"

裴诗点点头转身跑了。但刚走了几步，身后的男人又唤道："诗诗。"

她停下来，回头看着他。这一刻，苍穹已经被雷声侵占，轰炸着城市中所有的楼房。顷刻间，雨点如密豆一样洒下来，敲打着玻璃窗，敲打着钢筋混凝土的世界，每一下都像是绝望的眼泪，都在预示着一场巨大悲剧的来临。

男人站起来，身形消瘦，脸色苍白："没事，去陪弟弟吧。"

但事实是，裴曲哭闹起来真是一般人无法消受的。裴诗哄他哄得耐心磨尽，险些拿筷子去抽他肉团子一样的小屁股，但他还是不依不饶地哭着。

直到窗外密集的雨声中，一声重物落地的巨响震撼了天空。

裴曲不再哭了。十八年前那个夜晚的雨也没有持续太久。雨停后，浓稠的黑暗里只剩下姐弟俩轻轻的呼吸声。没过多久，窗外就传来了警车和救护车的声音。裴诗轻拍着裴曲长着茸茸头发的小脑袋，看了一眼身后的客厅，不管裴曲问她什么，她只说"赶紧睡吧"。很久很久以后，裴曲终于沉沉睡去，她才小心地推开卧室门，看着空空如也的客厅和大敞着的窗户。地下漏得满是雨水，窗帘也被雨水打湿，被雨后的风吹得微微拂动。门前爸爸的皮鞋还摆在原来的位置，他没有出门。还是个孩子的裴诗深吸一口气，一步步走到窗前——终于，她看见了二十多层的高楼下，被警察、医疗人员还有人群包围的，一摊红色的血。

兴许儿时的记忆总是鲜明的。因为听了父亲演奏的小提琴曲，她一生都对那四根脆弱又感性的琴弦有着说不出的情愫；因为看见那一摊血，她从那以后只喜欢穿黑色的衣服。

红色是浓烈的色彩，只有黑夜才能将它湮没。

那之后新闻记者将她家包围，但在他们接近他们姐弟俩前，就有人提前过来把他们接走了。他们被送到了一栋白色的豪华别墅内安顿下来。几日后，余惊未定的裴曲依然待在房间里不肯出来，裴诗却一个人来到花园里想要看看他们究竟所在何处。然后，她在花园里见到了一个系着领结散发着贵气的男孩子。一个金发碧眼的外国女老师放了一个曲谱在桌子上，正和他一起打着曲谱上的节拍。很快他看到了她，有些傲慢地俯视着她："你是谁？"

小小年纪的裴诗戒备心十足，眯着眼问他："你是谁？"

"He's the house owner's son.[1]"

女老师说的话裴诗自然没听懂。男孩子扬起漂亮的眉毛，笑容有几分邪气："你到我家来还问我是谁？我叫柯泽，你叫什么？"

1　他是这里主人的儿子。

父亲死亡和改姓住进新家的距离实在太短，导致裴诗只要一想到父亲，就会自然联想到自己叫了多年哥哥的男孩。只是她没想到，再次抬起头，居然就这样再次看到那个男孩——夏娜扶着尚未痊愈的柯泽从演奏厅里走出来，此时直接和他们碰了个正着。

"哥，你也来了。"夏娜一看到夏承司，立刻笑盈盈地说，"既然你来了，我就先不走了。泽，我们带哥去里面看看……"

夏娜忽然感觉到，柯泽握着自己的手的力道加重了一些，目光一直停留在自己身后的某个地方。然后，夏娜顺着那个方向看去：夏承司身后，一名女子静静地站立着。她一边的长发别在耳后，顺着纤长的颈项滑落在肩头。也是因为头发乌亮，她的面容显得无比白皙。发现他们在看她，她的嘴角自然地带出一抹礼貌的微笑。但那双眼睛像夜晚的泉水，任何光影掠过都只会令它们变得明亮，却毫无涟漪。

终于，柯泽紧握夏娜的手垂了下来，像是耗尽所有力气一样轻轻喊了一声："小诗。"

大厅里有夏日的阳光和倒影。裴诗起码过了三四秒，才迟钝地看了一眼夏承司，又看了一眼柯泽，指了指自己："柯先生是在叫我吗？"

夏娜像是浑身的神经都被绷直了，看着裴诗的漂亮大眼睛中写满了惊慌。柯泽松开她的手，一瘸一拐地走过来，抓住裴诗的手腕，愤怒地斥责道："柯诗，你以为你打扮稍微变了一点我就认不出来了吗？你说，这几年你都跑到哪里去了？我都快把整个世界翻过来了！"

裴诗的睫毛微微颤抖几次，一脸不解地看向夏承司："夏先生，这是怎么回事？"

夏承司还没来得及说话，柯泽已经气得拧过她的脸："你还在装！"他把她的袖子卷起来，"跟我装是不是，你小时候摔过一跤，手上有一道……"

他看着她白净得没有一丝瑕疵的手臂，翻来覆去找了几次："……这是怎么回事？"

裴诗一脸无辜："我也不知道啊……"

"柯泽，你认错人了。"夏承司淡淡一笑，"刚开始我看见她的时候，也觉得很像你那个妹妹，但不是的。她叫裴诗，比我们年纪都大，结过婚，很小的时候就去美国了。"

"裴诗……你姓裴？"柯泽愕然。

"是啊。"

"怎么可能有这么像的人……"柯泽摇了摇头，又看了一眼夏娜，"娜娜，你看她，她是不是长得和我妹一样？"

夏娜脸色发白，声音有些发抖，不知是生气还是紧张："这么多年，我根本不记得她长什么样了。"她又看了一眼裴诗，"柯诗天天浓妆艳抹的，谁知道她到底长什么样啊。"

"冷静一点，我们先进去。有事里面说。"夏承司拍拍柯泽的肩，带着一步三回头的柯泽进入了演奏厅。

裴诗看着柯泽摇摇摆摆的背影，眼神漠然。

古话说得好，破镜重圆。事实上，与其为修复缺憾的镜子而再次刺伤自己，不如就让它这样碎了。她紧跟着夏承司的脚步往前走。在经过夏娜身边时，她抬头看了一眼一直盯着自己不放的夏娜，微笑道："夏小姐，订婚的时候打算演奏《骑士颂》吗？"

夏娜的红唇微微张开，却像被人卡住喉咙一样说不出话来。

"我一直很喜欢夏小姐的《骑士颂》。"裴诗不等她回答，自顾自地说道，"不过，曲名我却不大喜欢。这首歌这么悲壮、黑暗，你觉得适合骑士和颂歌这样光明的主题吗？"

夏娜盯着眼前熟悉的面孔，脸色变得越来越难看。

"如果这首曲子是我写的，我会给它取名叫……"裴诗美丽的眉角微微扬起，眼底的情绪难以分辨，嘴角却有一丝淡淡的笑意，"——魔鬼的悲泣。"

第五乐章 ♪

邂逅回忆

爱因斯坦其实也拉了一辈子小提琴，但知道的人却没几个。
并不是因为他写出了能量—质量方程公式，
导致了氢弹和核弹的研发，而是因为，他并没能超过帕格尼尼。

柯娜演奏大厅是个上千平方米的梯田式厅堂，是目前亚洲规模最大的纯自然声演奏大厅。大厅里放置着该市唯一一架价值千万的管风琴，由建筑师和德国乐器设计师为音乐厅量身打造。大厅还没完全整修完毕，但巨大的升降式舞台上已摆放着定音鼓、打击乐器。它们将奥地利原产的金色钢琴九尺琴包围起来，衬着深红的座席和先进的灯光设备，仿佛随时都在迎接着世界顶级的乐团前来演奏。

　　夏娜抢先在裴诗前走进来，顺着地毯一步步走下阶梯，摊开手臂深呼吸，故作轻松地说道："我已经迫不及待想要在这里演奏了。"

　　"那也得等你未婚夫的身体好了才可以。"夏承司看了看坐在最后一排撑着额头的柯泽。

　　柯泽似乎精神很不好，不时地看向慢慢悠悠走进来的裴诗。

　　"当然，亲爱的，你要赶快好起来。"夏娜回到柯泽身边，神情温柔地抚摸着柯泽的背脊，然后抬起头来看了一眼提着小提琴的韩悦悦，"你是我哥介绍来的那个新人韩悦悦，对不对？"

　　韩悦悦提着琴盒的手不由得紧了一些："是的。"

　　"拉一段给我听听。"

　　韩悦悦点点头，从琴盒里拿出小提琴，同时看了一眼裴诗，张了张嘴，暗示自己要拉《卡门》了。但裴诗轻轻摇了摇头，用口型说《圣母颂》。

　　虽然不能理解，但韩悦悦还是站起来拉了《圣母颂》。很显然，她有些紧张，表情严肃。架住琴，她看了一眼夏娜和夏承司，拿着弓自己默默打了几个节拍，才拉动琴弓。这是自始至终都柔软优雅的小提琴名曲，尽管缓慢，但风格圣洁严谨，有着渗透呼吸般的浓厚感情，是闭上眼仿佛都能看见漫天飞舞的花瓣沐浴在春日溪流中的曲子。还好这首曲子由G弦低音开端，所以最初双手都抬得很高。她陶醉地轻合双眼，瞬间由一只小菜鸟化作了骄傲的天鹅贵族。开始演奏后没多久，她便完全融入音乐，身子因为流水般的曲子微微俯仰。

　　裴诗想，刚才夏娜受惊不浅，还是不要拿太激昂的音乐刺激她。果然，这首温柔的曲子让夏娜放松了不少。不论如何，她是很爱音乐也很感性的人，所以很快就随着那一个个连贯动听的音节晃动起来。到高音的时候，韩悦悦相当投入地屏住呼吸，挺起胸膛，修长的手指在弦上犹如舞蹈般跳跃，那侧身的动作、扬头时漂亮的颈项弧线和晃动的金色耳环……就好像是一只即将展翅高飞的白天鹅。

　　看见柯泽慢慢放下手，看向她，甚至连夏承司都抱着胳膊点了点头，裴诗满意地笑了。她果然没选错人。再平凡的人，只要用标准的姿势拉着小提琴，都会变得优雅夺目起来，更不要说是韩悦悦这样本来就有着漂亮外表的女子。相对于那些穿着低胸红裙的浓妆模特明星，这样一个美女音乐家很显然更容易得到男人的肯定。

　　一曲终了，同行的所有人都一起热烈地鼓起掌来。经理一直掌声不断，眼睛发光地看着韩悦悦："真不错，少董，这么厉害直接用就好啦。"

　　"光我哥那关过了可不够。"不等夏承司回答，夏娜抢先道，"要过了我这关才可以。"

　　夏娜看向韩悦悦，她的眼神让韩悦悦瞬间变成了柔弱的小兔子："夏小姐，你觉得如何呢？"

夏娜其实非常不喜欢柯泽看任何女人，哪怕是带着厌恶的情绪也不可以。可是韩悦悦确实是有功底的，打扮风格和演奏风格都有她自己的影子，很对她的味。她尤其喜欢韩悦悦演奏时那种柔美的模样，这和柯诗那个女人是完全不同的——那个女人只要一演奏，就一定会露出那种自信到自满的微笑，偶尔睁开眼，也只会用一种近乎魅惑的眼神看着琴弦，就像在勾引恋人一样。每次柯泽看到她露出那样的表情，就会如痴如醉。可她底下却从来不对他这样暧昧，相反，只会对他冷漠、讽刺、挑剔。让他看到了又不让他得到，这根本就是欲擒故纵，真是太可恶了！

夏娜一想到她，觉得眼前的韩悦悦简直顺眼多了。她不多看一眼裴诗，只是很大度地朝韩悦悦笑笑："我决定用你了。"

"真的？真的吗？"韩悦悦激动地握紧琴弓，朝裴诗喜悦地说，"诗诗，夏小姐说要用我了！"

裴诗只是平静地笑了笑，并没有回答。夏娜脸上的笑容还没退去，就忽然变得不自然起来："……你们认识？"

"是啊，我是诗诗推荐给少董的。"

夏娜像忽然被人抽了一记耳光似的，脸色立刻暗了下来："哥，韩悦悦是你秘书推荐的？"

夏承司淡淡地说："是的。"

"那这个人，我不能用。"

"为什么？"韩悦悦立刻惊讶道，"刚才不是说得好好的吗？"

夏娜沉默地看了韩悦悦许久，又看了看一旁不动声色的裴诗，一字一句道："一个商务秘书推荐的业余爱好者，怎么可以在音乐厅开业第一天演奏？"

韩悦悦急忙道："我不是业余爱好者，我拿过小提琴比赛的奖项。"

"拿过奖，就觉得够资格在这里演奏了吗？"夏娜指了指身后辉煌的大堂，"你参加过什么音乐会演出？加入过什么合奏团？发行过什么专辑？"

韩悦悦一时语塞。忽然，裴诗的声音不冷不热地飘过来："可是，说要捧新人表演，不也是夏小姐的主意吗？"

夏娜愣住，回头看着裴诗。从头到尾，她根本就没走动一步，只是默默地站在夏承司后方，标准的秘书位置。但她那种悄然静望他们的架势，却完全不像一个只会打杂的秘书，反倒像是在观摩舞台木偶剧的幕后策划人。灯光金子一般镀在她的黑发上，照亮了她半边秀丽的面容："夏小姐，出尔反尔不好哦。我为了请韩小姐，为了她这场演出，可是花了不少工夫。而且，她不仅会演奏，还会创作。"说"创作"的时候，她特别加重了语气。

这一语双关的话让夏娜的心猛抽了一下。她抿了抿唇，提高音量说："好，既然你认为她具有专业表演能力，那么，我可要再考考她。"

"请便。"裴诗摊摊手。

夏娜看向韩悦悦："我拉一段曲子，你重奏，要和我拉得完全一样，错了一个音我都不会再用你。"

韩悦悦担忧地看向裴诗，裴诗朝她安心地点点头。她把手中的小提琴递给夏娜。

夏娜紧缩着眉头。究竟要拉什么曲子，才能摆脱韩悦悦？她根本不知道韩悦悦的功底，但她知道，韩悦悦肯定早已把《骑士颂》背得滚瓜烂熟了。如果……她咬了咬牙，快速拉动琴弓，连续用颤音和快速的旋律，演奏了一段长长的《骑士颂》改编版变调曲——如果韩悦悦背过这首曲谱，那么她趋于惯性演奏，就不可能不犯错。

果然，韩悦悦接过小提琴的动作显得十分犹豫。夏娜也有些紧张地看着她，但心中更恨的是角落里那个人。明明已经被惩罚过一次了，居然还不知悔改、不知廉耻地像蟑螂一样爬回来。她休想再夺走自己的任何东西！

韩悦悦架住小提琴，轻吐了几口气，居然照着夏娜的旋律重复拉奏起来。但没过多久，到高潮转折点，她习惯性想要演奏原版的《骑士颂》，却忽然看见了裴诗皱眉头用嘴型说着"B"。

韩悦悦动作停了一下，按下B以后把接下来几个音全部降半音，居然全无差错地演奏完全曲。

"我没拉错吧？"她收了弓，擦了擦汗。

夏娜咬了咬唇。这个女人是回来报复的，她早有准备。她看了一眼柯泽，又看向裴诗，一字一句地说道："中间还是有迟疑，说明你还不够熟练。当然，我也不是出尔反尔的人。只要你能拿下月全国音乐大赛小提琴冠军，我就用你。"

在场的人都不由得一阵哑然。全国音乐大赛，这种一半靠实力一半靠运气的万人比赛本来就很难得奖，更何况只给一次机会，这实在有些太为难人了。大家都不由自主地看向裴诗。然而，几乎是没有经过思考的，裴诗微微一笑："没问题。"

夏娜不由得呆住。原本她这么说，是认定了裴诗会拒绝，借以拖延时间想另外的法子阻止。谁知她居然这样轻松地就答应了。当然，惊讶的也不只是她一个，连夏承司都露出了饶有兴致的神情。裴诗却始终保持从容不迫的态度："这个要求其实并不过分。作为韩悦悦的经纪人兼朋友，我觉得如果是在她拿下音乐大赛第一名以后再首次登台演出，会比以新人身份演奏更有优势。不过，既然在那之前柯娜音乐厅也不会开业，我想在这里租用一个工作室，就当是给柯氏新人的福利。不知夏小姐意下如何？"

夏娜根本不知道裴诗在想什么。在音乐厅租用工作室，岂不是一举一动都在她的监控下了吗？裴诗不可能没想到这一点，但还是提出了这种要求……她还在万般犹豫，坐在后方的柯泽忽然说道："这个提议可行。"他理了理衬衫领口，缓缓道，"韩悦悦确实不错，就当是栽培柯氏的新人。"

直到他们从演奏厅出来，快要离开音乐厅大门，夏娜才反应过来裴诗的语言陷阱——她说了那么多话，其实最终目的就是把话题带到"柯氏新人"上面。在这之前，她只是推荐韩悦悦来表演，根本没有任何人同意过要让韩悦悦进入柯氏音乐。这样一来，韩悦悦反而理所当然变成了柯氏的小提琴手，甚至连柯泽也上当了。夏娜冷冷地看了一眼裴诗。此时，韩悦悦正在打开琴盒，裴诗拿着小提琴正在耐心地等待。她依然是一副卓尔不群的模样，就算不说话、打扮平常，也有一种让人不得不去留意的魔力。

不，这女人折腾不出什么大事的。韩悦悦不过是个新人，演奏没有特色，完全不能和柯诗比。而柯诗……再一次看向她轻握着小提琴指板的左手，夏娜抓紧手中的名牌手袋，双手挽住柯泽的手臂，柔声说："泽，你腿还没好，要小心点。"

一旁的女主管一脸羡慕地看着他们："大小姐和柯先生不仅郎才女貌，感情还这么好，真是太令人羡慕了。"

夏娜笑了笑，将头靠在柯泽的肩上："我们以前在英国时感情就很好。他妹妹不知道因为什么奇怪的理由离家出走消失了，那段时间泽还很伤心。不过我努力开导他，每天带他去散心，很快他就从悲伤中走出来了。当时我们还请了个英国管家打理那边的家，打算以后生了孩子就让他顺便当孩子的英语老师，好让孩子跟他学学地道的伦敦腔。"

"哇，真的好厉害。"

韩悦悦几乎是和主管异口同声这样说着。韩悦悦还一脸花痴地看向裴诗："英国管家，伦敦腔，我对上流社会的英语最没抵抗力了！"

裴诗低头把小提琴和琴弓装入盒子："伦敦腔是伦敦工人阶级使用的口音，受过高等教育的人一般都不会说这种英文，夏小姐的口味果然超乎常人。"

"啊，可是冯小刚的电影里不是有台词说'楼里站一个英国管家，一口地道的英国伦敦腔'吗？"

"冯小刚没实地考察乱编台词。"

"……诗诗你怎么知道这些？"

"看报纸看来的。"

"原来是这样。"韩悦悦似懂非懂地点点头，又一脸神往地看向夏娜，

"夏娜比我年纪大，但皮肤怎么会那么好，就跟SD娃娃似的……我就是老化妆，眼角都有细纹了，呜呜，我要去打肉毒素祛细纹。"

裴诗把小提琴盒子盖好，递给韩悦悦："人类的脸上有四十多块肌肉，大部分都不能有意识地控制。肉毒素会令肌肉瘫痪，让人看不出你在想什么，如此一来，你不仅能得到SD娃娃的脸，还能得到SD娃娃的僵尸表情。"

韩悦悦呆滞了一下，抓着裴诗的胳膊使劲摇晃："诗诗你这没同情心的女人，嘴巴怎么这么毒！"

此时已至夏末秋初，秋老虎把车道烤得遍地如焚。北风席卷而过，掀起一股火烧般的热浪，将绿色的草坪晒成了一个个细细的卷儿。夏承司和彦玲在路边等待司机把车开来。他不喜欢暖色调的季节，修长好看的眉毛微微皱起，但眼睛不经意地瞥了一下远处正被韩悦悦抓着胳膊乱摇的裴诗。彦玲看了看夏承司，低声说："刚才韩悦悦拉小提琴的时候，裴诗给了不少提示，看样子说她自己不懂音乐，是谦虚了。"

夏承司掏出手机看了一眼时间："她没说她不懂音乐，只说不懂乐器。"

"她的性格挺冷酷的，确实不适合玩乐器。"

过了许久，夏承司才迟迟回了一句："撒谎的。"

"啊？撒谎？"

再问，夏承司就不再回答了，只是看着停车场的方向。彦玲很好奇，但也不敢再多问下去，只是看着裴诗，想从她那里看出点什么名堂。这时车来了，裴诗和韩悦悦也加快脚步跟了过来。保镖为夏承司拉开车门，夏承司没回头直接坐了进去，并命令司机把空调开到最大。车开了以后，话痨韩悦悦很想说点什么，但车里一片死寂让她缺乏打破沉默的勇气。没多久，夏承司背对着后座，声音低沉："裴秘书。"

"怎么了？"裴诗努力镇定地答道。

夏承司侧过头，长长的睫毛下眼神冷淡得像是结了冰："其实爱因斯坦也拉了一辈子小提琴，但知道的人却没几个，你知道为什么吗？"

裴诗感到有些莫名其妙，但想了想还是说："因为他是科学家。"

"他写出了狭义相对论，提出了能量守恒定律，一生很有作为。"夏承司看向她，"但是，他的质能关系公式也很讽刺地让人类研发出了核武器，所以人们记住了他。"

裴诗的心忽然提了起来。那个细节，是不是真的被夏承司看见了——刚才他们一行人出来得太快，韩悦悦到门外才找到时间装小提琴。在韩悦悦打开琴盒的时候，她帮忙拿了一下小提琴。之前在演奏厅里她碰到过弓，拿弓的时候她也特别注意没用专业的姿势，可是到这一刻大家都在忙自己的事，她却放松了警惕，下意识就把小提琴往右手胳膊和右腰之间夹了一下。这个动作是小提琴手们拿琴就位时的标准姿势，懂点音乐的人都知道，也不是什么大事。关键就在于，她刚夹住就发现夏承司正在看自己，居然条件反射跟做贼心虚一样，把琴放了下来。

一想到这里，她就又悔又恼，想一头撞死在车窗上，但还是若无其事地说道："我倒觉得这和核武器没什么关系。很简单，他在科学上推翻了牛顿的信仰，但小提琴却没能超过帕格尼尼，所以没人知道他会拉小提琴。"

半晌，夏承司才背对着她随口答道："是吗？"

裴诗屏住呼吸。夏承司这算是在试探她，暗示她如果她做得太过火，会引发灾难吗？可是，虽然他妹妹是音乐界的，他本人却未必会对音乐有这么多了解。他肯定也不能确定她的真实身份，不然不会一开始就让她进他的公司。毕竟以前在英国时，他是属于那种天天打工勤奋学习的好孩子，和柯泽那群纸醉金迷的公子哥儿大小姐根本不是一个圈子的人。尽管跟她是一个学校，但从来没有正面说过几句话。

印象中，只有那么一次……

*** *** ***

七年前，英国伦敦。深秋潮湿的阴天，国殇纪念日前后，郊外沾满雨露的巨型海报上写着大字"Please remember those who don't return[1]"。市内街上的英国人都穿着黑色正装，胸前别着黑蕊红瓣的虞美人小花[2]，追悼那些在世界大战中死去的英联邦亡灵。Angel站附近的住宅区里，柯诗却在悼念地上的一堆纸。夏娜摇摇晃晃地跪在床边，手中的红酒泼出来，溅在那叠纸上："你看看你哥，今天晚上他要去Mayfair的party里私会那个贱女人，我打电话跟他妈告状，你猜他妈说什么？"

柯诗看着那一叠无辜的论文和上面柯泽的名字，叹了一口气。这份论文可把她折磨够了，字数多不说，还要求把小组讨论的内容写进去。柯泽根本没去上过课，她去找他要了外国同学的电话号码，说了半天才让对方想起谁是柯泽，告诉他们柯泽得了癌症正在住院，才说动他们给出活动讨论的文档。奋战了一天一夜，她总算写完了几千字打印装订好，夏娜居然冲进房里就来了这么一手。柯诗把论文拾起来揉成团丢掉，又对着电脑重新打印了一份新的。

夏娜已经很醉了，说话也含混不清："你看，我把他家几十万的好酒都……都快喝完了，他却一点也不心疼，他还送那女人爱马仕……嗝，我跟他妈说他送那女人爱马仕啊，你猜他妈说什么，说叫我忍耐……"

柯诗对这件事已经不想再给予什么评价。柯泽和朋友到夜店泡妞同时看中了一个美女，美女首选的是高富帅柯泽，但知道柯泽有女朋友夏娜，就开始玩手段在两个男生之间挑拨，想要让柯泽嫉妒。柯泽重哥们儿情义，把美女让给了兄弟，并说："这女人真能闹腾，你玩完她就甩了吧。"朋友听后毫不客

1　请记住那些不再回来的

2　国殇纪念日英文是Poppy Day，直译是罂粟日，英国人在国殇纪念日佩戴红色的Poppy花，这让很多中国人都联想到了罂粟花和鸦片战争而产生误会。实际上，Poppy Day起源于1915年第一次世界大战期间，加拿大的一名军医在弗兰德斯看见战场惨状和大红的罂粟，写下的《在弗兰德斯战场》（In Flanders Fields）感动万人，因而选弗兰德斯红罂粟（Flanders Poppy）为国殇纪念日的标志。弗兰德斯红罂粟即是中国的虞美人，和罂粟花为同科同属植物，但不是鸦片花。

气地和美女打得火热。一周之后，柯泽得知二人居然开始恋爱了，顿时气得不行，回来跟夏娜说了这事，还问夏娜"你觉得他是不是不够哥们儿义气"。

夏娜一向知道柯泽在外面拈花惹草，也都选择不闻不问，但他亲口告诉自己还是第一次，于是又哭又闹了好几天。柯泽最后受不了，道歉收心。无奈夏娜自尊心强，不屈不挠地到处跟人说，最后甚至告诉了定期来访的柯诗。柯诗听后也没太生气，就淡淡地去问了柯泽一句："你出去泡妞就算了，觉得告诉自己女朋友合适吗？"

柯泽一脸无所谓："我早就跟夏娜说了我不爱她，是我妈非要我们在一起。"

柯诗冷淡地说："等什么时候你能反抗你妈再说吧。"

那之后，柯诗就一直在家里帮柯泽写论文。直到这次回来，夏娜已经醉得不成人样了。她靠在床沿上，晶亮的眼中满是眼泪："你说，他是不是真的一点都不爱我……有时候我觉得他把你看得比我重要多了，那天你去说了他以后，他跟我发了好大的脾气，质问我为什么要告诉你，然后摔门就走，到现在一直都没回过家……"

帮柯泽交好论文后，柯诗去了Mayfair，想询问柯泽究竟是怎么一回事。

这是伦敦乃至世界上租金最贵的地段，大部分产业开发于17世纪中叶到18世纪中叶，聚集了大量的豪华商店和奢侈酒店。一场雨过后，路上挤满了闪闪发亮的名车。左边是喧嚣繁华的购物街，右边是红砖白墙的欧式住房。乳白的窗台上种植着大红色的花，门前吊着绿色的植物篮子。怀旧的英国绅士身穿黑风衣，头戴大礼帽，拿着雨伞穿过靡丽的街道。眼前的这一切，在阴雨天色彩浓郁得仿佛一幅经典的油画。然而与这一切格格不入的是，一家大型俱乐部门前站了一群年轻的亚洲留学生。他们衣着华贵，手叼香烟，目中无人地用外语侃侃而谈。

这群人就是柯泽的朋友们，有他们的地方往往就有柯泽。柯诗走过去，原本想问问柯泽在哪里，却听见一个女孩子大笑起来："刚才那个男招待居然真的是夏承司？他怎么会在这里打工，今天可是周末啊。"

另一个女孩连忙点头："据说他打了不止这一份工，我一个姐姐在巴克莱银行高层工作，说去年暑假夏承司到他们那里应聘过，老板很喜欢他但还是把他拒绝了。你知道银行都不收暑期工的，所以之后他就找龙哥他们把他介绍到这里了。"

"他好像真的很缺钱，还在苹果专卖店当过推销员，我上次跟我朋友在邦德街那边看到过他。你说，是他爸不管他了，还是他家不行了啊？"

"应该是他家不行了，你没听说吗？他哥接班以后盛夏股市情形一直很糟糕。其实他平时如果不是那么傲慢，现在也不会混得这么惨。平时叫他出来玩他基本都拒绝，在学校也只跟外国人和那帮死读书的人待在一起，Frank他们看他不爽很久，现在已经进去逗他玩了。"

"那我们也不能错过好戏，赶紧进去看看。"

还没等柯诗找到问话的机会，那帮人就先溜进俱乐部了。夜店这种地方向来聚集了视觉系动物，只要打扮得够惹眼，没人会留意你真正长什么样。柯诗穿的却是黑色衣裤，在这个聚会里实在很普通。但是不少人还是认出她是柯泽的妹妹，一路上总是会遇到主动向她频频示好的人，其中不乏红靴金发的叛逆帅哥和穿着豹纹却涂了粉底的花样美男。在这样一群花枝招展的人群里，吧台前穿着简单白衬衫的夏承司格外显眼。

他面无表情地调酒递酒，熟练地在三色B52上点火，偶尔回答身边英国同事的话，完全无视酒吧前一群满脸调侃意味的富家子弟。在其他人没注意的时候，那个叫Frank的高壮男生带头过去，把手里的龙舌兰倒入了夏承司才调好的B52里，然后接过来喝了一口，呸了一声："我靠，这是什么东西，你会不会调酒啊！"

听见他的吼声，旁边的调酒师也转过头来。然后Frank扯着嗓门用口音很重的英文说道："It tastes like a shit![1]"

夏承司毫不畏惧地看了他一眼，继续忙自己的事。

几个英国人接过那杯酒，喝了一口，用犹豫的眼神看了一下夏承司。夏承司接过那杯酒倒掉，便重新调酒去了。谁知他刚调好一杯，Frank便故技重施，又吵又闹。到这里，连英国人也看出了Frank是在故意为难夏承司，便叫夏承司过去和他们把私人恩怨解决了。夏承司走出来，琥珀色的眼睛在灯光下接近透明："说吧，有什么事？"

"哈哈，好一个能屈能伸的贫穷贵公子。要不是你把樱桃勾引跑了，老子都会有些欣赏你了。"Frank一脸痞笑地看着他，"怎么，家里的钱败光了？现在居然跑到这种地方来打杂，接下来是不是要去当鸭子了？"

旁边一个瘦高的男生推了Frank一把："哪有，鸭子也要有征服女人的能力才可以啊。他啊，恐怕只能拍同性恋三级片吧。"

Frank一愣，立刻跟其他人一起狂笑起来。倒是跟着过来看好戏的女孩子们，表情就有些尴尬了——她们嘴上说他不好，但要说没有偷偷仰慕过他，那也绝对是假话。结果，夏承司只是扯着一边嘴角冷笑了一下，转身就走。Frank被无视，恼羞成怒，捉着夏承司的领口就想把他拽回来。但他没拖动夏承司，夏承司反倒转过头来冷冷地看着他。

"放手。"

说出这句话的人，并不是夏承司。而Frank那只粗壮的手上，又叠了一只纤长的手。

所有人都回过头去。迷乱的灯光一道道地照在眼前女生的脸上。她留着齐耳的黑色短发，发尾微微往内卷，轻扫在白皙瘦削的脸颊上。与嫣红嘴唇格格不入的，是漆黑、冷漠的眼眸。对他们这群人来说，这个女生并不陌生。但是，如此近距离地对话却是第一次。

1　这酒尝起来像狗屎一样！

要说柯家重视她，他们却让她和她弟弟住在伦敦六区外；要说柯家不重视她，她不过是养女却连姓也跟着改了，而且读的也是最好的大学。更让人费解的是，柯泽根本不让任何人提她的名字，和她相处的时候却对她百依百顺……一直不能理解她和柯家到底是怎样的关系，所以Frank的态度也放软了一些，试探道："呀，原来是柯诗小姐，怎么没和你哥哥一起？"

柯诗根本不买账，只是用食指点了点Frank的手，一字一句道："我说，叫你放开他，你这火腿原料。"

旁边的人都倒抽一口气。Frank的绿豆眼立刻瞪成了常人眼睛的大小，拽着夏承司的手也有些发抖。几乎所有人都在担心他可能下一秒就会动手打人了，但柯诗只是一动不动地看着他，不仅没有丝毫畏惧，还提高音量道："你听不到我的话吗？放开他，然后滚蛋。"

奇迹发生了。Frank提起一口气，居然真的放手，带着他的朋友滚蛋了。他刚一走掉，吧台前的英国人和女孩子们居然都激动地鼓掌。不过夜店里太吵，掌声很快就被音乐淹没了。夏承司看着他们离去，居然毫无谢意，回过头对柯诗淡淡一笑："秋天连马蜂都不蜇人，柯小姐却还是名不虚传，把人咬得满头包。"

"看你可怜而已，别太把自己当回事。"柯诗扔下这句话就走了。

*** *** ***

拯救夏承司之后的多年，裴诗总会有些怀念少年时的热血。其实，直到那家俱乐部变成盛夏集团产业，她才知道当时的正义感简直就是搞笑——夏承司在俱乐部里当酒保，在苹果专卖打工，其实只是为将来的收购做实地考察。如果因为当时的一时冲动让他彻底记住了她，并在多年后的今日认出了她的身份，那她可能做梦都会被自己气醒。

不过，只要他不戳穿她，她决不会多说一个字。

第六乐章 ♪

和式公子

生活很多时候比小说还崎岖波折。
只不过与小说不同的是，那个你认为是男主角的人，
未必是陪你走到最后的人。

九月结束后，酷暑也悄然离去。初秋的天一片澄澈，像是一片沉静的海洋。千千万万的摩登大厦巍然矗立在苍穹下，折射着夏末秋初的阳光，白光在空中震颤，一如海面的浅浅波纹。而这些巍峨的高楼，便成了海底璀璨的巨大水晶宫。盛夏集团的透明大楼里，西装革履的白领在来回走动，复印打印、端送咖啡、对着电脑长时间地操作。顶层的会议室里，夏承司刚刚结束了关于音乐厅表演安排的第一次会议。裴诗拿着演示幻灯片的打印件，用不高不低的声音总结他的发言："……比利时弗拉芒皇家爱乐最后一天的压台表演，持续时间大约四十分钟，最后再由夏娜小姐上台送上贺词。各位都看到幻灯片上的安排了吗？如果都听到夏先生的发言，感到这次安排的重要性，那么给各位最后一点时间确认数据上的问题。"

　　说完这一堆话以后，在场的人又提出一些问题，经过讨论后就散会了。裴诗送总监和经理出去后，彦玲临行前皱着眉低声对夏承司说："裴诗怎么每次开会都要重复好多次'看到'、'听到'、'感到'这样的话，难道说一遍不够，看过数据不够，大家自己还不能理解吗？"

　　"她是在强调而已。"

　　裴诗这个秘书确实有点能耐，不仅对管理有一手，对常人的辨识能力也很强。

因为，人分四种：视觉类、动觉类、听觉类、逻辑类。建筑师、画家大多数是视觉类；音乐家、接线员等多数是听觉类；搬运工、保镖等大部分是动觉类；而会计师、律师大部分是逻辑类。这四种人的说话方式完全不一样，例如去一座乡村小镇回来谈感想，他们的侧重点也不同。视觉类会倾向于描述看到了什么风景，听觉类会倾向于描述镇里的鸟叫和吆喝声，动觉类会倾向于倾诉那里的气候多么怡人，睡的床质量有多糟糕……如果一直对一个视觉类的人说"你听懂我这么说……"，很可能对方就一直不能理解。

夏承司站起身来，喝了一口咖啡，从容地说道："裴秘书，我懂你的强调是在照顾不同的人，但如果开会还需要像教小孩子那样一遍遍重复，那盛夏也就可以改装成幼儿园了。"

"我以为，解释并补充上司交代的任务是我存在的意义之一。逻辑与艺术往往是不搭边的，你不能要求艺术家们也去理解你的逻辑。"

"裴秘书，我说了，不要用幼儿园女老师的思维模式来处理公司的规划。"

裴诗忽然有些火了，忍了半天还是说出了压抑很久的话："女人的思维未必就不好。女人虽然没有男人那么理性的逻辑思维，但男人不擅长沟通和情感交流也是不争的事实。各有利弊，没必要如此偏见。"

夏承司放下咖啡杯，眼睛呈四十五度角斜视下方的裴诗："男人不擅长沟通交流，那为什么著名的外交官都是男人？"

"那是因为这个社会被男权思想主导太多年，彻底改变需要时间。男女有别，彼此擅长的领域不一样。打个比方说，音乐会观后感中，太过理性的人反而是最无法阐述音乐会现场演出的人。"

听着裴诗如此认真地解释，夏承司忽然微微笑了："看样子裴秘书对意气用事和不严谨的人很有好感。"

这个男人真是无药可救！本来不想和上司耍嘴皮子，尤其是和这种固执成化石的人争吵，其实完全没意义。但是她退了一小步，还是没忍住又重新靠近一些，仰头冷峻地看着夏承司："达尔文曾经做过研究，人类的感情表达方式并没有得到进化，这和我们祖先还在树上跳来跳去吃香蕉的时候毫无区别。所以，没有感情不代表比其他人高等，只能说明这样的人擅长逻辑思维。并且，很可能是因为曾经受到过感情伤害，把自己的感情封锁在了理性这堵墙后面。"

夏承司浅棕色的瞳孔微微紧缩。这几乎是她见过最明亮的眼睛，因洒入落地窗的阳光而微微反光。他或许有一双能够洞察一切的眼睛，眼神却融合了少年的干净与男人的深沉。只可惜他的瞳色较浅，往往会被那欧美名模般高挺的鼻梁夺走光彩。此时闪现在裴诗脑海中的，居然是某两个女生对着他的照片同时尖叫的一幕：

"这男人，这男人，根本就是男人中的潘金莲！真是让人有犯罪欲啊！哦不，不是犯罪欲，是被犯罪欲！"

"我就说嘛，看到这样一个人，第一反应不是赶紧躺好吗？"

"看着他，你就会觉得他对你做什么都没有关系啊，什么都可以啊！"

伴随着那段让人吐血的对白回忆，裴诗看见夏承司把手撑在自己身侧的桌子上。他俯身低下头，微微张开性感的双唇："裴诗。"

裴诗脸上没有任何反应，但心底悄悄抽了一下。他用那双近乎透明的美丽眼睛看着她，声音犹如缓慢低沉的小提琴G弦音："你八点档电视剧看太多了。"

两周后。天气骤然降温，掉光落叶的树上细小的枯枝，犹如无数张开的鸟爪，又像被放大的蒲公英，在秋夜中与湿雾团团相抱。雨像细细的丝绒，随着微凉的秋风一阵阵下着，留下了满街水洼。路上的行人打着雨伞沿着一家家商店走过，商店透出明亮的灯光，却无法温暖黑夜的寂寞。艾希亚大酒店顶楼，裴诗和韩悦悦坐在墙角靠窗的位置。裴诗穿着深黑斜纹软呢套装，但还是抱着肚子一直发抖。而韩悦悦，还是秉着牺牲自己取悦他人的精神，身穿薄纱袖的雪白连衣裙，脚踩细跟高跟鞋，腰间的皮带上有巨大的山茶花图腾，她手撑着下巴看着眼前的裴诗，一阵阵叹息："夏承司不就说了那么一个八点档，你犯得着为他一时抽风弄成这样吗？"

裴诗抱着肚子，虽然还是一成不变的棺材脸，但脸色明显比平时难看很多："说了不是因为他。"

"我说诗诗，你很多时候都太较真了，本来女人在社会上就是弱势群体，就是要男人保护的，夏承司轻视女人也不是一天两天了，你何苦因为他一句话拼成这样？再这样折腾下去，恐怕就不止痛经了，小心过劳死啊。"

裴诗仍在死撑："我例假本来就没有准过，也没有哪次不痛过。"

"唉，我帮你再叫杯热水。"

韩悦悦刚想伸手，裴诗拦住她："等等，听完这一曲。"

"好，好，你这恋弟情结。"

韩悦悦随着裴诗的目光，转身看向高级餐厅的一角。VIP会员区台阶上围栏内铺着意大利米兰地毯，上面放置着一架纯黑色的钢琴，钢琴一尘不染，上面反射着雪白餐桌和金色烛光的倒影。一个男生戴着黑框眼镜，低垂着头，身上穿着成熟的黑色西装，侧脸却依然白净秀气。尽管四周有着数不尽的香槟玫瑰，美人倩影，身后的窗外弥漫着不夜城物质的奢华，但他仿佛什么都看不到。那双映满灯光的眼中，只有钢琴的黑白键盘，并随着一首《天空之城》音乐奏起，满溢着一击即碎的天真与感性。

裴诗以手指关节托着下巴，专注地凝望着那个男生，明明因为音乐的空灵忧伤而不由皱起了眉，嘴角却不由得露出了骄傲的微笑。其实开始她是无论如何都不同意他在这里打工的。虽然时薪很高，但艾希亚大酒店是盛夏旗下的酒店，她总觉得这种金钱味浓厚的地方会玷污宝贝弟弟。她反复叮嘱，说他什么都不用做，只要在家里专心练琴就好。可是裴曲说什么都不愿意再让姐姐养着，坚持来这里应聘。

不出意外，他的琴技秒杀了所有的应聘者。为了防止遇到夏娜、柯泽而被认出来，他专门戴了黑框眼镜。这个眼镜成功地挡住了他的相貌，却挡不住他的眼神。在音符停顿的时候，裴曲展开眉角轻轻吸了一口气。那样单纯好奇的喜悦神色，让人想起了第一次拿到挚友赠送贺卡的小孩子。然后，他继续轻柔地弹奏。

裴诗忽然觉得自己确实担忧太多。只要给裴曲一架钢琴，哪怕三天三夜不让他吃饭，他也只会在演奏结束站起来的时候晕过去。见弟弟这么开心她也放心了，正盯着他看得入神，突然有一个人影慢慢靠近，并且在她的身边坐下。一回头，她吓得差点犯心脏病——坐在身侧的人，竟是自己的上司！

"裴秘书，真巧，在这里都能看见你。"夏承司侧头看着她，黄水晶耳钉在烛光中闪闪发亮，"还有韩小姐。"

"夏少、少董，晚上好啊。"韩悦悦立刻改成了标准的女兵坐姿。

裴诗看着夏承司，一动不动，如同一只大半夜被汽车灯照着的鹿，在期待眼前的生物是视力弱化的肉食系动物。夏承司淡淡笑了一下："晚上好，来这里吃饭吗？"

"不是的，我们是来这里看裴诗的弟……"

韩悦悦话没说完，裴诗已经在桌下狠狠踢了她一脚，谁知这一踢却不小心踢到了夏承司。夏承司转眼看向裴诗，很有涵养地问道："怎么了？"

裴诗掏出手机翻了一下，打了几行字，放到韩悦悦面前："悦悦，你妈说你手机打不通，叫你赶紧回去。"

韩悦悦当下领悟，看了看手机，上面写着"赶快走，不要提我弟，boss我来打发"。她拎着白绒链子包站起来，有些恋恋不舍又似懂非懂地走了。打发走韩悦悦之后，裴诗正想回头说她也要走了，未料到面前不知什么时候多了一杯冰橙汁。她不解地看向夏承司。

"请你的。"夏承司扬了扬下巴，"最近干得还凑合，以后要保持。"

裴诗看着眼前那杯冒着冷气浮着冰块的橙汁，嘴角不由得抽了一下，把橙汁推向夏承司："谢谢，不过夏先生还是自己喝吧。"

夏承司眼睛微微眯了一下："怎么，对我还有怨？"

"不是。"

想说自己感冒了，但想起夏承司说过，他最不喜欢体质虚弱的人。当然，以她对夏承司的了解，如果自己说出真正原因，大概明天就可以卷铺盖走人了。小肚痛算什么。紧急时刻，不惹怒夏承司才是重点。裴诗握着那杯橙汁，玻璃杯冰凉的温度立刻传到手心。光是端着杯子就已经觉得肚子更痛了。她身子缩得更小了一些，闭着眼打算把这砒霜一般的东西喝下去。但杯子刚送到嘴边，忽然感觉有温暖的指尖触碰到她的手指。那杯橙汁被夏承司夺了过去。他仰头一口气喝掉大半杯，然后用纸巾擦擦嘴："我渴了，这杯先喝了。重新给你叫一杯饮料吧。"

裴诗有些愕然："哦，好。"

夏承司转身叫服务生："来一杯拿铁咖啡。"

"请问夏先生是要热的还是冷的？"

"热的。"夏承司顿了顿，看了一眼裴诗，态度有些生硬，"你要热的还是冷的？"

裴诗眨了眨眼："热、热的好了。"

"好的，请二位稍等。"服务生很有礼貌地离开。

之后，气氛就有些僵了。夏承司把手中的橙汁喝完，摇了摇杯子里的冰块："我还有事，先走了。明天准时来上班。"

然后，他扔下裴诗回到了原本的位置——那里还坐着两个人。一个是源莎，一个是穿着卡尔·拉格斐独家设计的茶色套裙的女人。她看上去只有三十来岁，光看夏承司和她坐在一起的样子，会让人以假乱真地认为这是姐弟恋。但裴诗对他们全家都很了解，知道这是夏承司那个不爱抛头露面的贵妇母亲。

夏太太按住夏承司的手："承司，都快结婚的人了怎么还喝这么多酒？对你的肝不好。"

"我看你回来了心情好，多喝一点没事。"夏承司指了指洗手间的方向，"而且，你看那边那个喝成那样了都没关系。"

"柯泽的身体很好，跟你不一样……"夏太太刚想伸手夺过酒杯，抬头却看见夏承司指着的两个人。

柯泽嘴唇发紫，佝着背，一只胳膊搭在夏娜的肩膀上，一只手颤抖地扶着门把，被夏娜从洗手间搀着走出来。他垂着头，刘海儿挡住了眼睛，下巴和衣裳下摆都有清洁过的水渍，似乎刚才呕吐过。他似乎连路都走不动了，却一直在喃喃自语。夏娜板着脸，吃力地拖着他："柯泽，你发什么神经？"

柯泽只是搂着她的脖子，紧锁着眉在她耳边低声说了一些话。他说得越多，夏娜脸色越难看，但回头看见自己的哥哥和母亲都在，只有咬了咬牙和他一起离开餐厅，进了电梯。这些年来，夏娜相当注意自己的公众形象，所以情绪一直保持着怡然的状态。裴诗现在还记得，自己最后一次看见夏娜发怒，似乎已经是很多年前的事了。

*** *** ***

那一年，是作为柯诗的自己最意气风发的时候。拿着父亲亲手做的一把白色小提琴和自己写的小提琴曲，她参加了卡因国际小提琴大赛，过关斩将，最后从六千多个参赛者里脱颖而出，击败了同样是第一次参加这次大赛的夏娜，以接近满分的成绩获得了英国赛区的第一名。随后，荣耀与光环简直像无止境的海浪，一波波涌入她的生命。她在比赛中的录影，被人传到网上，不出几周就变成了Youtube上点击率最高的视频，而且好评率几乎达到百分百，留言的网友说得最多的，就是"她很有才华"。

拥有五十多年历史的英国肯特交响乐团邀请她入团，成为下一次演出的独奏小提琴手。原本柯氏音乐计划为肯特交响乐团在亚洲的演出赞助，前提是让夏娜加入他们。但听过她的演奏后，交响乐团负责人说既然柯诗是柯家的养女，他们想要换夏娜为柯诗。英美合作的电影《毕加索》导演看到这个视频，亲自发邮件给她，说自己比较愿意采用新人，问她是否有意为这部电影编曲。这对很多人来说简直就是天降的福音，但她并没有受宠若惊的感觉，因为当时的她心高气傲，对商业化的东西不屑一顾。但既然被人赏识，以她的个性不做到最好不罢休，于是她一个人背着旅行包走遍了整个英格兰，处处寻找灵感，想要写出一首与这部黑暗哥特式电影相符合的曲子……而直到回来以后她才听说，这个导演原本是想请夏娜的。

从小到大，她的人生一直伴随着不断地失去。没有母亲的她，被全天下最美好的父爱包围着。但到最后，父亲自杀了。知道柯家会收养他们姐弟后，亲戚朋友们全部消失不见了。养父很喜欢他们，但因为惧怕养母，也只敢在养母不在的时候偷偷跟他们说话。从小学起，她在学校里就很难交到朋友。她是柯家的养女，但并没有得到柯家的荣誉和别人的奉承，却得到了他们家子弟的寂寞。好不容易在中学时交到一两个朋友，随后又因为出国而失去了联系。

似乎，唯一会真心照顾她的人，只有柯泽。

柯泽不管在外面有多么任性，对她一直都很温柔，在出国前更是品学兼优精通音乐的全才。他无论读哪所学校，都一定会变成风云人物。她心中知道自己和柯泽没有血缘关系，也不会有其他关系。但是在内心深处，她总是想，如果她的人生能写成一本书，哪怕没有爱情，她也希望这本书的男主角是哥哥。

可是，生活很多时候比小说还崎岖波折。只不过与小说不同的是，那个你认为是男主角的人，未必是陪你走到最后的人。等她跟随着他的脚步到了英国，却发现他不仅变成了另一个人，还和夏家的千金恋爱了。到那时候，她才如此清楚地意识到，不论你如何耗尽全力，用尽真心想要留住一个人，他到最后总是会走的。真正不会背叛她，真正会永远陪着她的东西，只有音乐。

所以，夺走夏娜的小提琴冠军、电影编曲、乐团演出机会，她不是看不到夏娜眼中的不甘和愤怒，但并不愧疚。

直到那个冬夜的来临。

当时圣诞即将到来，海洋性气候的英伦三岛不常下雪，但英国人总有各种点缀节日的方法：在牛津街的上方两个建筑间挂满巨大的圣诞紫灯，重重层层延伸到街道的尽头；奢侈品店里装满泡沫雪花，并让鼓风机将这些雪花大肆吹起来，洋洋洒洒地落满在昂贵的商品上；装点了雪花的冷饮店外，店员小心翼翼地锁上了精致易碎的玻璃门，背着小包没入来来往往的人群……柯诗刚刚结束了圣诞前最后一次小提琴表演。她背着小提琴盒，将脖子缩入高领中，一只手拎着Tesco超市袋子，一手插入长长风衣的口袋里，往通向地铁站的小路走去。

寒风卷下了落叶，在深长寂静的街巷里翻卷。她原本想回去为曲曲做意大利面，但觉得那样有些委屈他了，所以临时又去超市买了点食材。她正盘算着要怎么搭配晚餐，走着走着，忽然听见身后传来了轻且密集的脚步声。她稍微停了一下脚步，想了想觉得自己担心太多了：伦敦鱼龙混杂，犯罪率很高，但在牛津街这种市中心有保安的地方，按理说就算是小巷子里也不会有人敢打劫。何况，她身上只有一张交通卡和一把小提琴，没人会对这样一个穷艺术家感兴趣的。而且，小巷的尽头有两个黑人警卫在站岗。

冷风寒冽，月光被两边的建筑挡住。她渐渐走向街边的高脚路灯，看见自己脚下忽然多出了几条影子。直到这时，她才警觉地回过头。

但为时已晚，突然出现的一群亚洲脸孔的高大男人将她围了起来。那两个黑人警卫并没有离开。只是，他们竟然在此刻很不适时地转过身去，回答一个路人的问题。与此同时，一个人捂住她的嘴，她的呼救声还没漏出来，整个人就被拖到另一个更小更黑的巷子里去了。直到这一刻，那两个警卫才悠闲地转过身，全然没发现这里少了一个人。

嘴被黑布缠住，整个伦敦好像都披上了黑色的外衣，房屋和街巷也被染上了深灰色。肮脏的小巷里灰尘飞扬，因为免费发送而被人践踏撕破的*The*

*London Paper*碎片哗啦啦地翻卷着。小提琴盒被摔在地上，白色的小提琴滚落到墙角，琴弦发出"嘣嘣"的回音。右手被人高高拽起来，柯诗想反抗，但整张脸连带短发都被按入了路面的水洼里。然后，她听见其中一个男人低声说："左，左，不是右！"

这个口音听着很耳熟，但她怎么都想不起在哪里听过。而伴随左手被抬起，她已没时间去思考，只是本能地意识到了一件事——裴曲遭受的重创，原来并不是意外，而是蓄谋已久的！

而接下来发生的事，恐怕比被人强暴还要令她无法接受——手臂被迫绷直，金属器具直接敲在了她左手关节上！墙角的报纸被风吹得无路可退，很快溅上了黏稠的鲜血！无法发出的声音吞入了身体，连她的胸腔都快要被击碎！

巷头的车灯来来回回，车门砰然关上的声音回荡在小巷。那群人做事很有效率，弄断她的手以后，立刻就在她后脑勺上又敲了一下。

这群人逃走的刹那，她看见巷口有人狂奔而来……接着，世界就沦为一片黑暗。

再次醒来的时候，柯诗的手已经裹上了石膏，还开刀动过手术。医生说她康复是没有问题的，但如果没有奇迹发生，以后左手使力会有很大障碍。她不敢相信，她弄丢了父亲的遗物——那把白色的小提琴，还失去了按弦的左手。她擅自冲出医院，回到家里拿出另一把小提琴。但是，但是……那时的手多么脆弱，她连按弦的力气都没有，更不要说举起来。

一生中从来没有这样绝望过。简直比死亡还可怕。

柯曲是第一个发现她的人。

"姐？"

听见弟弟清澈的声音，她听见自己的心在胸腔一次次跳动，仿佛已经脱离她的身体，变成了另一个不属于她的东西。她抬头，看见他站在门前。而她依然穿着病号服跪在地上，眼神空洞。

"小曲，小曲，姐姐该怎么办……"她的瞳孔无限放大，变成了一片死黑色，"姐姐的左手废了。"

柯曲震惊出神了很久。忽然，他扑腾一下跪在地上，抱住她红着脸哭了出来："姐，我们走吧，不要告诉哥。你那么喜欢他，他还是跟那女人跑了。我们回国好吗？我真的好讨厌英国，自从来到这里，一切都变了……"

她用右手颤颤巍巍地抱住弟弟的脖子，低低地说道："好。"

那时的她还是那么傻。十天后，她和弟弟都已经在希斯罗机场候机了，她还是借着去洗手间的机会，拨通了柯泽的电话。

"喂，小诗？"柯泽似乎正在一个聚会上，周围很嘈杂。

"哥，我想问你一件事……"她轻轻地说着，和他认识十多年，她从来没有这样顺从过，"如果我以后再也不拉小提琴了，你会不会永远陪在我的身边？"

那边的柯泽似乎很震惊，半晌都没有回答。直到她又一次催促，他才说道："会。"

听见这个回答，她的眼睛忽然亮了。但很快，柯泽的声音又低低地响起："小诗，不管我们是否有血缘关系，不管我以后是否会结婚，你都永远是我的妹妹。只要你提出的要求，哥都一定会尽全力去满足你。"

"我知道了。"她悄声挂断电话，拔出英国号码的SIM卡，然后，把这张被泪水弄湿的SIM卡扔到了垃圾桶里。

*** *** ***

手机忽然振动了一下。打开短信箱，"小曲"的名字下出现一条新短信："姐，你能帮我下楼买一罐可乐吗？这里的可乐太贵了。"

她回了一个简短的"嗯"，起身离开座位，走出艾希亚大酒店。外面下着小雨，雨虽不大，但又细又密，就像毛茸茸的线团落在脸上一样。不仅如此，路灯上、车辆上、树上、酒店前的石雕上……都笼罩上了一层层轻飘飘的、游走的白色烟雾。酒店保安们戴着白色的帽子和手套，像交警一般为一辆辆靠近的轿车引路。酒店对面的街道上，依然挤满了行人密密麻麻的伞盖。有几辆小轿车引领着一辆豪华加长房车靠近。虽然这是五星级的酒店，但这样排场的车队并不常见。裴诗平时都会留意一下这等人物，但是重见柯泽让她完全没了心情，冒着雨与它们擦身而过，头也不抬地跑到商店里去买可乐。

再次回来的时候，她的手指发冷，脸上、头发上全是蒙蒙细雨。靡靡的烟雨里，艾希亚大酒店也多了几分浪漫伤感的气息。雨水斜着飘落，落在酒店的落地窗上，让一楼餐厅里的桌椅，系着领结的服务生，优雅用餐的客人都像是装在水晶盒子里的展览品。之前看到的那辆加长房车，竟还停在酒店入口前不远处。房车前，一排西装墨镜男将一个染了金发的少年围住，他们人人胸口都有一个三叉戟的金色徽章，个个都严肃得像雕像，唯独少年还懒洋洋地斜倚在车门上，一副百无聊赖的样子。

看见裴诗过来，他朝她挥了挥手："诗诗！"

裴诗眼中露出喜悦的神色，抓紧可乐罐子快步走上去："裕太，你居然来了……"

一个西装男人撑开黑伞，扔了一块雪白的毛巾在玻璃砌的地板砖上，用鞋踩住擦掉上面的雨水，弯腰打开车门。雨水如同透明的珠子，盖满了黑色的玻璃车窗。一只锃亮的皮鞋踩了出来。然后，一个犀角西式文明杖杵在透明的地面上。

裴诗停了一下，有些诧异地看着前方。然后，一个男人从车里下来，站在黑色的雨伞下。他脸型瘦削，脸色呈现着些许病态的苍白，大衣领前有一圈雍容的白色皮草，手却没伸入大衣袖子，留它空荡荡地披在身上。

裴诗加快脚步走了过去。

男人接过那把雨伞，杵着文明杖朝她走来，眼睛却是没有焦点地看着别处："裕太，你先带着大家上去。"

"是，森川少爷！"裕太和其他黑衣男人整齐地回答。

　　裴诗在森川少爷面前停下，灿烂地笑了："组长，我在这里！"

　　人群散去，房车缓缓开走了。雨中只剩下了裴诗，还有撑着伞的森川。他在伞下微微垂着头，眼睛长而美丽，"看"向她的方向，微微一笑："我知道。"

第七乐章 ♪

冰的两面

对一个戴了面具的人，就算有一天他被你杀死了，
你也不知道自己曾经伤害过他。

五年前，神户。

早春樱花节，浅粉色的樱花从南到北开满了整个日本。神社从大片花海中探出个头来，参道两侧的樱花树被风微微一吹，便会下起一场纷纷扬扬的樱花雪。阶梯上的日本女子穿着各色和服，提着手工袋子小步入社参拜。在这样传统的气氛里，裴诗却穿着紧身牛仔裤，两步一阶梯地跑到了小山丘上。和裴曲来到日本几个月，满脑子都是自己才知道的可怕事实，哪怕是看见再漂亮的景色，裴诗也没了一点赏景的心情。她双眼放空地站在樱花树下，任凭粉色的花瓣一片片落在高领黑色羊毛衫上。

这一日她要见的人，是冢田组分支森川组的组长。仅凭自己微薄的力量，根本无法完成想要完成的事。但是，和冢田组做的交易，又让她心中有着隐隐的不安。见过了冢田组里各式各样恐怖的组员，还有寺庙下面大片的黑衣人，她下意识地在寻找一个脸上带疤眼露凶光肌肉发达的男人。但不论过多久，都没看见半个凶悍的人影。

直到一个声音在身后响起："日本的樱花很出名，不过很多人都不喜欢，裴诗小姐知道原因吗？"

是个年轻男子的声音，声音温柔干净，音色饱满具有美感，却有一种微微隐秘的冷淡。他是这里第一个除裴曲外用纯熟的中文叫自己名字的人。裴诗转过身来，一阵风吹过，抖落了树枝上的樱花，站在樱花树下的和服男子朝她浅浅地微笑。樱花成团成片坠落，节奏飘逸，却像是早春樱花树流下的大片眼泪，在空中溢满了凄楚的芬芳。

裴诗沉默了一阵："我不知道。"

男子平和地答道："因为他们觉得樱花太柔弱，就像蜉蝣一样朝生暮死。但是，日本人却很喜欢它，因为即便寿命短暂，它也曾经灿烂动人过，也带着死亡一般的美。"

"是吗？"裴诗抬头看了一眼满天白色粉色的花瓣，"可是在我看来，哪怕苟延残喘地活着，也比死了好。"

"怎么说？"

"如果我真有你们所谓的樱花精神，那在手断掉之后就该死去。毕竟作为一个音乐家，我的生命已经随着失去手臂结束了。"她将目光转移到眼前男人秀丽的面容上，冷静地说道，"可是，这条路走不通，总还会有另一条路可走。我永远不会放弃。"

男子愣了一下，随即笑容更明显了："我想，这也是裴小姐会在这里和我会面的原因。初次见面，我是森川光。"

这大概是那一日最意外的事。森川组的组长，竟是个眉目如画的年轻男子。他的笑容有多好看呢，大概就是好看到让她初次见他时，竟不知道那双漂亮的眼睛什么都看不见，让人顿时忘记他身后还有飞舞的花瓣——那些为了美丽而选择死亡的樱花花瓣。

*** *** ***

此时，森川光和别的黑衣男人一样，胸前别着三叉戟的金色徽章，下面写着他醒目的名字。裴诗这才意识到，他们已经快两年没见面了。当年神户樱花树下的情景，依然历历在目。

他的个子只比夏承司矮一些，但哪怕是披上了厚厚的皮草也很容易看出来，他的身材要单薄许多。不过，相较夏承司那种深邃眉眼和上位者的霸气姿态，森川这种亚洲式的清秀含蓄美更让人有亲切感。裴诗殷勤地接过伞，引领着他往酒店里走："组长，你和裕太一起来居然都不告诉我，我好去机场接你们啊。"

森川光是森川组的组长，森川组是日本黑道组织冢田组的一支。冢田组现任组长森川岛治也就是他们口中的老爷子，是森川光的亲外公。因为这一层关系，组里人都叫森川光为森川少爷，只有裴诗会正儿八经地叫他组长。

"先进去吧。"森川光的话不多，但嘴角一直带着淡淡的笑。

进入酒店大堂，一群组员立刻簇拥过来带着森川上电梯。裴诗老实地跟在后面跑腿，顺带偷偷发了一条短信给裴曲，告诉他组长来了，她待会儿下去找他。谁知，裴曲很快就回了一条："没事儿，姐你慢慢陪森川少爷，我过会儿就去找你们。"

进入预订好的总统套房，森川光让大部分人都留在客厅等候，让裕太挽着自己，带裴诗进入里面的卧房。裴诗终于忍不住问道："原来你早就跟小曲串通好了……"话还没说完，她就看见房内的贝森多芙卧式钢琴，立刻便呆住了。

裕太指着钢琴，笑得没了眼睛："森川少爷想给你个惊喜嘛，以后你随时可以带着小曲过来弹琴。"

他一边说着，一边为森川光脱下皮草大衣。裴诗立即小跑过去接过大衣，为他挂好："你们打算一直住在酒店？"

"当然不是了，森川少爷的别墅就在海边啊，但是太多年没人住了，我们才安排人去重新翻修了一下。你知道，刷了油漆不能立刻住进去，对他身体不好，所以只能暂时住这里了。"

裴诗点点头："下一次有这种事提前安排我来做就好了，住这里实在不划算。"

　　裕太撇着嘴耸耸肩："本来我们是打算提前，可是他上个月就订好机票了，措手不及啊。"

　　森川在钢琴前坐下来，修长的十指平稳熟练地找对了位置，并轻轻按下琴键。裴诗看着他，疑惑道："有什么很要紧的事吗，要这么急着赶过来？"

　　他的右手大拇指上戴着一枚银白色的戒指，由纯铑提炼而成。因为铑在地壳中含量只有十亿分之一，又鲜少聚集，散布于不同矿石岩层中，因而价值连城。这枚戒指是冢田组最值钱的东西，也是森川家族的祖传之宝。老爷子很器重他，这是毋庸置疑的，但裴诗一直不理解他们的一些原则和道义。打个比方说，森川光的眼睛失明并不是意外事故，而是因为触犯了冢田组的内部规矩。通常拿了不该拿的东西斩手，听了不该听的话熏聋，说了不该说的话灌哑……组长这状况，应该就是看了不该看的东西受到的惩罚。究竟是什么事让老爷子如此狠心，连自己的亲外孙都不放过？

　　裕太一脸无奈的样子："森川少爷说，离开日本前不会联系你。但他还是想你想得不得了，忍不住和你通话了，所以……"

　　"裕太，"森川光手上的动作停住，清脆的钢琴只剩下了回音，他皱了皱眉，用日语说道，"闭嘴。"

　　"哦哦哦，不说就不说嘛。好凶。"裕太扁着嘴坐到一边去了，"我还不是为了配合你们演的戏，想让你们俩看上去更逼真一点嘛……"

　　说到演戏，裴诗这才迟钝地反应过来，自己是森川少爷名义上的女朋友，一时有些发窘。进入冢田组，答应帮老爷子完成一些任务后，裴诗和裕太也渐渐熟了起来。裕太比较没心眼儿，某次夏夜星空下喝高后聊天，无意说出了一个事实，那就是老爷子很看重他们的计划。他做好万全准备，为裴诗准备了新的身份回国，甚至花高价把她身上的疤痕都去掉了。接下来要做的事，就是撕票会干扰计划又没用的裴曲。

　　裴诗并不怕自己受到伤害，但一听裴曲生命会受到威胁，她立刻就急了，求裕太帮忙想办法。然而裕太让她去找森川少爷帮忙。虽然森川光是组长，但总给裴诗一种不食人间烟火的感觉。他从不关心裴诗的事，没有干涉或参加她的计划，就连夏娜弄断了她手的事，也是老爷子手下其他人告诉她的。他除了平时和她偶尔碰面会聊聊天，组织内活动会碰面互相寒暄几句外，几乎和她没有交点。所以，找他帮忙的时候，她几乎没抱多大的希望。

而森川光什么都没说，只是带着她去找了老爷子，用一种极度不真实的温柔口吻说道："外公，我刚才向小诗告白了。"

他这一句话不仅救回了裴曲一命，甚至令裴诗在组织里的地位一夜飞升。这件事之后，裴诗连续几天都睡不着觉，一周后才鼓起勇气去找了森川光，说自己很迷惑。森川光很自然地笑了笑道："小曲是个好孩子，他和我一样都喜欢钢琴，我只是想救他一命而已。你放心，等你该做的事做完了，我会告诉外公我有了别的女人，到时候你就是没有功劳也有苦劳，他会放你走的。"

裴诗一直不明白，在冢田组这种地方，怎么会出现这样一个慈悲心肠的森川少爷。他完全有把她当蚂蚁一样踩死的力量，却对她一直尊重又慷慨。所以，森川光是她唯一可以信任的人，她在他面前没有秘密。

*** *** ***

翌日，夏承司带着一群客户参观柯娜音乐厅，结束后，他从某个工作室前路过，听见里面传来了两个人清脆的击掌响声。击掌声非常快，配合得也很好，就像是踢踏舞一样让人忍不住跟着节拍晃动。他走到那个工作室前，发现原来是门没有关好，所以声音才会传出来。结果从门缝里看去，发现里面竟是裴诗和韩悦悦。

"悦悦，你打拍子都没问题，怎么每次拉到反复记号前面那一段都会忘记延半拍呢？"裴诗拿着红笔在乐谱上画了一个圈，"这里再来一次。"

韩悦悦噘嘴道："可是，我总觉得这里就是要快一点才好听啊。你就是太死板了，一点改动都不允许发生，人又不是机器，要有感情要有自己的灵感才可以嘛。"

"音乐家的改动才叫灵感，一般人的改动就是错误。要改动，等你变成著名音乐家再发挥灵感吧。不说废话了，重新来。"

韩悦悦吐了吐舌头，生不如死地把小提琴重新架在肩上："好严格啊，我要死了。"

裴诗没再搭理她，只是拿着马斯涅的《沉思》一边跟着哼，一边在上面画画改改。她已经为裴曲和韩悦悦都提交了报名表，领了参赛证，不过由于裴曲的身份问题，她并没有让他们以组合的形式参赛，而是把裴曲安排在了钢琴组单独比赛。

其实答应夏娜参加比赛，是因为她知道拒绝就等于完全断了后路，答应了夏娜才不会完全被踢出局。即便拿不了第一，也可以从夏承司和柯泽那边下手，争取其他机会。所以，这次比赛一定要拿出点成绩来。她对裴曲很有信心，但是韩悦悦实在让人很不省心。小提琴的初赛和复赛隔的时间不长，准备时间很少。复赛有五到七分钟的时间，她打算把韩悦悦拉得乱七八糟的克莱斯勒部分删掉，再和《沉思》有挑战性的部分融合起来，这样韩悦悦就不至于在复赛里就被刷下来。

她在想这些事的时候，握着钢笔的手不由自主地做出握毛笔的姿势。学小提琴的时候她还是个小孩子，琴弓对她来说太重了，不能长时间举着练习。所以爸爸就给她铅笔，让她用握毛笔的姿势拿着，然后放平手背来回移动，告诉她以后拿弓就要这样。在五岁这个年纪，别人第一次拿笔，都是为了写字，她第一次拿笔，却是为了奏乐。大概儿时的记忆总是印象深刻，导致她现在总会不由自主地这样握笔。

她将两边的长发别在耳后，全部拨到肩后。一片柔顺的黑发铺满了她的背，在工作室的灯光下闪闪发亮。但她眉宇紧锁着，眼神认真专注，即便只是静坐在那里删改曲谱，手指敲节拍，也会让人忽略了站在一旁妆容精致优雅拉琴的大美女。夏承司透过门缝看着她，原本想叫她回去加班，但一时竟没出声。直到回了公司，才让彦玲发短信通知她回来。

当天晚上，盛夏集团办公室中，裴诗从办公桌前站起来，在饮水机前接了杯水一饮而尽，又迅速地回到电脑前回复邮件。夏承司从一堆文件中抬起头，看了她一会儿，发现她从头到尾竟然都在高度集中精力工作，终于唤道："裴秘书。"

裴诗这才从显示屏前绕过头回望他："怎么了？"

"你可以休息一会儿。"

裴诗"哦"了一声，放下手中的工作去了茶水间。她知道夏承司会给其他员工放假，但对自己是从来没有客气过。彦玲如果是下午五点下班，那她一定就得陪他折腾到晚上十点。夏承司叫自己休息，这种诡谲的感觉，简直比巴巴多斯神秘移动的棺材还要令人费解。

没过多久，夏承司也到了茶水间。裴诗看着他高大的身影在室内走来走去，便说："要喝咖啡我帮你倒就好了。"

夏承司拿出咖啡豆和过滤器，头也没抬，随口道："没事，我想走走。"

裴诗点点头，把早上准备好的三明治材料拿出来，在上面涂满黄油和芝士，又从袋子里拿出了一个饭盒，里面有一颗煎好的蛋和打碎的蛋花："你喜欢三明治里的蛋黄是碾碎的，还是整个的？"

夏承司愣一下："碾碎的。"

"嗯。整个的单独吃也不错。"裴诗把蛋花和生菜夹在三明治里，放入微波炉里加热。

"鸡蛋也是买的？"

"不是，是我自己做的。"

过了一会儿，微波炉"叮"的一声响了。天色已晚，宇宙中的万物，早已沉陷在寂静里。城市上方的星空像是大片珠宝，破碎璀璨地挂满了夜幕。繁华的夜景，渺小的行人，飞奔的车辆，都已裹上了夜的薄纱。他们并没有打开茶水间的灯，只有办公室里的灯光照进来。裴诗拿出热好的三明治，走到夏承司身边，她的脸孔在灯光中明明暗暗。夏承司长长的睫毛微微颤了一下，看着她用手指轻轻压住三明治。里面鲜嫩的蛋黄和生菜几乎要从两侧流出来，香味四溢。白天她在工作室里微微皱起的眉，现在也放松地舒展开了。

然后她拿起三明治……自己一口咬了下去。

意识到自己身边的上司半晌没说话，裴诗抬起头："怎么了？"

"没事。"夏承司还是一脸一如既往的漠然。

为什么她刚才有一种错觉，夏承司好像变成了个正常人？裴诗百思不得其解，一口一口咬着手中美味的三明治，突然恍然大悟地看向他。

"我是听公司里的人说，你对美食很有研究，所以会问问你……"裴诗指了指手中的三明治，"夏先生，这个，你也想吃吗？"

"不。"夏承司只管照料自己的咖啡。

"我那还有一些材料，再帮你做一个？"

"不。"夏承司倒好咖啡转身走了。

当晚的工作意外地高效率，夏承司说要回家拿一份文件给裴诗，让她明天早上送到合作伙伴那里去。午夜，车缓缓驶入夏氏庄园大门，夏承司打开车窗，看了一眼停在路边的一排车：黄色的兰博基尼，保时捷大红敞篷跑车，黑色的宾利和在夜色中都高贵闪亮的劳斯莱斯幻影。夏娜在大冷天开敞篷保时捷这种抽风的举动裴诗不会忘记。不过另外三辆车摆那简直就像名车展一样，夸张又华丽，夏承司的车一下显得无比朴素。他不动声色地让司机把车停好，带着裴诗走入家门："你在一楼等我。"

刚一推开门，迎面而来的凝重气息却让裴诗不由得停了停脚步。羚羊毛装点的低背沙发围着一个茶几，上面放了一盘简单的茶具和烟灰缸，大水晶灯把杯子茶壶照得透亮。坐在一侧贵妃榻上的，是慵懒的夏娜和公主般端庄的源莎。而她们正对面沙发上坐着的一排人，裴诗一下就认出来了：戴着黑框眼镜神色严峻的是夏家长子夏承杰，皮肤白皙、穿着时髦、小狐狸一样的大男生是夏家小儿子夏承逸，靠在夏承逸身边看他玩PSP的美贵妇是夏太太，坐在正中间的是盛夏董事长夏明诚。看见夏明诚，夏承司怔了一下："爸，你回来了。"

夏明诚将目光从报纸里转过来，冷冷说道："怎么这么晚才回来？"

"在公司加班晚了。"

"是吗？"夏明诚的语气平平淡淡毫无起伏，让人听不出是在反问还是肯定。他看了一眼旁边的裴诗，"这是谁？"

"我的新秘书。"

"新秘书？记着你和源小姐还有婚约，别天天在外面鬼混。"

原先裴诗以为夏明诚既然是花花公子，那性格应该也多多少少有些油腔滑调。可是事实说明了，有什么样的爹就有什么样的儿，夏明诚和夏承司不仅长得像，连说话的腔调都很像，自始至终一板一眼态度冷漠。因此坐在一旁的源莎听见他说"鬼混"这种话，竟一点怒气都没有，只是像小兔子一样蜷缩着坐在原处。

"知道了。爸，你早些休息，我先上楼拿一些文件。"

夏承司刚想上楼，却又被夏明诚叫住："慢着。我话还没说完，你急什么？"

夏承司只好停下脚步。夏明诚盯着他，口吻不容置疑："我听说最近公司买了一块地，投了不少钱进去，结果是开发商规划范围之外的，有这么回事吗？"

这件事裴诗略有耳闻，她看了一眼正襟危坐的夏承杰。夏承杰似乎有些紧张，伸手推了推黑框眼镜，好像呼吸都绷在了胸腔不能提起。夏承司沉默了片刻，与自己父亲对峙着："是有这么回事。"

"我还听说，亏了不少。"夏明诚点燃一根烟，眯着眼抽了一口，"是吗？"

夏承司提起一口气，有些无奈："是。"

这时，夏太太终于忍不住插话了："明诚，阿司一直在忙音乐厅和酒店的项目，房产方面都是阿杰在负责。阿杰可能对地产业还是不大在行，好在亏损也没太大，以后慢慢学习总会做好的。"

"这些我都知道，你插什么嘴？"夏明诚皱着眉挥了挥夹着烟的手，连看都没看一眼自己的夫人。

夏太太虽然温婉动人，看样子也是个情商很高的女人，但裴诗向来眼光犀利，还是从她眼中捕捉到了一闪而过的厌恶情绪。

西方的科研组织曾做过一些调查，一对夫妻在接受采访时如果一方，尤其是女方露出微微嫌弃的眼神时，这场婚姻往往持续不过四年。但在这样的家庭，委曲求全似乎早已成惯例。夏太太没再多嘴，只是推了推看向他们、有些迷茫的小儿子，继续看他玩游戏。夏明诚的严厉丝毫没有瓦解，吐了一口烟，面容在烟雾中模糊不清："夏承司，你早就代替你哥成了执行董事，现在他是给你打工的，你才是做决策的人。你是不是没长脑子，文件看都不看就这样批过了？"

夏承司看着他，长时间一语不发。裴诗却愕然了——这世界上敢这样和夏承司说话的人，也就只有夏明诚了吧。这一刻，空气像是凝固了一般。只有挂在墙上的西式吊钟嗒嗒作响，提醒人们时间还在流走。过了很久，夏承杰才有些不确信地开口，打破了尴尬的沉默："爸，这件事……这件事是我处理不当。当时合作方跟我说这是黄金地段，投资楼盘一定可以翻倍赚钱。我向承司提出来的时候，他告诫过我，是我非要坚持……"

"这事和你没关系。"夏明诚打断了他，又继续抽烟。

夏娜似乎很早就想说话了，但大哥二哥她都喜欢，也不知道该帮谁好。夏承司面无表情地站在原地，似乎在等他的训话结束。但过了很久，夏明诚没再责骂他，只是静静地把烟抽到了还剩三分之一处，把烟头在烟灰缸里掐灭："我觉得你还是不行。"

夏承司连惊讶的表情都没有，只是扬了扬嘴角，似笑非笑。夏明诚有些疲惫地靠在沙发背上，长叹了一声："你的股份，我会转到你妹那里去，刚好她也快结婚了。你现在干好自己手上的工作，等你哥学到东西再说以后的事。"

"知道了。"夏承司淡淡地答道，径自上楼去拿文件了。

作为一个姐姐，裴诗知道，对年幼的孩子和男人绝对不可以说出"你不行"这种话，不论他犯了什么错，都必须说"真不错，你可以更好"或者"太厉害了，继续加油"。她不知道夏明诚是什么时候开始对夏承司这样的，但即便是成年人听见这样的话，心里也会很难受吧。更何况，这个父亲的偏袒显而易见到让人想忽略都难。然而，夏承司很快拿好文件下来，带着她一声不吭地出去，竟从头至尾都没有一点情绪失控的样子。他把裴诗送到车边，跟司机交代送她回去。

裴诗刚想进入车里，忽然一个清脆的声音传了过来："承司！"

星空像是沾满了露水，将迎面走来的源莎罩在湿润柔和的银白之中。她还是瘦高而白皙，宛若欧洲宫廷中的贵族，一向漠然的眼中却多了几丝犹豫："承司，你还好吧？"

夏承司转过身，简短地答道："没事。"

"夏叔叔真的好过分啊，怎么可以这样和你说话呢……"源莎想了很久，轻轻咬了一下下唇，等了半天没有得到对方回应，又继续说道，"可是，他刚才说的话只是气话吧？"

"什么气话？"

"说要收回你的股份……的气话。"

"不是气话，他向来说到做到。"

源莎似乎已经在极力控制自己的情绪了，但粉色的唇瓣还是因为紧张恐惧而往回缩："这，这个意思你不懂吗，他是想让你当CEO，等把你哥哥栽培出来以后，就要把你撤下去，到时候你会一无所有啊。"

"只是不控股而已，你放心，不是大事。"

漆黑的夜空铺满了细细的星辰。亿万千里外的天体彼此辉映着，用自己的力量照亮了蓝色地球上的每一个角落。源莎低垂着头站在夏承司面前，个子刚好到他的肩膀上面一些。这样面对面地站着，两人都如此高挑美丽，让人有一种他们瞬间变成世界中心的错觉。但是，她再次抬起头看向他的眼神，却多了一些尖锐："你以为，这样就可以拖住我吗？"

夏承司蹙眉："我不懂你的意思。"

源莎握紧双手，手指微微发抖："你爸刚才在里面都说得很清楚了啊，他会让你哥当执行董事，将来继承盛夏集团。你这样一无所有和我在一起，是在耽搁我的青春知道吗？"

"不会一无所有，我依然会有收入，送你的东西也不会少……"

"你简直太可笑了！"源莎提高音量，瞪大眼睛，"谁稀罕你送的那些东西啊，那些东西我爸妈都会买给我！我现在已经有这样的平台了，不可能因为你而降低我的生活水平！"

她指着自己的脸，连气也不换一下就继续愤怒道："我什么都不缺，要什么有什么，追我的有钱男人也一大把，你以为我是为什么要如此将就自己和你在一起，要天天等着你那不到五分钟的电话？夏承司，我告诉你，你最好让你自己配得上我！否则，我立刻甩了你和你哥在一起，刚好他也喜欢我很久了！"

夏承司扬了扬眉，漫不经心道："那你就跟他在一起好了。"

源莎白净的脸慢慢涌起一层羞红，她憋着气，低声说："你爸说你不行，还真没冤枉你。废物。"

她眼中含着不知是羞还是怒的泪水，转身走了。

"送她回去。"夏承司回头对司机说道，然后看向裴诗，"明天记得把文件送过去。"

裴诗坐上车以后，又从车窗看了一眼夏承司："夏先生……"

夏承司弯下腰，从车窗口看向她："怎么？"

裴诗凝望了他一会儿，见他还是完全无动于衷的模样，只好轻声说："……没事。请早些休息。"

"嗯。"

星辉中他的轮廓分明而冷静，就像是戴了一张完美漂亮的面具一样。她忽然想起，裴曲是个温柔的孩子，平时连杀鱼杀鸡都不敢看，但是玩"星球大战"的时候，他却永远不会觉得被杀的冲锋队员值得同情。那大概是因为他连他们的脸都看不到，更不要说他们痛苦悲伤的表情。

或许，对一个戴了面具的人，就算有一天他被你杀死了，你也不知道自己曾经伤害过他。

第八乐章 ♪

黑暗光明

不要害怕从黑暗中走过，因为黑暗的尽头永远是光明。

炎热的天气离去后，世界瞬间安静了不少。白桦的枝头披上秋色的大衣，路边的美国红枫猩红似血，散发着几欲燃烧的气息，一路延伸至道路的尽头。高楼如丛林的城市，沥青的路面上，来来往往的车辆，都犹如钻石般恒久闪耀，却又因为恒久而永不苍老，机械得千篇一律。然而，秋色一夜间袭来，金红交错着，让人这才想起遥远的往事以及薄暮中的童年。

　　裴曲的卧房里传来了优美的钢琴声，这是令裴诗感到意外的事——森川少爷会亲自来家里探望他们，而且还在钢琴旁边指导裴曲。因为在森川组的身份，他从来没有公开演出过，但裴诗和裴曲都认定了一旦他在音乐界出道，地位一定会像医学界的希波克拉底，轮船里的"泰坦尼克号"一样崇高。能得到森川光的指点，裴曲简直乐坏了，像只小兔子一样屁颠屁颠地跳回房间想拿琴谱，却被裴诗按下来说她来找，让他抓紧时间跟森川少爷学东西。找到了五线谱，裴诗正想拿出去，突然看见韩悦悦留在这里的小提琴——她居然就这样把它倒扣在桌面，上面还压了一本琴谱。

　　这丫头，好像永远都不懂如何好好保护乐器。裴诗长叹一声，走过去把琴谱拿下来，又将小提琴翻过来，再把丢在椅子上的弓拿起来打算把它装回琴盒。自从她想清楚放弃那只胳膊，竭力栽培韩悦悦以后，她就再也不惧怕触摸小提琴了。然而，五年来，这似乎是她第一次与小提琴独处。

这把琴并不昂贵，但很新，面板在秋光中微亮，两个F孔微微勾着，就像是随时会跳动的音符一样。她坐下来，把小提琴平放在自己的左手手臂上，用指尖轻轻拨了拨G弦。低沉的单音震颤了面板，像是琴中有一个小小的魔法世界一样，长长地回荡着。她轻轻吸了一口气，用左手食指按住G弦又拨了一下A音，再添加中指，按下B音……随着手指按动，音阶慢慢增高，她从G弦一直拨到E弦，再从E弦慢慢拨回G弦。听着面板下连贯动听的简单音调，裴诗不由自主地闭上了眼睛。霎时间，好像下面那个魔法世界也变得五彩缤纷起来……

她依然深深地记得父亲说的话。拉小提琴的人，不可以把注意力完全集中到右手的弓上，弓只是辅助而已，左手控制好弦才能流露出完美的音乐。

所以，她努力地练习左手的动作。儿时的记忆也如此深刻，手茧是从内长到外的，每次摸上去都像是打了麻药一样又硬又难受，再次按弦的时候痛得几乎无法下手，尤其是小指头刚开始按弦的时候。小指是所有手指里最弱最无力的一根，每按下去一次都像刀割，上面会立刻出现烫伤一般的红痕。她从最开始哭着跟爸爸说不要继续了，到爸爸去世后咬牙忍痛倔强地按弦，直到小手连拿东西都拿不住，只能紧紧握住双手痛得不断发抖……如此反反复复，左手指尖上才有了伴随她十多年的厚茧。

此时，裴诗再一次摸了摸左手指尖，那些茧子已经软化了很多，快要消失了。

裴诗轻轻地拨着弦。窗外美国红枫枫叶翩然飞舞，一片片落下，像是在预示着一场生命旅途的结束。秋风四起，卷入窗棂扬起了她脸颊两侧的长发。她凝视着这把陌生的小提琴，眼中那么多的温柔，仿佛都变成了只属于她的一厢情愿。

"森川少爷，你怎么站在这里不动？"

忽然裴曲的声音从门外响起，裴诗手中的小提琴也发出刺耳的声响。她猛地站起来，琴弓被碰掉在地，自己也差点摔了琴："吓、吓我一跳。"

森川光握着文明杖站在房门前，穿着复古的高领衬衫，外面披了一件黑色皮草大衣，浑身散发着温润如玉的气质，令他手里的可乐罐子也变得比人头马

XO还要高贵。森川光对着她站的方向笑了笑："我只是去厨房丢垃圾，听到你在调琴，不好意思打扰你了。"

"啊……是，是啊。悦悦把琴倒扣在桌子上，弄得微调器全部乱掉了。"裴诗赶紧又装模作样地拨了一下琴弦，严肃地对裴曲说，"小曲，你怎么让森川少爷一个人出来丢垃圾啊。"

裴曲扁了扁嘴："我也不想的……他非要我把刚才那一段重练一下，练好了才能离开座位……"

"我找到曲谱了，赶紧回去吧。"

三人又一起回到裴曲的卧房。森川光坐在钢琴前，让裴曲把琴谱翻到了指定页数，然后十指放在琴键上："小曲，你看第二节，这样弹会不会更有节奏一些？"

他的手指十分修长，大拇指上的铑戒指更衬得他皮肤白净。不过随性地弹了几个音，戒指也随着跳动熠熠生光。弹琴的时候他的脸上始终保持着微笑，像是真的可以看见那些起伏的琴键一样。裴曲认真地点头，像个乖学生一样认真听着。裴诗看着他们无奈地笑笑，打开电脑的浏览器，准备查收邮件。但是，首先映入眼帘的照片却让她整个人都僵住了：那是一把被陈列在保险玻璃柜里的白色小提琴，侧板上还有一个因为伦敦那次意外事故被撞坏的缺口。这把琴裴诗从小拉到大，一眼就认出来了。这张照片的新闻标题是：匿名人士拍卖裴绍生前最后遗物，专家鉴定小提琴售价将超过百万。

读完整篇新闻以后，裴诗的手指有些发凉。她又看了一眼正在弹琴的裴曲和森川光，想了很久，还是决定保持沉默。

翌日早上，看了一眼站在办公室门前守卫般等候的裴诗，夏承司自行绕过她，推开门走了进去："有事进来说。"

裴诗把一堆文件顺次放在夏承司的桌子上："这是上个月音乐厅的财务报表，这是年终总结报告校正版，这是杨董上周寄来的新合同，这是徐总监叫我转给你的账单……"

夏承司脱下外套，扫了一眼桌面上的文件，扬起一边的眉毛："怎么，不想干了？"

"不，我想和您签长约。"

"长约？多久？"

"十年。"

听见对方不动声色地说出这么长的期限，夏承司饶有兴致地看向她："看样子你有其他条件了。"

"签约金三百万，一次性支付，工资照旧。"

"裴秘书，好大的胃口。"夏承司靠在办公桌前，"你认为你一个秘书值这个价吗？"

"不过是应聘秘书，不代表我就只能当秘书。"

夏承司想了想："说得在理。不过，如此一来，双方都得承担风险了。这意味着十年里，你哪怕一事无成价超所值，我也得养着你。相反，不论你的能力提升有多大，十年里都只能听从我的安排。你确定要签这份合同？"

"是。"

夏承司坐到办公桌前，一边看文件一边说："那好，你拟定一份合同，找HR部门看过，打了水印以后拿到我办公室来。签约金我亲自转给你。"

完全没想到夏承司居然答应得如此干脆，连价都没砍一下，不愧是公关意识强大、做惯决策的老板。裴诗心中有些感激："夏先生，谢谢你。"

"是我谢你才对。"夏承司总算抬起头来看了她一眼，嘴角带着淡淡的笑容，"三百万买一个人的十年，不亏。"

*** *** ***

十八年后的今天，裴绍的影响力依然不减当年。一周后的拍卖会场，来参加拍卖的不仅有许多大腹便便的西装外国人，还有一身雪白套裙的短发女CEO、由保镖助理护送的墨镜明星，甚至连夏娜和柯泽也来了。在低声的交谈中，拍卖师和大家一起等候压台标物的到来。

终于，展示员抱着一个透明保险柜来到拍卖师身边。这是一个系着深红领带的英国小伙子。他嘴唇紧抿眼神严肃，戴着一尘不染的白手套，像是对待出土文物一样，用钥匙现场打开了保险柜，再把白色的小提琴小心地高举起来。刹那间，会场里一片肃静。夏娜盯着那把小提琴看了一会儿，低声对柯泽说："我怎么觉得这把小提琴……和你妹的那把那么像？不过这一把上面有缺口。"

柯泽没说话。从进来以后他连大衣手套都没脱，一直一副坐不住想离去的样子。

拍卖师指了指小提琴，开始缓缓介绍："今天最后一个标物，是著名音乐家裴绍生前的最后遗物，小提琴'白色尼尼微'。尼尼微是西亚古城，其宏伟程度可与巴比伦媲美。前8世纪至前7世纪藏有古美索不达米亚史中珍贵的泥板文献，上面记载了世纪前爆发的远古洪灾。三十六年前，裴先生首次参加威尼斯的小提琴大赛，在比赛中与他神秘的初恋情人邂逅，两人竟不约而同地在回归路途上的尼尼微遗址中再次偶遇，并陷入爱河。十九年前，裴绍陷入人生低谷，写下了著名的小提琴曲《尼尼微的回忆》，并以远古洪灾的庞大悲壮为灵感，请人制作了这把白色小提琴。所以，这把琴的特点是声音洪亮，适合演奏气势磅礴的乐曲……"

听到这里，夏娜不由得出神了。她忽然想起，以前柯诗演奏曲子的时候，在不同场合总是用不一样的琴。用那把白色小提琴的时候，她会找无人或空旷的地方。往往小提琴油漆的厚度就决定了它的音色，其实大部分的彩色小提琴音色都不大好。她一直以为柯诗用那把琴是为了好看，但又怕拉出来的音乐不动听就跑到没人的地方偷偷演奏。现在想来，似乎真的和音量有关……这时，已经有人开始出价了。夏娜集中精神看向台上。

"五万。"

"八万。"

"九万。"

"十五万。"

"十六万。"

台下的富翁们一个个冷静自若地举起手，拍卖师也从容地念着每个人出的价，标价节节高升。

"二十万。"

"二十一万。"

是谁在叫价，怎么总是只比前一个高一万？夏娜下意识地扭过头，在人群中搜索了一会儿，果然看见了坐在最后排的韩悦悦——她手里拿着手机，是在和那个女人通话吧？那女人果然有见不得人的地方，不然以她以前的性格，可能早就忍不住出来缠着柯泽不放了。既然如此……

夏娜咬紧双唇，转过身举起手。

"四十万。"

这个报价一出来，全场都安静了片刻。夏娜得意扬扬地抱着胳膊看向前方。不出意料的，后面的韩悦悦又叫了四十一万。柯诗……不，现在的裴诗，你要和我比别的东西都算了，你确实也是有音乐才华的。但是，比钱？夏娜举起手，笑得更加轻蔑了。

"八十二万。"

韩悦悦不为所动，又报了八十三万。夏娜正打算直接翻到一百六十六万，手机却忽然震动起来。一看见上面的名字，她惊讶地推推柯泽："你妈来电话了。"

"她是打给你的，你接就是了。"柯泽一脸漠不关心。

夏娜拿着手机匆匆走出拍卖会场，一边接听一边往人少的地方走："喂，颜阿姨。"

"你和阿泽在拍卖会场，是吗？"手机听筒里传来中年女人冷冽的声音。

"是，是的。"夏娜的气势瞬间弱了下来。

"裴绍那把小提琴，一定要拿下来。"

"好，好，我刚好有这个打算……"夏娜回头看看会场，又转过头来低声说，"我留意了一下，暂时没有人出高价。"

"高价也得买下来。钱不够让阿泽帮你。"

"好……"夏娜原本想说什么，但那边直接挂线了。

她叹了一口气，刚想回拍卖会场，抬头却看见站在后院里打电话的裴诗。

裴诗在原地来回踱步。她已经很久没有这样焦躁过："小曲，我真的不想再和你吵下去。你怎么还这么傻，这世界上没有免费的午餐，你这样整天找森川少爷索取，总有一天会出大事。而且你我都知道，盛夏集团迟早会完蛋，十年长约不过是个表面上的形式而已，合同上写得很清楚，我是签给盛夏，不是签给夏承司个人……没有这种可能，没这种可能！你不要闹，我挂线了，悦悦还在等我这边回复……"

刚讲到这里，裴诗停住了。因为她也看见了迎面走来的夏娜。她又和裴曲说了几句，然后挂断电话，瞬间恢复了以往冷静的模样："你好，夏小姐。"

"你刚才在说什么？"夏娜睁大眼睛，一脸嘲讽的笑，"盛夏集团迟早会完蛋？"

"嗯。"

"你有什么资格说它会完蛋？你有什么能力让它完蛋？"

"每个大型企业都有寿终正寝的时候，这不是什么奇怪的事。"

"你少跟我玩这套，你这阴魂不散的女人！"显然，夏娜已经很不镇定了，"我早就猜到了，你当初来盛夏就动机不纯，你到底想做什么！"

裴诗轻轻吐了一口气，像是很疲惫又不耐烦的样子："夏小姐，没事我先走了。"

见她想离开，夏娜愤怒道："你敢走！你走了我立刻跟我哥揭穿你的真实身份！"

"这样不大好吧。如此一来，你未婚夫不也很快就知道了吗？"裴诗笑了笑，眼中却毫无感情，"你不怕他跟我跑了？"

夏娜橘色的嘴唇微微张开，动人的眉眼顿时变得有些滑稽可笑："他和我已经订婚了，你到现在还认为他喜欢你？"

"不认为。所以你就去告诉他们吧。主动权都在你手上。"裴诗一脸轻松自在。

"你……你真不要脸!"夏娜抓紧手里的手机和链子手袋,指甲几乎掐进手袋的皮革里,"你从小就对你哥有不伦不类的感情吧,就算他是亲哥你也不会介意的吧,你这女人怎么一点廉耻心都没有!"

裴诗脸上的笑容忽然消失了。她走近夏娜,用很低却嘲讽的音调小声说:"你说得没错,当年就算他是我亲哥,我也不会放弃他。我当时的心境你可以理解吗?很绝望啊。所以,我才能写出《魔鬼的悲泣》这种不伦不类的曲子。"

夏娜没有回话,只是诧异地、不知所措地看着她。

"这首曲子,讲的是圣人变身魔鬼后最后一滴眼泪的心境。我不知道为什么一到你那里,就变成了伟大的《骑士颂》。但是……"她逼近夏娜,让夏娜踉跄一步,差点被高跟鞋崴了脚,"夏小姐,既然用了我的曲子,就安分守己一点,别在我身边吵吵嚷嚷了。"

夏娜的心情已经跌到了谷底。几分钟后,当她回到拍卖会场,"白色尼尼微"的标价已经涨到了九十八万。她心情一直很不平静,但还是举起了手。

"一百万。"拍卖师的情绪有些亢奋了,"一百万了!"

"一百零一万。"

夏娜转过身看向后面的韩悦悦,再看一眼身旁心不在焉的柯泽,忽然又气又害怕。可是,所有情绪加起来都抵不过对裴诗的厌恶。她向来对金钱没概念,低于百万她都可以随便炒,但过了百万,就会自动和珠宝首饰的价格联系在一起。所以,出价也没开始那么夸张了——

"一百五十万。"

"一百五十一万。"

夏娜不耐烦地举起手。

"一百八十万。"

"一百八十一万。"韩悦悦紧咬不放。

"两百万。"拍卖师推了推眼镜,兴奋地说,"两百万了,还有人要出更高价吗？两百零一万。"

其实这把琴虽然是裴绍请人定做的，音色可与意大利Amati小提琴媲美，但与他用来演奏最多的世界顶级名琴"盖斯比亚"无法相提并论。而且，"白色尼尼微"有过磨损，如果和裴绍没有关系，单看外形根本不会有人考虑买下来。当然，没有人知道，这把琴是裴绍做来给女儿练习用的。只知道它是他生前最后的遗物，在近二十年后带着传奇色彩神秘重现，才让这把琴变成了现今的天价名琴。很多人冲着裴绍的名气来，但介于性价比都放弃了。此时，全场只剩下了夏娜和韩悦悦还在出价——

"两百一十万。"

"两百一十一万。"

"两百三十万。"

"两百三十一万。"

每一次，韩悦悦都是毫无迟缓地紧追夏娜的出价。

夏娜有些火了。那女人到底是从哪里弄来这么多钱？她这么坚持要这把琴做什么？如果当初她拉的小提琴就是这一把，那……裴绍的琴为什么会在她那里？她没有时间思考，只在拍卖师重复标价时皱着眉举手。

"两百九十万。"

"两百九十一万。"

与此同时，拍卖会场后院，一阵寒冷的秋风吹来。裴诗靠在后院的柱子上，嘴唇有些干燥："……她出两百九十八？继续加，还是一万。"

韩悦悦的声音发抖，几乎快要哭出来了："诗诗啊，她现在开三百万了。三百万啊，用这三百万我们可以做好多事了，你为什么这么执着于这把琴？"

虽然知道夏娜是父亲的粉丝，但没想到她会如此坚持。裴诗静静地说道："继续加。"

没过多久，连她都听见了那边拍卖师洪亮的声音："三百一十万。"

"诗诗……夏娜家有的是钱，三百万对她来说就跟玩票似的。你跟她拼，拼不过的啊。放弃吧，不要浪费钱了……"韩悦悦几乎是在哀求了。

裴诗脸色有些发白。这几天她看了很多拍卖会的实例和文件，预估这把小提琴的最终价格不会超过一百八十万。所以，她一直以为三百万绰绰有余，还准备抽一百多万做将来计划的筹备资金。

现在看来，是她自作聪明了。她的存折上，并没有太多钱。再这样不理智下去，以后的计划也会被完全打乱。可是，她能忍受琴曲被剽窃，能忍受喜欢的男人被抢走，甚至能忍受断掉左手……唯独这把琴，这把琴……

……"宝贝诗诗，宝贝曲曲，这是爸爸的生日礼物。"

……"后面半首你们要自己学，明年爸爸生日的时候，你们合奏生日歌给爸爸听好不好？"

裴诗闭上眼，缓缓地说道："继续加。"

"三百一十一万。"拍卖师的回声荡漾在厅堂中。

秋季，万物都褪了色，枯叶悄然凋零，在乌云笼罩下落了满地。不出多久，第一滴雨从空中降落，默默无声地溅在裴诗的手背上。未等韩悦悦说话，裴诗已经听见那边拍卖师的声音："三百五十万。"

韩悦悦有气无力地说道："三百五十万了。"

雨水自苍穹坠落，像是被风吹散的细沙，很快一条一条地连成线，一线一线地连成片，天罗地网一般从上而下罩满了整个秋季的世界。雨水的哗哗声阵阵响起，那边的拍卖师再次高声说："三百五十万，还有更高的吗？"

…………

"三百五十万，还有更高的吗？"

这句话一直在裴诗的耳边回响，甚至在她徒步在雨中走了将近一个小时也不曾停过。雨水连绵，虽是轻轻地下，却依然在商店的塑料棚上敲得砰砰作响，让人心神不宁。这几年来，支撑着自己精神世界的，一直是父亲遗传下来的一身才华。她相信即便自己无法拉琴了，也可以用真本事打败那些人。只要她够有耐心，内心够强大，就没有做不到的事。然而，就像韩悦悦说的一样，夏娜随手砸出的三百万，轻易得就跟玩票似的。

而为了这三百万，她出卖了自己人生中宝贵的十年。

人的一生中，能有几个十年？

裴曲在电话里质问她："没错，冢田组在日本确实势力强大，但如果他们真那么有自信能一口气弄垮盛夏，又怎么会和你做交易？他们都不自信的事，你反倒自信起来了？好，退一万步说，就算他们干掉了盛夏，一旦森川少爷和你不再是情侣关系，老爷子一定不会再保你。到时候你又被揭发，会有什么下场自己知道吗？"

她一口咬定说："那不可能！"

可是，心里却很清楚，纵然她有满腔狂妄的自信和勇气，对那些手握大权玩着金钱游戏的人来说，这根本比空气还要透明。

漫天的雨，像是从天而降沉甸甸的大雾。风吹过泥泞的街道，将这层雾掀起了一层又一层的浪。地铁站挤满了人，每个人的眼神都浮躁且不耐烦。唯独清冷的街道尽头屋檐下，有一个穿着厚厚外衣的街头艺人在拉奏小提琴。非常凑巧的是，她拉的曲子竟是韩悦悦在夏娜面前拉的那一首《圣母颂》。她一个人孤零零地站着，琴盒随性地摆在地上，里面除了斜飞浸入的雨水，就只有几个零碎可怜的硬币。可是，她却丝毫不在意，相当入神地闭着眼演奏，任由脸颊被冷空气冻得通红。她的琴艺并不太好，没什么技巧可言，音节偶尔还有错漏。可是她如此自由地站在秋雨中，任性地演奏着自己喜欢的曲子……

裴诗忽然发现，这才是一个艺术家最幸福的时刻。

她停下来，给了这个女孩一些钱，听她一直将《圣母颂》拉下去。女孩只有十七八岁，睁开眼发现有人在认真听自己拉琴，眼中写满了单纯的喜悦之情。可是，眼前这个听自己拉琴的姐姐却好像……一直在流泪。

"是……是我拉得太糟糕了吗？"女孩小心翼翼地说。

"不不。"裴诗摇摇头，眼睛发红地笑着，"很美，真的很美。我很喜欢小提琴。"

居然会有人听自己的音乐到流泪，女孩受到了很大鼓舞，继续充满感情地演奏。酥软的雨丝，沼泽枫的清新，凉凉的秋意，都渗透到世界的每一个角落。裴诗抱着胳膊站在雨里，听着这纯粹的，不带一丝杂质的音乐，任由自己无声地哭了起来。

很久以后，有黑影罩在了头上。

她这才有些慌乱地抬头，看见了伞下的森川光，还有他身后不远处的一群黑衣组员。她屏住呼吸，不让自己带着哭腔："组，组长，你怎么会在这里？"

森川光垂头"看"着她，用戴着戒指的大拇指轻擦她的眼角："你哭了。"

"我没哭，这是雨水。"

"泪有温度。"森川光又擦了擦她的眼角。

裴诗有些尴尬，一时只有沉默。森川光似乎感冒了，声音有些沙哑："刚才小曲把所有的事都告诉我了。你应该早点跟我说的，你父亲的琴我可以帮你买。"

"买了琴……又有什么用？"裴诗眼神空洞地看着前方。

森川光没有直接回答她的话，只是微笑着说："小诗，你一直都很喜欢音乐，不知道对歌剧有没有了解？"

"只了解一点。"

"18世纪初，意大利正歌剧墨守成规毫无变动，观众们觉得无聊又乏味，从没落到彻底死掉，音乐界陷入了一段时间的黑暗期。不过，没过多久，格鲁克歌剧的改革就在当时的音乐界掀起一阵飓风，再次复苏了歌剧艺术的辉煌。"

"所以呢？"裴诗有些迷茫地看着他。

"历史永远在重复，也永远与组成历史的我们紧密相连。"森川光顿了顿，失明的眼看上去竟是意外地清澈，"所以小诗，不要害怕从黑暗中走过，因为黑暗的尽头永远是光明。"

裴诗抬头看着他。雨水在他身后淅淅沥沥地落下，水雾随风飘摇，像是把伞下小小的世界都团团包围了起来。他脸上的笑意更深了，捏了捏她的脸："这话从我口中说出来，比一般人更有说服力对不对？毕竟，我连自己最想见的东西都没见过，但都没像你这样伤心。"

消极的情绪一下被好奇心冲得烟消云散，裴诗眨了眨眼："组长最想见的东西是什么？"

森川光拍拍她的肩："这不重要。以后我再慢慢跟你说吧。"

黑暗的尽头永远是光明——裴诗完全想不到，这句话第二天就奏效了。在地铁里浏览新闻的时候，她看见一条新闻：周传乐以一千二百万的天价买下裴绍遗物"白色尼尼微"。原来，这把琴最后还是没有落入夏娜囊中。爸爸的琴能以这么高的价格卖出去，对方一定是他的狂热粉丝。如此一来，也算是一个圆满的交代。

进入盛夏执行董事办公室，刚想向夏承司汇报工作，她却被眼前的景象吓傻了眼——"白色尼尼微"居然就这么赤裸裸地摆在一堆文件旁边。裴诗竭力让自己保持冷静，但眼中还是有藏不住的讶异："夏先生，这是怎么回事？"

夏承司若无其事地看着文件，淡淡答道："哦，一个合作伙伴昨天去拍卖会场买来的，送我当礼物了。"

裴诗哭笑不得："送，送你当礼物了……"

"怎么，你喜欢？"夏承司抬眼看了她一下，"我不玩乐器，喜欢便宜卖给你好了。"

裴诗差点儿当场就问出"多少钱"，转念一想觉得可能是陷阱，于是说："昨天悦悦也在拍卖会场，她说夏小姐很喜欢这把琴。"

"娜娜？不给她，再送她东西她都要被宠坏了。你要的话，两百万卖给你。"

夏承司如此轻描淡写，完全就是一副不计朋友情谊的无耻无情商人面孔。仿佛现在一头猛犸象摆在他面前，他也可以平淡地说"要吗？十块钱一斤卖给你了"。

"我现在就去写支票。"裴诗走了两步，又退回来，"不过，夏先生，我现在突然发现那三百万我用不到，能不能我全部退给你，买你的小提琴，然后改签长约六年？"

"你的意思是说，一百万退给我，用两百万签约金签六年？"夏承司露出了温柔的笑容，"倒是蛮会算计。"

"夏先生……意下如何？"

夏承司的笑容瞬间消失，取而代之的是一如既往的冷峻脸孔。他对着她的办公桌扬了扬下巴："想都别想，去工作。"

第九乐章 ♪

嫉妒之吻

对你说"你好"只需要一秒，说"再见"却需要一生。

帕格尼尼，19世纪著名的意大利音乐家。传言说，他在开音乐会时有人以为是乐队在演奏，得知台上只有他一人在演奏后，便尖叫那是魔鬼后逃跑。因此，人们都说帕格尼尼把灵魂抵押给了魔鬼，只为换得魔鬼般的小提琴艺术和演奏得来的大量金钱。他的《二十四首随想曲》展现了惊人的独奏技巧，后来被无数音乐家改编引用，也是很多小提琴狂热分子百般推崇和追求的神曲，现在已成音乐界公认的小提琴家试金石。这二十四首曲子里，最后一首又是世界音乐学会最具技术性的一首。

　　很多音乐专业的学生都以拉出《第二十四首随想曲》为最大的骄傲，夏娜也不例外。当年她练好这首曲子后没多久，就听二哥说他们学校办了个古典音乐节，并请她去演奏一两首曲子。作为音乐生，夏娜骨子里总有些傲慢，虽然二哥的学校是名校，但一所以经济商科出名的大学，能在古典音乐上办出个什么名堂？她背好小提琴，去了哥哥的学校。如果有机会，她打算现场演奏一下《第二十四首随想曲》——当然，她也不指望这些人能听出它的难度。然而，在前去活动会场的路上，她在走廊里听见了熟悉的旋律。演奏的速度比大部分的版本快很多，但无疑的，那是《帕格尼尼第二十四首随想曲》。随着曲子的进行，她从最开始的惊讶，变成了强烈的好奇，终于忍不住走到那间教室门口，轻轻推开了一条缝……

短暂的夏季刚刚过去，重重叠叠的红云像是岁月的皱纹，瞬间苍老了伦敦的天空。街上飞奔的名车无法粉饰这座城市沉重的历史。窗外的落叶像是暗黄的蝴蝶翩翩飞舞，旋转在古老的欧洲街景中。无人的教室里坐着一个和她年龄相仿的少女。她留着及耳的短发，发色、丝质的连衣裙还有她的眼睛都是清一色的黑，唯独夹在她耳与肩之间的小提琴是雪一般的白。这首曲子原本就是又快又难，几乎考验了所有小提琴家最高级的演奏技巧，她又把速度提高了大约1.2至3倍，因此左手的动作快得简直连肉眼都看不清。

每次演奏这首曲子，夏娜都会满头大汗手心出汗，演奏完了以后甚至连指板都是湿的。可是，眼前这个少女看上去如此开心，红色的唇角微扬，轻松得就像是在拉《玛丽的小羊羔》。

因为速度超常，很快她就拉完了整首曲子。然后几乎没有停顿的，她又开始拉《二十四首随想曲》中的第五首。还是超快的速度，甚至还用鞋底欢乐地打起拍子。

帕格尼尼是夏娜心中的神，她一直如此崇拜裴绍，跟他改编演绎过帕格尼尼的曲子脱不开干系。眼前少女这种玩票式的演奏方式引起了夏娜强烈的反感。

“你觉得她如何？”夏承司的声音在耳边响起。

夏娜眯着眼睛，微微噘嘴：“技巧是不错，但她拉得太快了。她根本不懂帕格尼尼，怎么可以用这种态度对待小提琴之神的曲子？”

“这女生性格很孤僻，已经拒绝好几个男生的追求了，就只喜欢玩音乐。”夏承司看向教室里的少女，“对了，她是柯泽的妹妹，叫柯诗，才出国。”

“柯泽的妹妹？”夏娜的嘴巴几乎可以挂油瓶了，“柯泽好歹也是音乐世家出身，怎么会有这种散漫的妹妹？”

柯诗完全没有留意教室外有人在讨论自己，翻来覆去拉了几首随想曲后，又站起来，摆好姿势，重新开始拉《第二十四首随想曲》。这一次她没有再笑，也没有加快速度，而是以最原始的方式演奏。

最终，夏娜在这次音乐节上演奏的是萨拉萨蒂的《安达鲁西亚浪漫曲》。尽管她知道表演名单里没有柯诗的名字，但只要一想到柯诗可能会在音乐节上看见自己表演，她就很不情愿演奏《第二十四首随想曲》。因为，柯诗最后那次常态演奏，让她脑中不断出现德拉克洛瓦[1]1831年创作的一幅油画肖像：那幅画里，帕格尼尼散漫地拉着小提琴，一身黑色燕尾服几乎要融入黑暗中。整幅画里仅剩的亮色，便是他苍白的脸孔和领结，还有幽灵一般的白色琴弓。他似乎早就死了，但小提琴里的音乐还活着。

*** *** ***

十一月底，全国音乐大赛的初赛已在各个城市同时展开。裴曲和韩悦悦都去参加了初赛，韩悦悦发了好几个短信给裴诗说很紧张，要她过来陪自己。但裴诗认为这样不利于她将来上台独奏，完全没有理睬，只跟森川光还有一些组员去音乐厅寻找灵感。

夏家小公子夏承逸的生日马上快到了，夏承司即将在家里为他举办一场大型生日宴会，让裴诗请一个乐团来演奏。夏承逸是标准的被宠坏的孩子，对生活质量品味要求不是一般的高。乐团水准必须超高端不说，对开场音乐风格也有硬性要求：华丽、宏伟、让人想跳舞、有一定程度的悲壮气氛，但又因为是过生日必须要有轻快的部分，古典的同时还不能有那种他所谓的"很土很黑暗的欧洲中世纪风"，最后，乐器不能是钢琴，因为乐团成员必须站在游泳池中间的圆台上，像杂技演员一样随着喷泉开场表演，那个位置是摆不下钢琴的。

听见这些要求，裴诗觉得解读复活节岛伦哥伦哥象形文字都比这个简单。

音乐厅里有个大提琴手是韩悦悦以前的同学，裴诗得到特许进入后台。演

1　欧仁·德拉克洛瓦（Eugene Delacroix，1798—1863），继席里柯之后法国杰出的浪漫主义画家，有"浪漫主义的狮子"之称。他情感丰富，知识广博，有多方面的才能，他还擅长音乐，有较高的文学修养。

奏到一半，她觉得坐在前排看得不过瘾，跟森川光打过招呼便去了后台。各大乐团的成员正在为接下来的表演做准备。韩悦悦的同学双手捧着一把小提琴递给裴诗："我听悦悦说你是小提琴爱好者，这把琴是1697年亚历山达罗·梅扎德里[1]做的意大利名琴，市价要接近两百万呢，你看看。"

那是一把背面有着类似老虎纹的小提琴。裴诗接过琴，随便拨了两下，内心就有些沸腾了："确实是把好琴。"

"这是我从夏娜那里借来的，今天晚上她要用这个演奏。听说她家里几百万的琴有好几把，果然是有钱人啊。"

"夏娜？"

裴诗愣了一下，重新看着表演名单，忽然在里面看见一行字——《D大调华丽波兰舞曲》，作曲：亨利里克·维尼亚夫斯基，演奏：夏娜。之前竟然没有注意到，她居然也……再次抬头，竟然看见夏娜迎面走来。她对韩悦悦的同学皱了皱眉："我把琴借给你，不是让你随便给别人看的。"

"真对不起，不，不过裴小姐很喜爱音乐，不，不会把您的琴弄坏的。那你们先聊……我还有事……"他有些尴尬地看了她们一眼，转身溜了。

夏娜穿着白色的长晚礼裙，艳丽的脸上露出了一丝嘲讽之意："怎么，你也来看我的演奏会？"

裴诗把小提琴还给她："我还有别的事。"

夏娜却没有伸手接："这把琴可是你把自己卖了也买不到的，再看看吧。"

"有时间研究琴，不如研究研究琴艺。"

"琴艺？"夏娜忽然一副想笑又不敢笑的样子，"你……这样还有琴艺吗？"

"我有没有琴艺我不知道，但我知道你没琴艺。"

夏娜似乎快要发疯了，虽然周围人来人往，但她还是压低声音小声说："裴诗，你以为我还像当年那样好对付吗？我看你是陶醉在天才小提琴家的回

1　亚历山达罗·梅扎德里（Alessandro Mezzadri，1660—1734），意大利知名制琴大师。

忆中无法自拔了吧？你别忘了自己消失了多久，这五年里，我早就变成一流的小提琴家了。"

裴诗无所谓地看着她，并没有回答。夏娜似乎丝毫不解气，眼神中透着微微的凶恶，她用保养得体的食指指了指裴诗："没错，我的创作才能不如你。如果你按着当初的步调走下去，也一定会变成世界级的音乐家。可是，一个左手都不能动的人，到底又有什么底气和勇气来跟我斗？裴诗，你脑子清醒一点，看看这舞台——"

她往旁边站了一些，伸手展示了身后金光四射的演奏台："这早已是我的天下了。而现在的你，不过是在嫉妒我而已。"

听见"嫉妒"二字，裴诗忽然呆滞了一下。她扫了一眼舞台，又重新看向夏娜："夏小姐，你是因为什么喜欢小提琴呢？"

夏娜怔住，一时间答不上来。裴诗叹了一口气："是因为柯泽，对吗？你从小就喜欢他，也知道他的母亲是小提琴家，喜欢有艺术气质的女孩，所以才学了小提琴。"

夏娜紧锁着眉头："那又如何？柯泽和小提琴我都有了，我为了什么而学小提琴，有那么重要吗？重要的是结果！"

裴诗点点头，耐心地听她说完，又缓缓道："如果有一天，他或他的母亲不在了，你还会继续那么发奋地练习小提琴吗？或者说，如果有一天，没有人允许你站在这舞台上表演，你还会继续拉小提琴吗？"

夏娜又一次哑然。裴诗坦诚地看着她，眼神没有一丝波澜起伏，声音也很平静："我当然想在舞台上表演。但是，舞台、前途、名声，和音乐本身相比，都很微不足道。现在我的手坏了，不能走上舞台，这是个遗憾。但是，我会努力栽培新人，让别人代替我继续走下去。我会不惜一切代价，让自己永远和音乐在一起。哪怕它嫌弃我，我也会死缠烂打和它在一起。而你，夏小姐，能拍着胸脯说出这样的承诺吗？"

夏娜被震住了，呆愣许久，满脸诧异，像是看见了一个从疯人院逃出来的疯子一样："你是不是手残后神经也跟着失常了？音乐是死的啊，是没有感情的啊。"

"是吗？"裴诗笑了。

说了半天，她真是在对牛弹琴。音乐是死的吗？它本身美丽，但确实没有感情。是人将感情融入了音乐，才会让它变得多姿多彩，变得快乐或伤感起来。

裴诗摸了摸小提琴，用指尖轻轻拨动着弦，那细细的弦好像已与她心脏的血管连在了一起。每一声轻响，都会让她觉得心脏疼痛又悸动起来。她把那把名贵的琴重新递给夏娜，看夏娜有些神经质地接过琴，就静默地离开了。

在失去左手的时候，她曾经不止一次想过要与小提琴告别。可是，音乐就像是那个一生只此一个的恋人。说"你好"只需要一秒，说"再见"却需要永远。

她想，这一生注定是离不开它的桎梏了。

哪怕这只手再也捉不住那双飞翔的翅膀，也要站在广袤的平地上，抬头仰望那片万丈的荣光。

*** *** ***

有专家验证，一个人的脑袋里有165亿个脑细胞，每个脑细胞可以容纳上百万种信息，即便是计算机也无法与人脑相提并论。森川光的脑袋完完全全印证了这一点。他读黑格尔和康德，也读《庄子》和《源氏物语》；他知道劳狄斯的圣泉可以治疗许多不治之症，也会从英国1825年修建世界上第一条铁路分析阶级统治、新生产力和基督教义之间的冲突和联系；他记得住千万光年外无数行星的名字，也能解释中文方言中某个土到掉渣的尾音是出自唐朝宫廷诗人的哪篇作品；他会从"史前西斯廷教堂"壁画上的主题推测人类文明的起源，也能总结出路易十三在小提琴史上做出的贡献；他信奉基督教，却对乔达摩·悉达多的"开悟""解放"和"空"都有一番自己的见解……每次跟森川光聊天，裴诗都会受到很大刺激。他明明只比自己大一岁半，怎么可以懂这么多东西？不过，当一个人什么都懂、什么都知道的时候，你会发现和他寻找共同的爱好简直太容易了。

音乐会结束后，森川光让司机送裴诗回家，裴诗放松了身子坐在他身边，满脸怡然："今天的曲子都是十八九世纪的，也不知道最近有没有什么演奏会有时代更久远的曲子。"

森川光"看"着前方，浓黑睫毛下的眼神十分温和："更早一些的，那是什么时候呢？"

裴诗想了想："文艺复兴时期的吧。"

"裕太，你查一下。"

坐在前排的裕太转过头来，一头金毛璀璨得像个小太阳，他依然散发着能把西装穿成日式流氓的气息："老大，我就是不懂音乐也知道那么老掉牙的东西在亚洲是没市场的。"

"不是叫你光在亚洲找。"

裕太嘴角抽了抽，眼睛横成两条缝看向裴诗："诗诗，你的趣味真是……"他无奈地转过头，打开超薄电脑准备上网。

森川光微笑道："小诗，你喜欢布艮第乐派弥撒曲吗，宗教的色彩会不会太浓了？"

"喜欢是喜欢……"裴诗目瞪口呆地看着裕太在谷歌地图的欧洲区域上点来点去。

"杜费[1]？"

"还，还蛮喜欢的。"裴诗的眼睛一直盯着裕太的电脑屏幕，"不过，我只听过他的《假使我的面色苍白》……"

"杜费的曲子下个月在意大利的教堂里有演出，入场免费，送鸡尾酒一杯。"裕太眯着眼读出了佛罗伦萨教堂的名字。

---

1 杜费（Guillanme Dufay，1400—1474），布艮第乐派代表作曲家，代表作《假使我的面色苍白》。他采取了定旋律连用的方式，把一段圣歌旋律放在五个乐章中，创立了法国复调世俗歌曲，尚颂。

森川光樱花般的唇瓣微微张了一下，但短暂的停顿后他才轻声问道："下个月你有假期吗，我们去意大利？"

裴诗差点儿和裕太一样抽嘴角了。她刚想回话，警车的警报声却响了起来。车里的人都愣了一下，裴诗赶紧拿出手机："不好意思，这是铃声。"这个人的电话一定要用特殊铃声，不然不知道什么时候定时炸弹就爆了。

电话那一头传来男人饱满而性感的嗓音，但说的内容却是："现在来公司，二十分钟到。"

"好，要准备什么……"话还没说完，那一头已只剩下了忙音。一想到接到这通电话的时间是星期天下午五点，她就有一种把手机扔出去的冲动——这男人真的是受过高等教育的豪门公子吗？怎么感觉比没读过书的暴发户还没礼貌！

她轻轻吐了一口气："森川少爷，夏承司叫我现在去公司，我在这里下车就好。"

"没事，我送你过去。"森川光往前探了一些，"送她到盛夏集团。"

"真对不起，看他这样，年末我应该是不会有假期的了。"裴诗有些气馁。

"没事，我们可以只去一个周末，就是坐飞机会比较辛苦。不过你还是先听听杜费其他曲子再决定吧，我家里有一张他的CD，过几天借给你。"

"好啊，你已经搬家了？"

"嗯，要过来看看吗？"

"当然要！"

森川光的温柔和礼貌，让裴诗拥有了好心情，但在和夏承司对话时却彻底暴躁了。她在盛夏集团前面下车，却刚好在旋转门前和夏承司、彦玲等人碰面。夏承司看了她一眼，又看了一眼阶梯下方的黑色房车，什么也没说，就只让彦玲和其他人在门口等候，和她进入了电梯。周末的下午和夏承司单独乘坐电梯已经够奇怪了，长时间的沉默更让裴诗有些不自在。看着楼层数字一次次往上跳，裴诗假装若无其事地问道："是有工作要做吗？"

这时电梯门开了，夏承司头也不回地往前走："不是做，是重做。"

"重做？"

一路小跑追进他的办公室，他把一叠厚厚的文件扔到桌面上："这个合同修改得很糟糕，重做。"

"知道了，我会重新修改一遍。"裴诗平静地接过文件，"还有什么工作要交代吗？"

夏承司翻了翻其他文件，过了很长一段时间才说："我记得你说过，你丈夫在柯氏集团的市场部工作。"

"是的。"

"柯氏没人开Mercedes的黑色商务车。"德国人更喜欢用"Mercedes"代替奔驰。夏承司经常和德国客户打交道，念这个单词时也有很重的硬朗德国口音。

裴诗有些发愣。有好一会儿，她都以为自己是理解出了问题——夏承司从来没有跟她讨论过非公事的问题。她迷茫地解释道："……送我来的人不是我的丈夫。"

夏承司依然在看着文件，不时还拿着笔在上面修改："裴秘书，你的私人生活我无权干涉。但你最好别让乱七八糟的事影响工作。我们有合约，我不会解雇你，但你别忘记，盛夏的职位不止执行董事秘书一个。"

什么叫乱七八糟的事？森川光和她听一场音乐会怎么乱七八糟了？裴诗握紧手中的文件，心里有气但又不好发作："您是我的上司，如果觉得我不合适，可以随时直接降我的职。不需要和我商量，也不需要从我的私人生活上关心矫正我。工作方面的问题，我会注意的。"

这一下，办公室里的气氛更尴尬了。夏承司翻了一页文件，在上面写了一些批注，冷冷地说："你可以走了。"

气氛很不愉快，裴诗毫不犹豫地转身离开办公室。她的身影消失在关闭的电梯门后，夏承司看着文件出神了一阵，忽然把笔扔到桌子上，拿起电话拨通了特助的号码："彦玲，晚上餐厅的订位帮我取消掉。你们回去吧。"

"好的。不过少董，司机要留下来吗？"

"不用。"

夏承司挂断电话,打开空荡荡的公司里的灯,然后重新坐回办公桌前,把抽屉里的一叠文件拿了出来。

这之后没多久,全国音乐大赛初赛结果公布,裴曲和韩悦悦毫无悬念地通过了比赛。复赛的时间刚一下来,夏承逸的生日也跟着到来。夜晚,亿万颗星球在恒星光芒的照耀下,变成了漫漫宇宙中闪烁的尘埃,在无边的夜空上动人地连成了一片银色的长河,辉映着夏氏庄园泳池附近的宴会现场。尽管温度降低没人游泳,院子里充满热带风情的蓬莱蕉也都凋零了,但夏承逸还是令人把所有池底的灯都打开,修建别致的泳池更是因此波光粼粼,把整个宴会现场一半照成金色,一半照成蓝色。穿着各式各样晚礼服的女子们都聚在了一起,讨论着今年究竟是流行斑马纹还是复古长裙,是选择红金配的明艳还是红蓝配的青春,是嫁给真爱自己的普通上班族还是家境对等的花花公子。

庄园里都是穿着修身长裙的明艳女子,站在泳池角落里的裴诗反倒显得十分不一样。她化着深黑的眼妆,头发抓乱了盘在脑后,身穿黑色长裤和黑色双排扣窄肩马甲,里面的衬衫领口翻起,袖子挽到手肘,一手拿着五线谱,一手插进裤兜,大排银色手镯露在外面。这样的打扮让她显得高挑又冷漠,却意外地有一种相当吸引人的中性魅力。偶尔有年轻女孩路过,花痴地说"你好漂亮啊",她也只是淡淡地笑一下,目不转睛地看着泳池中央的圆台。

在那里等候的,是一个男大提琴手和三个女小提琴手。当时,夏娜在音乐厅那一句"现在的你,不过是在嫉妒我而已"点醒了裴诗——她想到了丹麦作曲家雅科比·盖德的《嫉妒》。

1925年,他为一部无声电影写了这首探戈,从此一曲成名。这首曲子不仅满足了夏承逸一切挑剔的要求,既华丽又宏伟,既欢快又悲壮,甚至还有一种仿佛血红蔷薇逐渐盛开的艳丽妖娆感。她曾去音乐厅听过这首曲子的交响乐版,也曾和裴曲两个人单独合奏过,但前者需要大型管弦乐队条件不足,后者只有钢琴小提琴配合音色略显单薄,沧桑感又盖过了宏伟感。

因此，她最后想出的演奏形式，是弦乐四重奏。

中提琴手穿着蜜色的长裙，两个小提琴手穿着拉丁舞式的斜边红裙。提出穿斜边红裙的自然是韩悦悦，她一向最喜欢这种浓烈风格的曲子。一切准备就绪后，她立刻往前走了一步，展开了一段小提琴独奏。这段独奏经过裴诗一些细小的修改，着重强调每个转折部分。瞬间，悠扬的音乐有了一种时光被撕碎的悲壮感。原本乐队的作用只是演奏培养气氛，客人们只需要听着曲子自顾开心就可以，但这几个简短的音节立即吸引了所有人的注意。

独奏结束后有几秒的停顿。人们还未从之前悲壮的气氛中走出来，四个弦乐器同时开始演奏《嫉妒》的高潮部分。中提琴手和大提琴手同时维持低音的稳定部分，两个小提琴手轮流演奏高音，有了之前略显忧伤的独奏，正式展开的音乐呈现出前所未有的宏大与奢华。

不仅音乐动听，韩悦悦那一身红色拉丁裙也充满了探戈的风味，让在场不少人都随着音乐微微摇晃着身子。泳池旁边人最多的地方，夏承逸惊讶得睁大了眼："哥，我不过随便说说来刁难你的，结果你还真找到了这种乐队……现在我相信了，这世上还真没有你做不到的事。"

"不过是让人做事，和我没什么关系。"夏承司喝了一口酒。

泳池的角落，裴诗拿着卷起的曲谱，随着音乐打着节拍，朝韩悦悦露出肯定的眼神。她对音乐一向挑剔，尽管大家反应都很好，但她还是没法给这临时组建的乐队打高分。她下意识地看了一眼夏家聚集在一起的三个公子，还是不能理解这三个人明明是兄弟，怎么差别会这么大。夏承杰一身保守的藏蓝色西装，领带系得中规中矩仿佛马上要去坐班；夏承逸头发抓得新潮又凌乱，戴着长坠子项链，本来长得就特别秀气居然还系着豹纹围脖……现在的男孩子果然越来越臭美了。

当然，最英俊的还是夏承司。他穿了一身纯黑的西装，披着一件小马毛的黑色外衣，黑色白头的皮鞋刚好衬托袖口领口露出的白色衬衫。端着红酒杯子和别人交流的时候，他的目光和裴诗对上了，却懒得连脖子都没动一下，而是斜四十五度角转了转视线，用一种略显睥睨的凌厉眼神扫了她一下。那一瞬间，裴诗真有一种看见 *GQ style* 封面拍摄现场的错觉。

但是那种惊艳感很快被怒气取代。这几天夏承司没再责备过她的工作，但两人比以前还要机械的对话，简直比冷战还要让人难受。眼不见心不烦，裴诗转过脑袋继续留意乐队的演奏。没想到一回头，竟看见了不是很乐意见到的人：夏娜和源莎一起出现，她们走过的地方，香水味迷倒一片男人。夏娜穿着金色礼服，提着金色手袋，嘴唇指甲都是鲜艳的大红；源莎则是一身黑纱裙和细带黑色高跟鞋——这条裙子设计得很妙，里面是斜边黑裙，外面却披着一层透明的及脚腕黑纱，走动时轻纱微摆，顿时让冷艳的黑色透露着少女的心机。然而，源莎竟然在宴会刚开始时脚下就有些不稳。在经过裴诗身边时，她用微醉的语气对夏娜说道："你哥……他喜欢我。"

夏娜瞥了一眼裴诗，视若无物地说："你醉了，跟我出去。一会儿让他看见你这个样子，会更讨厌你。"

"他讨厌我？他才不讨厌我。"源莎摇摇手指头，"他喜欢我，你知道为什么吗？因为他没拒绝我的吻。"

"一个吻而已，那算不了什么。"

"谁说的，你别瞧不起你哥。他可是夏承司啊，夏二公子啊。他虽然马上要变成穷光蛋了，但和柯泽那种渣男可不一样，他不会玩女人的。"

夏娜顿时有些不高兴了，皱眉说："你少拿柯泽说事。男人从来不会拒绝主动的女人，何况你长得还算漂亮，现在在场的女人你随便叫一个去给我哥献吻，我打赌他都不会拒绝。"

"是吗？我们要不要打赌？"

源莎眼神迷茫地看看四周，最终指了指裴诗："喂，你，你去跟夏承司说，你要吻他，问他同不同意！"

裴诗没理她。

"喂，你不是夏承司的小秘书吗，我是他女朋友，这是命令啊。"她又等了一下，发现裴诗没理自己，又继续问道，"怎么，要我也付钱给你才干？"

她作势就开始在手袋里翻东西，夏娜有些尴尬地压低声音："源莎，你别闹了！"

源莎还是不依不饶地拿出支票簿，在上面写了一排数字，然后在裴诗面前晃了晃："怎么样？"

裴诗嘴角有些漠然地微笑："源小姐，这点钱你是在打发要饭的吗？"

"你还嫌少？"源莎把支票揉成一团扔了，又重新写了个价，"如何，够了吧！"

裴诗看了一眼支票，干脆不理她了。

"好啊，夏家瞧不起我家就算了，你这小秘书还敢瞧不起我？"源莎杏目圆瞪，直接在后面加了个零，"这样你还敢嫌少吗！"

裴诗微微笑着，用手指在那排数字后又加了个圈。

"好！本小姐有的是钱！"源莎加好零以后，指了指夏承司的方向，"你去问他，问了不管他亲没亲你，回来这支票都是你的！"

干吗要和钱过不去呢？何况她早已猜到夏承司会一脸嫌弃地叫她滚蛋。裴诗大大方方地走向泳池另一边。

见裴诗走过来，夏承逸邪魅的狐狸眼眨了眨："二哥，漂亮姐姐过来了。"

自从夏承逸喜欢上了比他年长的某个女编辑，谁在他眼里都是漂亮姐姐。夏承司没理他，只是继续跟夏承杰讨论公司里的问题。夏承逸又说道："二哥，你和秘书姐姐一直都这样吗？"

夏承司这才搭理了小弟："什么意思？"

"穿衣服颜色款式都好配，平时是套装都算了，没想到连宴会装都一样啊。"夏承逸指了指某个方向，"你看，就像情侣装一样。"

此时，裴诗双手插在裤兜里，已走到他们的面前。她抬头看向夏承司，波澜不惊地问道：

"夏先生，我可以吻你吗？"

第十乐章 ♪

绯色流言

长得帅的男人往往不擅长调情，
长得漂亮的女人往往不擅长家务，因为他们从来都不需要。

这下在场的所有男士们都傻眼了，周围安静得只剩下了乐队奏出的探戈声。数秒后，由夏承逸带头，大家都开始起哄：

　　"哇，美女都这么大胆了，夏少你就上吧。"

　　"亲一个亲一个，你不亲我亲了啊！"

　　"少董你看你们都穿情侣装了，不亲一下对不起观众啊。"

　　裴诗静静地看着夏承司，早已做好被他臭骂一顿轰走的准备。谁知，一阵哄闹之后，他只是平淡地说道："抱歉，不可以。"

　　"没事。"裴诗转身走了。

　　虽然这也是大家预料到的结果，但大家还是感到非常遗憾，都说夏承司扫兴不给美女面子。裴诗在一片失望声中离去，又径直走到源莎面前，抽走了她手里的支票："谢了。"

　　"看到没有，我都说了，你哥喜欢我！这秘书长得不错吧，他都拒绝了！"源莎裙裾翩翩地摇来摇去，美滋滋地笑了起来。

　　"有时候金钱的魔力真是大得让人意外。"夏娜一脸吃惊地笑出声来，"待会儿泽过来了，我一定要和他分享一下这件事的心得。"

　　裴诗没多说话，继续回到原来的位置监督乐队。音乐表演结束后，夏承逸引领客人进入住宅中。裴诗把提琴乐队成员送出庄园，为韩悦悦叫了一辆出租车。上车前，韩悦悦低声说："其实诗诗，如果初赛你能多回我几条短信，我会表现更好的。"

"我知道了，下次我尽量陪你。"裴诗把叫来的出租车门关上，"回去早点休息。"

"嗯，晚安！"韩悦悦用力挥挥手。

裴诗重新回到庄园里面，泳池依然被金蓝的灯光照得犹如仙境，但人都已经走空了。

这时候她心情有些不好。她也不愿意为了钱去做一些丢面子的事。可是如此简单就能筹集那么多资金，又确定夏承司是不会亲她而为彼此惹来麻烦的，不过说一句话而已，何乐而不为呢？只是，相对非常冷静的回绝，她更希望夏承司斥责她。他这样回答，总让她觉得心里有些不舒服。至于为什么不舒服，她又说不上来。难道自己是受虐狂？还是说，自己在内心深处，其实希望那个人能够因她有一些情绪上的起伏……算了，本来就不是太重要的人。

微风摇晃着树枝，奏起了夜的轻音乐。裴诗在泳池旁站定，拿出手机发了一条短信：悦悦，不是我不关心你。只是我不想解释每一件事，毕竟这样太软弱了。你到家以后，记得发一条短信或者打个电话给我。

还没打完字，忽然听到身后有脚步声。转过身，裴诗发现来人是夏承司。她把手机装回裤兜，一时间有些窘迫："夏先生，你居然还在。"

"嗯。"夏承司在她面前停下。

他的眼睛明亮而深邃，像是装满了星辰的影子。在池底灯的照耀下，水的金色光影在他的轮廓上微微摇晃。可是，气氛依旧尴尬又糟糕。裴诗觉得心情更低落了。其实，她和夏承司之间真的只是彼此的过客，但她并不希望在和他相处的时候发生不愉快的事。很显然，这几天他们之间的关系比陌生人还要陌生了一些。明明打扮是帅气的中性风，坏心情却让她的气场完全弱了下来："对了，刚才的事我想解释一下，其实我只是跟源……"

察觉到夏承司的头低了下来，她下意识地抬起头，嘴唇却刚好碰上了他的唇。

裴诗整个人都僵住了。

头脑乃至身体像是有电流窜过，她的第一反应是赶紧后退然后笑着说是意外，但身体却像是被人操纵了一样，有数秒的呆滞。短暂的瞬间，夏承司已搂住她的腰，把她揽到怀里，贪婪地吸吮着她的唇瓣。刚才小小的电流像一下增到满值，后背的中枢神经顺势往下被击中。裴诗推了他一下，后脑勺却被他另一只大手扣住，整个人被密封在他的怀抱中不得动弹。只能由他轻轻咬着自己的嘴唇，任由越来越强的触电感把浑身的神经都击到彻底麻痹……

等意识到他们在接吻的时候，裴诗吓得猛推了夏承司一下，总算挣脱开了他的怀抱："你，你，你发什么神经啊！"她头发微乱，情绪很久没这样失控了。

夏承司的呼吸也有些不平稳，但还是在尽量保持冷静："是你叫我这么做的。"说完，他又一次把裴诗拉到怀里，意犹未尽地再度吻上去。

裴诗错愕地睁大眼，心跳声比刚才还剧烈。居然还有第二次……

然而，他的嘴唇就像放了酥麻剂一样，稍微亲吻她几下，她就觉得双腿发软，差一点跪倒在地上……裴诗再度推开他，晃晃脑袋让自己清醒，为自己中间意志薄弱差点沦陷的几秒感到懊恼："那是源莎拿钱叫我这么做的啊，叫你亲你就亲？刚才都拒绝了你现在亲什么啊！"

肯定是第一次接吻的缘故，才会这样没有抵抗力。如果他再来一次，她直觉自己就会被征服了。但一想到自己第一次接吻居然是在这种情况下，裴诗气得几乎眼泪都快流出来了，强忍着没让自己发狂："你，你离我远点！你别过来了！"

她加快脚步后退，却在泳池旁不小心一脚踩空。

"小心！"夏承司连忙上去拉她，但她已经在往下掉了，还不忘拽住他的袖子。结果两个人都掉进了泳池里……

半个小时后，彦玲拿浴巾替夏承司擦干头上的水珠，看着裴诗的眼神，就仿佛在看一只藏匿千年刚出水的尼斯湖怪："裴诗，夏先生是不能发烧的，你是怎么回事？"

裴诗头发乱得像个鸟窝，烟熏妆糊掉，像是哭出了黑泪。她左手握着还在滴水的手机，右手握着湿掉的支票，一个字没回答，只沉默地盯着夏承司不动。听说夏承司掉泳池里了，很多人都出来看热闹。夏娜抱着胳膊，似笑非笑地说道："我就说我哥怎么出去打个电话就没回来了，裴小姐，你刚才找他索吻是为了玩游戏我们都懂，但怎么现在就把他弄到水里去了啊？"

这番话一说出口，其他人都笑了起来。只有她身边的男人一直没出声。那是刚到没多久的柯泽。他穿着一件发亮的银灰色西装，袖子挽起，衬衫领口微微敞开，整个人散发着一如既往雅痞的调调。看样子，他的腿已经恢复得差不多了。只是不论大家说什么，他的目光始终都没有从裴诗身上离开过。

*** *** ***

五年前，伦敦贝克街。

即便入了夜也人来人往的街道和现在并没有太大差别，依然复古而风韵犹存。街上没有高楼大厦，连银行都修建得如同旧时的城堡。灯具店和高脚杯专卖店橱窗里的商品精致华贵，在灯光下器皿和价格都在闪闪发光。柯诗和柯泽从一家印度餐厅里走出来。想着柯泽刚留给服务生的小费，柯诗就忍不住横眼："你怎么花钱还是这么大手大脚？"

柯泽把自己的围巾系在她的脖子上，笑着说："他们服务态度好，所以给小费，有什么不对了？"

"小费意思意思就可以了，有必要给这么多吗？"

"说到服务，你看这里的服务员多厉害，几乎刚吃完一盘菜，叉子刚放在盘子上，服务生就过来把餐具收走了。你刚一吃完辣的东西，看看四周他们立刻送纸巾过来。你知道在意大利德国这种地方会发生什么吗，你挥挥手跟服务生说'bill, please'他们会直接把账单放在小费盘子里给你飞过来。"说完他做了一个扔飞碟的动作。

126
127

柯诗禁不住"噗嗤"一声笑出来。见她笑了，柯泽按着头，严肃地说："不要笑，这是真的。你这边被盘子砸到脑袋了，流着满头血说'but sir, I think I need an ambulance![1]'他们会站在接待台那边大声说'Would you like to pay by cash or card? By the way, service charges are not included![2]'"

柯诗笑得更厉害了："你别耍宝了，哪有这么夸张啊。"

她笑起来眼角微微弯着，那种自然的情绪让人忘记了她还化着浓妆。柯泽伸手揽住她的肩，把她往身上带了一些。见她有些惊讶地抬起头，他低声说："不过，我发现一件很要命的事。"

"怎么了？"

"虽然这家餐厅是真的很健康。但是……"他低下头，在她耳边悄声说，"你有没有发现哥身上有一股浓浓的咖喱味？"

"哥你别闹了啊。"柯诗再一次笑了，不过还是凑过去在他的身上嗅了嗅，"好像……真的有一点？"

"不行，我不能这样回去。不然夏娜又要生气了。"

他每天回家，夏娜都会在他的身上嗅来嗅去。只要闻到一点点不一样的香水味，当天晚上柯泽就别想再睡觉。身上有咖喱味其实很正常，但对夏娜这种已经快被逼疯的状态谁也保不准。柯诗无奈地摇头："还不是你自找的。你要不花心，她也不会怀疑你。"

"啊，你看那有个宾馆，我去开房冲个澡再回家吧。"

柯诗一直把柯泽当亲哥哥，所以他提出去宾馆洗澡，她真的没想太多就跟去了，甚至还在他洗澡时拿他的古龙水在衣服上喷洒去味。谁知柯泽刚一洗完，居然在下半身围上浴巾就直接出来了。小时候不是没见过他半裸的样子，但出国后这还真是第一次。他出来和她对视的瞬间，两个人都愣了一下，似乎都意识到了

1　但是先生，我想我需要救护车！

2　您是现金还是信用卡支付？顺便说下，不包括服务费！

这一次没有用人服侍，没有父母督促，只有他们两个在宾馆里。

"这时候要有人破门而入，你就被看光了。"柯诗转过身对着镜子，板着脸想掩盖自己的尴尬。

柯泽用浴巾擦了擦头发，坏笑着走到她身后："要有人破门而入，不是哥被看光了，是妹妹的清白就没有了……"

柯诗冷冷地看了他一眼："哥，你开玩笑注意分寸。不然我可不客气了。"

"怎么，害羞了？"柯泽当恶霸当上瘾了，在她耳后轻轻吐了一口气，"别害羞啊小诗，哥哥对你一直很温柔的。"

柯诗眼睛眯了起来，手往后一伸，直接把柯泽身上唯一的浴巾拽了下来。柯泽惨叫一声，赶紧把肩膀上的浴巾取下盖住关键部分，狼狈地后跌几步，颤抖地指着她："你你你你你……"

"把衣服穿好，我在门外等你。"

柯诗把浴巾往地上一扔，直接转身出了房间。但她并没在外面等多久，门就打开了。柯泽穿好了裤子走出来，但依然裸着上半身。

"怎么了？"柯诗转过身，却被他拽住手腕。他贴近她，用额头顶着她的额头。两人对视了片刻，他就半眯着眼，慢慢靠了过来。

"你在想什么？"柯诗别开头去，"真是劈腿劈上瘾了，连我都不放过吗？"

"我和夏娜已经分手了。"

柯诗错愕地睁大了眼："分手了？为什么？"

他张了口，但并没有机会说完话。因为有一对情侣迎面走来，并在看见他们这个姿势的时候彻底呆住了——那是他们学校的学生。

*** *** ***

裴诗从来不曾如此后悔当时没让柯泽吻自己。不管结果如何糟糕，起码柯泽是她当时真心喜欢的人。而现在被夏承司吻的结果就是妆花了，必须干洗的

128

129

衣服毁了，好不容易到手的支票没了，手机也完全不能用了……但她没想到，这都不是最让人郁闷的事。

源莎把裴诗从头到脚打量了一遍，恨恨地对夏承司说："承司，这个秘书是不是在勾引你？"

夏承司虽然变成了落汤鸡，但面容仍旧完美端正，像是经过计算再精细制造出来一样。他一脸深沉，一副相当为难的样子："别问了，不是大事。"

于是就这样，整个公司的人都知道了裴诗倒追少董，二人掉入泳池的事。翌日夏承司上班时一如既往严谨认真，要她做的事是一件没落下。裴诗压抑了一整天的火气，终于在去看森川光时爆发了。

森川光的别墅周围，海风飒飒吹响，从地平线处吹起了白色的海浪。森川光坐在前院喝下午茶，膝上放着一个CD机，肩上披着厚厚的黑色呢绒大衣，静静听着裴诗咬牙切齿地吐槽夏承司："我从来没见过这么睚眦必报又小心眼的男人，他把我的支票弄没就够了，还要害我背上这种谣言。你说这种传闻对他有什么好处？"

森川光长而白皙的食指勾着茶杯把，淡淡地笑着："小诗，不知道你听过杀过行为吗？"

"那是？"

"这是肉食系动物捕猎时的特有行为。像金钱豹，它的食量其实并不是特别大，但捕杀猎物的时候，它总是喜欢一口气杀掉几十只羊，一口也不吃就把尸体留下扬长而去。肉食动物力量强大，但也很残忍，它们不会放过任何弱者，只为炫耀武力。"

裴诗想笑又笑不出来："你的意思是，夏承司算肉食动物？"

"人类本身就是肉食动物，即便披上文明与修养的外衣，本性中也有无法隐藏的兽性。只是有的人兽性明显，有的人不明显罢了。"

裴诗往椅子上靠了靠："那夏承司属于兽性明显的一类？"

"这不是显而易见的事吗？"森川光喝了一口茶，缓缓说道，"他和他父亲都是这样的人。不过他的征服欲表现在事业上，他父亲表现在女人上。可能最近夏承司事业一帆风顺，就想试试女人了。"

忽然想起他们俩一起掉进泳池里发生的事，裴诗不由得呆住了。那里的水深大概有一米六到一米七，裴诗游泳水平还属于菜鸟级，狗刨了几下都没能游起来。夏承司个子高，水刚好盖住他胸口上一点，他提着她的腋下将她扶起来，然后托着她的臀部让她坐在他的手臂上。如此一来，为了坐稳她只好抓住他的肩。他的头发已经完全湿透，金色的波光倒映在他的双眸。他嘴角微微勾了一下："没想到还蛮有料。"

裴诗脸色发白，下意识往后缩想躲开他。但他另一只手迅速抱紧她的背："不会游泳就别乱动。"

这个动作让他们微凉的身体紧紧贴在一起。他的胸膛坚硬，心脏跳动很快……

裴诗摇摇头，努力压住自己的怒气："算了，我很小的时候就被狗舔过嘴，这也不是初吻。"

森川光拿着勺子往英式红茶里加糖，听见这句话，动作僵在半空："小诗……你让他吻你了？"

裴诗吐了一口气："没法，没躲开。"

森川光一只手紧紧握了一下CD机，但很快松开，从下面取出一个CD盒，把它递给裴诗："这是杜费的CD，你先拿回去听吧。"

裴诗双手接过来，宝贝似的翻来覆去看了一会儿："谢谢组长。"

看得出来他面有疲色，裴诗很识相地站起来："那我先走了，过两天再来看你。"

"嗯。"

听见裴诗拉椅子和离去的脚步声，森川光又轻声说道："小诗。"

"怎么了？"

"前两天我说要带你去意大利听杜费的音乐，可能不行了。"他的声音也有些疲惫，"……最近很忙。"

裴诗表示理解地点点头："没事没事，你只管忙。"

眼见全国音乐大赛复赛即将到来，裴诗不想为自己惹上任何麻烦，所以一直和夏承司保持着一定的距离。但她怎么都不会想到，夏承司的无耻程度已经超出了她能控制的范畴。

最近他才在公司附近买了一间公寓，打算搬出来住，理由是上班近。而且，相较夏氏庄园那样的豪宅，他新搬的地方显得实在很简约：一百多平米的两室一厅，上下两层，上层客厅厨房落地窗，下层两间卧室、小书房和一个洗手间。对于一个条件优越的单身男人来说，这样的住宅可以说恰到好处。可一想到这是盛夏集团少董第一套属于自己的房子，就觉得实在有些离谱。

新居室内已经装修完毕，现在就差一些琐碎的小东西，例如窗帘、床单、地毯、灯泡、镜子等需要打点。裴诗知道夏承司花钱一向很有规划，也知道作为秘书就是该为上司打点一切他不乐意做的事，但不知道他竟连买室内小东西这种保姆的工作都要她来完成。夏承司不喜欢浓烈的颜色，尤其是暖色调，但冬天如果满屋蓝紫色又会觉得冷，她只好把地毯和窗帘都配成了黑白斑马纹，这刚好与楼梯的扶手颜色很相称；从彦玲那听说他有上百双皮鞋和收藏酒的习惯，她又请人把鞋柜和酒柜都扩张了一倍；他很喜欢吃肉，讨厌蔬菜，她甚至还特地买了好几种切不同肉类的菜板……终于，帮夏承司跑了一整个星期腿，一切工作都在周日晚上结束了，裴诗监督钟点工把室内清洁工作完成，全部检查确认无误后，锁了门准备到公司把钥匙交给夏承司。但是，在楼下却遇到了刚停下车的本人。

"我原来的家里有一些箱子，跟我过去把它们搬过来。"夏承司打开车门锁，"上车。"

二十分钟后，夏承逸开着黄黑的兰博基尼从家里出来，刚好看见这样一个情景：美女秘书姐姐正拖着巨大的箱子上台阶，因为箱子太重而挽起了袖子，喘着粗气自己打气喊"一二三"，人跟着箱子一起跳起来，才把它拖上了一个阶梯。而二哥正站在台阶上方，抱着胳膊靠在车门上俯视着她，嘴角挂着不易察觉的浅笑。美女姐姐每上个台阶就要这么跳一下，但二哥似乎根本没有一点下去帮她一把的意思。夏承逸看不过去了，立马开门想要下车当一回英雄好汉，但却正对上了二哥横过来的眼。夏承司皱了皱眉，做了个"小孩子走开"的手势把他打发掉了。

从保姆变成了搬运工已经是很悲剧的事，裴诗把那些箱子拖到夏承司新公寓里，眉毛已经变成了伍迪·艾伦式。但是，折磨居然还没有结束。

"冰箱里有一点食材。"夏承司拿着遥控器，靠在沙发上悠闲地看财经新闻频道，"去做晚饭。"

"我帮你叫外卖。"裴诗掏出手机。

"我不在家吃外卖。"夏承司相当从容地说道。

"我去餐馆帮你买。"

"现在晚了，我喜欢的餐馆都关门了。"

裴诗静静地看着夏承司线条美丽的侧脸——这一刻，她是多么想要把钥匙扔到那张俊美的脸上！可是，她不会和钱过不去。夏承司是聪明人，让她干了这么多活儿肯定会给她加薪。她沉默地打开冰箱。梅干菜、五花肉和白萝卜赫然摆在里面，就好像是提前准备好了要她做梅菜扣肉和红烧肉一样。

裴诗在厨房劳作了不到十分钟，客厅里的夏承司又冷不丁地来了一句："裴秘书，我似乎说过我不喜欢花。"

看他站在落地窗前的梅花盆景旁，裴诗淡淡地说道："大气中氧含量仅剩下了一百五十兆吨，光合作用可以在三千年里将它们完全更换一次。养植物有利于环保。"

"这理由可以接受。"夏承司用手指拨了拨梅花花瓣，又拿起遥控器换频道跳过广告，"多放点红辣椒，少放花椒，菜别太咸，饭别太软。"那寡廉鲜耻的态度，简直就像是在说"这份文件，字调大点，打印两份，一份送财务部，一份送市场部"，哪里像是请人在周日晚上牺牲休息时间帮他做饭。

裴诗做好饭，看了看时间很晚了，心想这时候小曲多半刚睡下，现在回去说不定会把他吵醒，不如再等等。她坐在沙发上等夏承司吃完收拾餐具。可是，一整天的操劳让人在放松时脑袋瞬间有千斤重，她一靠在沙发上，立刻就睡着了。

这一睡的结果就是，第二天中午她被开门声吵醒。看见夏承司推门进来换鞋，她出神片刻，猛地从沙发上弹起来，身上的毛毯立刻掉在了地上。她将它捡起来："我昨天睡过去了？"

"嗯。"夏承司脱掉西装外套，松了松领带，走到冰箱前。

裴诗的目光随着他的身影游走："现在几点了？"

"十二点半。"夏承司将果汁倒在杯子里，径自喝了一口。

"我，我早上没去上班？"裴诗随意抓了一下自己的头发，觉得问出"你为什么不叫我"显得很失责任，只能喉咙干涩地说道，"抱歉，我翘班了。"

夏承司倒是很放松，平平淡淡地说："没事，和你昨天的加班费抵消了。"

这一瞬间，天崩地裂，海沸山摇，裴诗心中火山喷发熔岩滚滚。然后，她对夏承司的恨，终于在下午上班时爆发到了顶点。随夏承司去上班的时候，裴诗意识到别人看着他们的眼神和以前不大一样。她有些纳闷，不过是翘了个早班，难道会闹到人尽皆知？

盛夏集团里的女人不多，八卦生物只有几个前台接线员。裴诗下楼帮夏承司送材料的时候，两个接线员把她拦了下来：

接线员A："裴秘书裴秘书，我们前几天正在讨论夏先生呢。快来八一八，你觉得夏先生的技术怎样？"

"技术？"裴诗有些迷惑，"你们是说哪方面？"

接线员B："少来了！你明明知道嘛，当然是闺房技术啦。"

接线员A："我觉得肯定很厉害的，夏先生是那么理性的人，自控力也很好，那方面肯定也……"

接线员B："难讲，长得帅的男人往往床上功夫都不厉害，长得漂亮的女人往往不怎么做家务，因为他们从来都不需要。"

裴诗嘴角不由得抽了一下。这些女人的联想能力真丰富，看见夏承司居然还能想到那方面。她已经自动把他当作机器处理了。不过，不涉及自己利益的事，她向来不会去插一脚。裴诗笑了笑："这种事要夏先生的女朋友才知道吧。"

她刚想撤退，接线员A惊讶道："啊，你不是夏先生的女朋友吗？"

接线员B："难道传言是真的……"

"什么传言？"裴诗感到更加莫名其妙了。

接线员A："大家都说你在追夏先生，昨天还赖在他家睡了一个晚上。顶楼那些还说你送了少董一个梅花盆景，今天少董把它拿到公司来了……"

"这是不可能的事。"裴诗断然否定，"我早就结婚了。"

辩解往往不能挽回清白，反而会变成为流言推波助澜的工具。夏承司的情史太神秘，导致所有人都对和他有关系的女人异常好奇。因此，谣言越传越厉害，到最后竟然变成了裴诗背着丈夫勾引夏承司。裴诗自从解释无效后，从头到尾都保持着沉默，只静静等待谣言散去。下午夏承司有重要的客户来访，她完成手里最后一份工作就到大堂等候。刚到大厅，正巧碰到彦玲在训那两个接线员。

"以后你们如果再在公司里散播一些流言，就别再干下去了。"彦玲一脸阴霾，看上去有些可怕。

接线员看上去很是委屈："可是，彦姐，这你得听我们解释。大家都知道，夏先生不喜欢植物，但他早上却把梅花放那了。人家问他为什么，他都说是裴秘书送的……"

"裴诗在想什么我不知道，但少董从来不玩办公室恋情，他对裴诗绝对一点意思都没有。"

其实这话里的意思很明显了。想玩办公室恋情的人是裴诗，夏承司才是受害者。裴诗没指望过彦玲会帮自己说话，但没想到对方会落井下石。她走过去，从容地说道："那个盆景是误会。夏先生让我帮他选室内摆设，我就买了这个。"

接线员立刻点头如捣蒜："你看彦姐，室内这种东西本来就很敏感，会有流言真的不能怪我们啊。"

　　彦玲紧皱着眉："裴诗，你这边的事我也得处理一下。我记得你说过，你的丈夫在柯氏集团第二中心工作是吗？"

　　"是的。"

　　"我去查过，第二中心市场部三年内根本没人结婚。"

　　裴诗一下子怔住了。她记得很清楚，当初老爷子在柯氏安排了人，怎么现在……

　　冬阳微暖，透过水晶般的旋转玻璃门洒入大厅。门外一辆辆豪车缓缓行驶。大厅里人来人往，有几个人停下来看着她们。

　　"难道说丈夫被炒鱿鱼我还不知道？我打电话问问，你稍等。"她镇定地掏出手机，想要打电话给裕太。

　　彦玲却冷冰冰地拦住她："想找人帮你圆谎吗？裴秘书。"

　　"你想太多了。"

　　"裴诗，你的目的就是少董。现在给他和公司带来这么多麻烦，你如果还有一点自尊，这份工作就不该做下去。去辞职吧。"

　　裴诗同样冷漠地回望着她："我为夏先生工作，只有他可以直接解雇我，你想越级行事吗？"

　　"公司规定，任何在简历上造假的员工一旦被举报，没有任何商量余地直接解雇。"

　　"我没有造假。"

　　"那请你现在打电话给自己的丈夫，让他来公司为你做证。"

　　裴诗手心微微冒汗，轻喘了一口气。这时候，只能打电话给那个人了……她拨通了电话。那边响了两三声以后，森川光的声音传了过来："小诗，你找我？"

　　只是这声音不光在电话里响起……

　　裴诗愣了愣，转过身去。森川光披着灰色的大衣，戴着戒指的手握着文明杖。他在森川组一行黑衣人的簇拥下走进大厅。

　　"我正想告诉你，我来盛夏集团有事。"森川光走过来，对着裴诗的方向微微一笑，"今天我可能会晚点回去，所以，晚上的饭要交给你了。"

第十一乐章 ♪

棋逢对手

每个生命都是一朵独特的花，
它只盛开一次，
不可复制，不会再有。

冬季的午后，冰冷的天空下，城市就像是一张揉过又展开的大图纸，丛林一般的楼房就是上面的皱褶，在金色的阳光中投影深深浅浅，延至地平线。现代化会客室门和墙壁都是玻璃制的，员工们总是不由得停下来朝里面看一眼。夏承司沐浴在金色的光芒中，他的脸因为五官分明而一半没入阴影，一半连睫毛都罩上了融融的金黄色。他喝了一口茶，看了一眼坐在对面的森川光，以及后面被一群身着西装的男人团团围住的裴诗，挑了挑眉："所以，我相当荣幸，聘请了森川太太当自己的私人秘书。"

　　这问题他明显是看着裴诗提出的，但森川光往前靠了靠，从容地替她回答道："小诗一直对柯娜音乐厅很感兴趣。我想，是怕夏先生会有所顾虑，才隐瞒了我的身份。这是个善意的谎言，希望夏先生不要往心里去。"

　　面对夏承司质疑的目光，裴诗的表情一如既往地淡然。她默默走回夏承司的身边，手中的圆珠笔却在底下被摁得嗒嗒乱响。然而，夏承司看了她不过几秒，就重新看向森川光，维持着相当有涵养的模样："当然不会。我一直以为日本的习俗是，一旦女性结了婚，就会待在家里相夫教子，没想到森川先生想法还蛮超前的。"

　　"在这方面，我自然会尊重小诗的选择。"尽管看不见，森川光的脸上却始终维持着浅浅的笑意。

夏承司又看了看裴诗，英眉舒展着轻吐了一口气，仿佛是一种无声的嘲讽。他迅速转移了话题："我们还是直接谈正事。"

"好。"

森川光击了下掌，旁边的一个黑衣男动作迅速地递上文件。他伸出戴着戒指的手，用长长的食指和中指压住那份文件，推向夏承司的方向：

"正如我在电话里说的那样，我们会提供比柯氏更大的音乐库。与我们合作，一定比和柯氏更有优势。裕太，麻烦你跟夏先生解释一下。"

"是！"裕太挺直了背脊，相当自信地说道，"夏先生，这份文件里有我们新的加码。在Summer手机的操作平台上，我们将会移植刚开发出的微信系统，不仅可以高速发送视频和音乐，增加语音识别系统，打开微信界面时还会将缓冲时间减少至0.5秒以下。最关键的是，这个系统与市面上九成的smart phone是兼容的。"

夏氏集团的手机品牌Lyrik是去年才上市的。最初的企划和市场战略都是由夏承司亲自操作，刚一推出第一代市面反响就相当乐观。不过自从夏娜和柯泽订婚，夏承司遵从父亲的意愿把注意力转移到柯娜音乐厅后，Lyrik的工作就交给了夏承杰。不出意料的，夏承杰一开始接管这份工作，Lyrik的市场份额就与日剧减，到今年几乎已经处于完全销声匿迹状。近日夏承司打算借夏柯联姻的机会，和柯氏合作将旗下的电子音乐库移植到手机系统中，以重振夏氏的电子产业。但半路杀出个程咬金，一个大公司想要代替柯氏成为夏氏的商业伙伴。裴诗这才恍然大悟，原来这个公司是Mori，也就是"森川"Morikawa的简写。

随即，裕太又递给了夏承司一部手机："这个系统我们已经放在了这个样机里，您可以留着测试看看。"

夏承司接过手机和文件，对着裕太提到的微信系统玩了一会儿："Mori非常有诚意，我不认真考虑一下都不可以了。"

夏承司和森川光谈了大约半个小时才结束会话。裴诗把森川光送到车上，弯腰看向车中的他，长长吐了一口气："组长，今天真是太谢谢你了。如果不是你出面救场，我可能真会遭殃。"

森川光对着她的方向，美丽的瞳仁却涣散地看着别的地方："不用谢。外公临时改变主意，要我来帮你而已。"

"原来如此。"裴诗更是松了一口气，"我还以为老爷子讨厌我了呢。"

"当然不会。他一直很喜欢你，你知道的。"

"那就好。那你先慢走，我回去继续工作了。"裴诗朝他和裕太挥挥手。

"诗诗再见，工作别太辛苦啦！"裕太摇摇手。

森川光没再说话，只是冲着她淡淡一笑，就令司机开车走了。裕太转过头看着目送他们离去的裴诗，过了一会儿，那笑容满面的脸挂上了一丝担忧："森川少爷，老爷子那边该怎么办？"

森川光还是沉默着，拿出手机按下快捷键，拨通了电话。电话响了很久，那边才传来一个男人的声音："光。"

这声音听上去约莫七八十岁，伴随着那一头潺潺的水声，嗓音低沉而底气十足。

"外公，我今天已经和夏承司见面了。"森川光说得平和，但听见他叫"外公"，不仅裕太，车里所有人都不由得绷紧了浑身的神经。

"这种小事就不用向我汇报了。"森川岛治也说话语速特别慢，却发音强硬，充满威慑力，是旧时日本男人独有的腔调，"还有什么事？"

森川光欲言又止，半晌才说："……没有了。"

结果这句话刚一出口，对方就挂掉了电话。森川光对着手机出神片刻，又一次打了过去。

"又有什么事？"

森川岛治也的声音没有一丝不耐烦，却让森川光不由得倒吸一口气："外公，为什么要撤销小诗在柯氏名义丈夫的安排？"

那一头的水声持续响了一会儿，森川岛治也才缓缓说道："光，你认为那女人真的喜欢你吗？"

　　森川光轻声道："当然。"

　　"既然如此，让她给我生个曾外孙。"

　　森川光愣了愣，诧异地说："这种事……根本不可能说做就能做到的。何况，我和小诗还没有结婚。"说到后面，他的脸颊泛起了微微的红色，连自称的"watakushi"也变成了平时常用的"watashi"[1]。

　　"我要确定这女人愿意为你生子，才会考虑让你们结婚。下次再看见你们的时候，我要看见第三个人。"

　　电话再一次被挂断。森川光后悔极了，根本就不该打第二个电话过去。外公的个性他一向了解，多说只会多错。裕太转过头来，一脸同情加为难："这这这，这该怎么办啊？老爷子他根本不知道你连诗诗的手都没碰过吧……"

　　森川光叹了一口气，靠在椅背上陷入了沉默。

　　托森川光的福，裴诗这一天被提早放回了家。但是，夏承司布置的新任务却让她压力有些大——测试森川光给他的样机。尽管她强调过，自己和森川光的关系不方便接这份工作，但夏承司却一改往日的严厉态度，说他信得过她，硬让她把手机拿走。落日的光芒洒在峥嵘的高楼上，午饭时的街道比平时冷清了许多。裴诗换好SIM卡，一边开机一边进入厨房，系统居然就提示已为该手机号注册了Mori微信。然后，不出一秒钟时间，她就连续收到了三个人的微信，还有一堆好友推荐消息。

　　第一个人的头像是一张处理成了淡粉色，化着浓浓眼妆鼓着双颊的非主流美女。这个无论什么聊天工具都二十四小时挂在线上的人，不用说，自然是韩悦悦。"哇，诗诗你是在开玩笑吧，居然也用微信？这太神奇了！"韩悦悦的声音充满了惊诧。

　　1　日语中，"watakushi（わたくし）"是"我"的谦逊语，非常正式，只有在和长辈、上司或很尊敬的人说话时才会如此自称。而"watashi（わたし）"是一般较为礼貌的自称。

第二个人的头像是染了金发笑得无比灿烂的裕太："诗诗！"信如其人。

第三个人的头像是《死神》日番谷的动漫头像："姐你落伍这么久，终于开始用微信啦。"听见手机里传来小曲清澈干净的声音，裴诗不由自主看了一眼厨房外。他就坐在隔壁的屋子，说话大声一点她就能听到，有这必要吗……

裴诗迅速开口回复了韩悦悦和裕太的微信，又对着小曲的房间喊了一声："小曲，你别懒了，要说话来厨房。"听见对方说"哦，看完这集就来"后，她不由得摇了摇头，喝了一口水，打开冰箱拿食材准备做饭，把所有同事一个个加进去，却在看见一条消息的时候被呛了一下：

好友验证消息

用户名：司

验证内容：夏承司

头像是柯娜音乐厅的远景，真是相当有本人的风格。裴诗拍拍胸口，通过了夏承司的好友申请，不知道要不要和对方打招呼。不打招呼可能有些不礼貌，可是打招呼会不会有些太刻意？如果打招呼，是发语音，还是打字？发语音显得有些傻，打字又太刻意……她拿着一颗鸡蛋出神许久，却忽然收到了对方的微信。看见夏承司头像旁边的语音气泡，裴诗不明所以有些紧张，屏住呼吸点了一下那个气泡。然后，夏承司的声音通过扬声器传了出来："你到家了？"

除了带着一丝电子音，和平时听上去没有太大差别。但因为是录音而不是电话，不用立刻反应过来回复，裴诗想了很久，清了清嗓子，按着录音键说："对啊，刚到。"语音已经发过去了，裴诗呆了一下，回放了一遍自己的录音，忽然觉得有些尴尬。

很快夏承司就回了微信："替我向森川先生问好。"

裴诗更尴尬了，只有逃避话题："好。你吃饭了吗？"发送完以后想补充说点什么，又觉得没什么好说的，干脆把手机丢一边去了。

这么一丢，直到晚饭时，她还一直盯着手机，裴曲都不由得咬着筷子歪头看了一眼裴诗："姐，你在等重要的电话吗？一直看手机。"

"不是，上面给的任务是测试手机，我看看功能。"说是这样说，裴诗心里却后悔多问了夏承司一句"你吃饭了吗"，对方像这样一直不回复，真是显得又傻又多余。

难得有一个休闲的晚上，裴诗和朋友们来来回回玩了一晚上的微信。每次看见新信息的时候，她总是会下意识地翻一翻下面的"司"，但无论上面的新消息如何乱跳，那个号就像是死了一样一直没有反应。三四个小时过去，手机显示电量不足，她才发现自己在这个无聊的微信上浪费了这么长的时间。她刚想去充电，手机屏幕上却出现了一行字："司给您发了一条语音短信。"

她怔了怔，快速打开信箱。

"刚才吃过。"

听见夏承司的声音，裴诗反应过来他晚上总有加班的习惯，应该是现在才看到消息。可是，她也有些不敢回消息了——如果回了消息他继续无视自己，那岂不是更加尴尬？她看了一眼夏承司头像旁的语音气泡，若无其事地再点了一下。

"刚才吃过。"

到底要不要回呢？她盯着气泡，又点了一下。

"刚才吃过。"

之前和一些闹腾的男同事也有聊天，要么都是拖得长长的像是刚睡醒，要么就跟打了鸡血似的兴奋，要么就是特别能侃像是在说相声，要么就是可以连续说60秒连个停顿都没有……没有哪一个像夏承司这样，说话声音低沉，同时也很成熟饱满。以前好像很少留意，他的声音居然这么好听。裴诗想了想，为了保险起见，发了一个笑脸过去。

没过多久，她又收到一条语音信息："现在都这么晚了，还没睡吗？"

这一次的句子长了一些，不仅像刚才一样音色饱满，还带着磁性又充满男性特质的尾音。裴诗嘴角不由得上扬，走到窗口对着手机轻轻说道："还没有睡。"

夜幕降临，城市染上了连成片的墨绿色。盛夏集团中，夏承司放下手机，叫住了刚完成工作的彦玲："我听说你今天劝裴诗辞职。"

果然还是没能躲过去。彦玲双腿交叠着，脸色有些苍白，抱紧了怀中厚厚的文件："那是因为……因为她在资料上造假。"

夏承司在一份合同上签了字，写上日期，连抬眼看她的动作都省了："裴诗的薪水和资历都不如你，但你应该知道，她和你是同一级的。"

"是的。"

夏承司没再做出任何回应。彦玲的脸色越来越不好看了。她看着眼前的男人，凝视着他低垂时好看的眉眼。其实，他年纪比她小很多，从各方面来看，都应该是那个被她照顾的人。可是她却从来不曾了解过他，甚至打心底畏惧他。终于，她像是放弃了所有的挣扎，低声说："对不起少董，我明天就写好辞呈交上来。"

她不是初涉社会的小屁孩子，对现实和自我价值看得很清楚。她从不会做灰姑娘的美梦，所以恋爱对象也是相貌英俊但收入和年龄都小于她的男人。她在恋爱中一直扮演独立知性姐姐的角色，如今就要丢掉工作，也不知道男友还能不能保得住。可是，夏承司的回答却出乎她的意料："谁说要你递交辞呈了？"

彦玲有些蒙了。

"如果不是你，我还不会如此确定一些事。你算是功过相抵了。"

彦玲喜出望外地抬起头，居然有些孩子气地问道："真的？"

夏承司并未直接回答，只是把手中的合同往前推了一下："明天把这个寄给森川光。"

彦玲的笑容瞬间凝固在了脸上。她迟疑了片刻，接过夏承司的合同："少董，你……你居然真的要和Mori合作？"

夏承司已经对着电脑在进行下一份工作："嗯。"

"可是你应该知道，他们的动机不纯，这回砸重金，只是为了，为了……"

"为了逼我父亲破产吗？"

她说不下去的话，他却轻轻松松地说出口。而且，比她想象的要骇人多了。她原本以为Mori平白无故提供这样一个天大的商机，只是为了吞并夏氏的一部分产业，但是，他的答案竟是……

"原来，你这段时间的犹豫，是因为知道Mori和夏氏有仇？"

"不，只是为了争取更多的加码，就像新植入的微信功能。"夏承司漫不经心地说道，"我一早就准备答应他们了。"

黑夜张着血盆大口，吞没了满目阴森的高楼大厦。彦玲更加深刻地感到自己从没有真正了解过这个男人："可是，董事长已经不年轻了，如果真的破产……"

夏承司坐在落地窗前，一如既往，优雅犹如法兰西海滨贵族。他的得体举止是母亲管教出来的，但眼神却从来不属于任何人，如同冬季的海水，冰冷又深不可测。他总算抬头看了她一眼，淡淡地笑了："或许会跳楼吧。"

走出盛夏集团的写字楼，彦玲看见了照例来接自己的男友。他很体贴地为她送上围巾，焐着她的手，说话时吐出的气在冬夜的冷空气里呵出团团白雾："玲玲，又加班到这么晚。"

看着男友年轻的脸孔，深邃而饱含温柔的眼睛，彦玲忽然觉得自己大错特错了——当初他还在追求自己的时候，她怎么就会认为他和夏承司长得像呢？她觉得有些冷，一头钻入男友的怀中。难得她如此撒娇，他受宠若惊，紧紧地抱住了她。可是，无论这个拥抱有多紧，都不能让她的内心变得温暖。

董事长花心又脾气恶劣，但她好歹跟随了他多年。而少董，是她连背着他说那三字都没有勇气的人。随着夜晚逐渐深沉，整座城市已经变成了一片无尽的深蓝图纸。此时的盛夏大厦，更像是一只庞大的黑色魔鬼，在夜色中静静俯瞰着这个世界的声色犬马。

而顶楼那个男人，似乎早已与这座城市融为一体，奢华、愤怒、冷漠。

*** *** ***

数日后，全国音乐大赛复赛现场，一束金色的灯光照在演奏台中央，台上摆着一架黑色三角钢琴。裴曲穿着白衬衫黑夹克，系着银灰色的领结，正在演奏拉赫玛尼诺夫的《练声曲》。

《练声曲》是拉赫玛尼诺夫所有作品里唯一没有歌词的曲子，但它也不需要任何歌词来点缀。在裴曲左手几乎轻到无声的伴奏下，主旋律缓慢而充满感情地从他的手指间流出，就像冬季俄罗斯被大雪淹没的白色森林，寂静得仿佛可以听见雪花破碎的声音。这原本就是一首十分悲怆的乐曲，此时更是被他演绎得忧伤到了极点。尤其是重点由右手的高音切换到左手低音后，裴曲若有所思地抬头看着上方，嘴唇轻轻抿着，眼神简单得近乎透明，沉重的音节一下击中人的心房，让一些观众都不由得湿了眼眶。

裴诗带着韩悦悦坐在观众席上看裴曲的表演，想起自己曾经也经常用小提琴演奏这一首曲子。不知道为什么，每次听见这首曲子，她总会想起父亲——不，确切说来，无论听见什么乐曲，她都会想起父亲。

在她和裴曲的同龄人中，肯定很多人都不知道，这世界上真有一种感情会沉痛得让人难以呼吸，让所有恩恩怨怨情情爱爱都变得无足轻重，那就是对逝去生命的思念。尤其当离去的人，是他们至爱的亲人。

裴诗闭上眼，想起父亲跳楼前一日的样子。记忆中的父亲从来都是温润如玉的模样，天生自然上翘的嘴角让他看去仿佛脸上随时都带着微笑。可是，那一天他不知是在和什么人打电话，气得整张脸几乎都扭曲了，嗓音也因为提高而变得有些恐怖："你这骗子！你害我破产，这么做到底有什么目的？！……你这疯子！"

他对着电话骂了一会儿，那边好像就挂线了。他把听筒往地上重重一摔，居然第一次爆了粗口："妈的！"电话机被落地的听筒拽着摔到了地上，他像是不解恨一样，又往上面狠狠踹了一脚。不知过了多久，他才留意到墙角正怯生生看着他的两个孩子，有些恼羞成怒地对他们吼道："你们走开！"

姐弟俩害怕极了，像两只受惊的小动物一样躲回了房内。可是没过一个小时，裴绍就回到房内，重新用大手覆住他们的脑袋。

"诗诗，曲曲，对不起……爸爸刚才对你们那么凶。"他在黑暗中身影模糊，声音也微微发抖。

"没事的，爸爸。"小曲用肉肉的小手抓住父亲的大手，非常懂事认真地看着他，"我们知道你心情不好。"

裴绍看着女儿不甚清楚的脸，哽咽着说道："诗诗，你会怪爸爸吗？爸爸好没用……所有的钱都被人骗走了。"

"爸爸，没有钱没关系啊，我们长大了以后会赚钱养你的……"

裴诗记得很清楚，当时她刚说完这一句话，一滴滚烫的泪水就落在了她的手背上。每次想到这里，再联想第二天发生的事，她的眼眶就会禁不住发热。开始时，她总想，对于这样脆弱又没责任感的父亲，自己不该如此缅怀。可是后来知道了前因后果，她不仅更加心疼他，胸腔中还总存有永远也无法平息的强烈怨恨……她看向演奏台的眼神微微眯了起来。裴曲在经历了如今的一切后，居然越来越善良，演奏的曲子也越来越干净空灵。这和她几乎是截然相反的。

这时，旁边有人想离开座席，她和韩悦悦立刻站起来让出空位，但她动作一个不稳差点摔跤，立刻伸手撑住身后的座椅靠背。她朝后面的人不好意思地笑笑，刚想坐回来，身后身材发胖的西方女人却倒抽了一口气："Oh, my god。"女人摇摇脑袋，立刻指着裴诗的手指，对旁边的年轻翻译说了一堆意大利语。

裴诗立刻收回自己的手。

"小姐，请问一下你是不是学过小提琴？"翻译问了这句话以后，那个外国女人又手舞足蹈地说了很多话，翻译继续说道，"她说她这辈子从来没见过食指和小指能在自然状态下拉得这么开的人，都有一百八十度了，就是在最顶尖的小提琴家里都没见过。"

裴诗有些警惕地用右手握住左手："我没学过，只是天生韧带弹性比较好而已。"

其实何止是食指和小指可以拉开很大，她连中指和无名指的距离都可以拉成一百度。如果她放松，整只手都可以软得像面条一样，扭出各种寻常人看了会有点恶心的角度。就因为有了这样有些畸形的手指，在以前手还没受伤的时候，那些别人拉得手指抽筋的曲子她却可以轻轻松松拉出来，还可以超越常速演奏。

刚好这时裴曲的演奏也已结束，全场响起雷鸣般的掌声和喝彩声。裴曲回国后首次在正式场合表演，果然大获成功。裴诗坐下来，笑着对韩悦悦说："小曲果然厉害。我猜他会拿高分的。"

韩悦悦却拉住她的左手，掰了掰她的小指："妈呀，刚才那一下我觉得你的手指都可以劈叉了。诗诗，你真的没有学过琴？"

"以前学过一点，不过早忘记了。"裴诗敷衍地收回手，"我早告诉过你，我只喜欢音乐，自己不喜欢玩乐器。"

翻译和那外国女人说了一会儿，又对裴诗说道："小姐，你手指和四肢都很修长，而且柔韧度这么高，这么好的天赋不学乐器简直太可惜了。"

"以后再说吧，我现在有其他事要忙。"裴诗站起身，拍拍韩悦悦的肩，"我先去找小曲，你帮我留意评委的分。"

裴曲果然拿下了当天的最高分，像是玩票一样进入了决赛。下午，裴诗和韩悦悦到后台开始准备小提琴的复赛。看钢琴组比赛的时候，韩悦悦还一直在和裴诗说说笑笑，但眼见排在她前面的名额越来越少，观众席中的人越来越多，她忽然变得紧张起来。演奏台上，长相滑稽的矮胖男生穿着燕尾服，满头大汗地演奏着圣一桑的28号作品《A小调序曲与随想回旋曲》。外行看着他，大概只会发笑说"哈哈，他头发、衬衫都湿了"，或者"哇，拉个琴而已，怎么会这么痛苦，脸都拧起来了"之类的话。可是在韩悦悦看来，他每一个揉弦、跳弓的动作都让她的心跳加快一拍。

在她看来，这个男生的表演已经很完美了，简直就跟CD里录制的一样。但演奏完了以后，评委却以"缺乏个人特色"没给他太高的分。之前看比赛视频的时候，她一直觉得这些人都不足挂齿，可是这一刻，她开始犹豫了……终于，她前一个人演奏到一半的时候，她对一旁心定神闲的裴诗说道："诗诗，我觉得我不行。"

"怎么了？"裴诗茫然地看着她，眼睛在灯光下竟显得更加深黑。

"我太紧张了，肯定会失常。这次比赛的高手太多了，我怎么可能拿得了第一？"韩悦悦紧握着小提琴，琴颈上全是她手上的汗。

"不是早说过了吗，名次不重要。尽力就好了，这样才能争取以后的演出机会。"

"可这是比赛啊，怎么可能不在意名次？"韩悦悦几乎快要哭出来了，"我觉得我不行。"

裴诗看了一眼台上的参赛者，思考了两三秒，把手中《沉思》的改编曲谱扔到垃圾桶里："待会儿上去，瓦克斯曼的命题曲子你好好发挥，到自由表演时间的时候，你拉《嫉妒》。"

韩悦悦怔住："为……为什么？"

"《嫉妒》你学的时候没压力，而且也可以演奏出个人风格，感染力还是很重要的。"

韩悦悦看了一眼垃圾桶："可是，那首曲子是你辛苦改编的……这样不是太可惜了？"

"辛苦是为了成果，没有成果辛苦了也没用。"裴诗拍拍她的肩，"悦悦，赫拉克利特曾经说过一句很出名的话'没有人两次走进同一条河流'，不知你听过吗？"

"什么意思……"

"世界上任何事物都不可能出现两次。记得我们上学时生物书上的那些人类心脏剖析图吗，那些都是电脑模拟出来的。实际上，每一颗心脏都是不一样的，就像我们的指纹一样，是独一无二的。你喜欢的曲子、你的演奏风格、你通过曲子抒发的感情也都是独一无二的，只要你将这些特色展现出来，哪怕技巧不到位，也会遇到赏识你的人。"

韩悦悦皱着眉，像是一个很容易上当受骗的小孩子一样问道："真的吗？"

"哪怕现在你面对的人是夏娜，也不该感到害怕。因为能超越你，能比你更灿烂的人，只有你自己。"裴诗拍拍她的肩，"记住，其他人都和你无关。"

最终韩悦悦上台的时候还是有些紧张。不过，也正如裴诗所预料的那样，她更擅长性感华丽的《嫉妒》，而非自己为她量身定做的曲子。

她穿着黑色的裙子，演奏着大红色的《嫉妒》。这一刻，连琴曲都变成了盛放的玫瑰，浓香四溢，浮华绮丽，娇艳得可以与八月的天空媲美，宏大得如同尼采的《狄俄尼索斯颂歌》。

果然，不论是演奏家还是作曲家，充当的角色都应该是创造者，而非工匠。

毕竟每个生命都是一朵独特的花，它只盛开一次，不可复制，不会再有。

韩悦悦得到的掌声并不亚于裴曲。复赛中，裴诗用心栽培的两个人都得到了相当不错的成绩。她发了条短信给韩悦悦，说自己在门外等她。然后，在几乎将音乐厅掀起来的掌声中离开了后台。刚走出会场，冷风迎面而来，更将里面盛大的音乐殿堂和真实世界隔离开。她看了看自己的左手，然后轻轻将它握住。

既然每一朵花都只盛开一次，那她的那朵花，是否当年在伦敦盛开过了？

她在寒冷的空气中沉沉地吐了一口气，还没从有些惋惜的心情中走出来，忽然有人从身后紧紧地抱住了她。裴诗倏然抬眼，刚想转身，耳边却响起了熟悉的声音："柯诗，我就知道是你。"

裴诗一下子震住了。

"你先别否认。听我说完。"男人急切地说道，"你只要承认，愿意回到我身边，我立刻和夏娜分手，以后你说什么我都听。"

苍穹像是罩上了一层茫茫的白雾。裴诗无可奈何地笑了笑，挣脱他的怀抱，转身一脸惊讶地看向他："柯先生，你怎么又认错人了？"

柯泽的眼睛和鼻尖都微微发红，不知道是不是天气太冷的缘故。他停了很久，声音有些沙哑："小诗，回到我身边。"

这句话，还真是迟了整整五年。

"我了解你的心情，但你真的认错人了。"裴诗看了看时间，"我朋友还在等我，先失陪了。"

第十二乐章 ♪

不速之客

如此在意别人的言论，是因为你不知道自己是谁，
需要他人的评价来组成对自己的认知。

一场冬雨洗净了大地，被冲刷过的城市富贵而崭新，仿佛是被挖掘出的迈锡尼黄金之城。行道树干枯的枝丫已让人看不出品种，交叉错乱地拥抱着天空。书房里，桌子上放着一堆标记着图书馆借用日期的西方哲学书以及一些杂七杂八的少年热血漫画。裴曲随意翻动着那些漫画，连书拿反了都不曾察觉。森川正坐在电视机旁听他音乐大赛中的演奏。

　　重播结束后，正在做饭的裴诗从厨房那边探出个脑袋："组长，小曲弹得不错吧？他的演奏视频昨天就有人传到网上了，给他留言的人好多，好多女孩子喜欢他，都说他是什么'萌神'。"

　　裴曲想起那个一夜火爆的视频"钢琴大赛A组惊现天才美少年秒杀群雄"，有些尴尬："这跟我的实力一点关系都没有，根本没几个人点评我的琴艺。我还是想听听森川少爷的意见。"

　　森川光转过身来："这一点我和你姐姐的想法一致，演奏技巧并不是那么重要。一首曲子的生命力，完全体现于演奏者的个性和演奏的环境。"

　　"演奏的环境？环境太吵会影响演奏者的心情吗？"

　　"当然不是。打个比方说，贝多芬的《命运》最早体现的意义是人与命运斗争的坚强精神，但在二战中就体现出了两种不同的意思。在盟军一方，因为

《命运》的主导音符节拍是三长一短，当时人们发电报用的莫尔斯电码里，这个代码——"他秀气的指尖在桌子上点了三个点，又画了一道横线，"滴、滴、滴、答，表示的是字母V，也就是胜利victory，体现了他们必败德国的信念。"

"弹了那么多年《命运》，到今天才知道有这么一种说法。"裴曲想了想，肩膀立刻耷拉了下来，"那像我这种没有个性的人，也没什么生命力可言了。"

"当然不是。"

森川光一身黑白稳重的搭配，袖扣和口袋巾都是彰显活力的橙色，小小的细节让经典的着装变得精致又新潮。然而，他的脸孔秀丽，气质内敛，尤其是那双失明的眼睛，完全没有现代人接近复杂的浮华。即便穿着精心剪裁的西装，他微笑时的风雅，依然犹如旧时的贵族公子："小曲的演奏风格，就跟本人一样，空灵、干净。"

听见"干净"这个词，裴曲眼睛快速眨了几下，说话也比平时慢了一些："是，是吗？我觉得……我还是去看看姐姐做的饭。"

他一溜烟跑到了厨房。没过一会儿，依然卷着袖子的裴诗进来了："小曲非要做饭，拗不过他。"

森川光的眼睛对着窗外，整个面部的表情因放松而显得柔和："刚好，小诗，你过来，我有东西要给你。"

裴诗疑惑地走到他面前。他摸索着拉住她的手，把一个厚厚的CD盒子放在她的手心。看见上面印着的名字，裴诗的眼睛倏然睁大："红发神父[1]！"

"小曲说，决赛时你打算让你的小提琴手演奏维瓦尔第的《四季》，刚好这里有他的CD，就给你带来了。这里几乎所有名家演奏的版本都有，交响乐、小提琴、钢琴的演奏版本也都很全。"

一提到迫在眉睫的决赛，裴诗的双眼就不由自主地放空了："决赛第一轮参

1　红发神父（Il Prete Rosso），即安东尼奥·卢奇奥·维瓦尔第（Antonio Lucio Vivaldi，1678—1741）的昵称。他是一位意大利神父、小提琴家和巴洛克音乐作曲家。代表作《四季》。

赛曲目是帕格尼尼炫技曲，悦悦选了第十七首随想曲，到现在拉得就像浑身器官都错位一样。反正第一轮都会被刷下来，就不费心思让她练《四季》了。"

"森川少爷你别听姐胡说。"这回轮到裴曲探头了，"悦悦练得很辛苦，拉得很好的，我姐的要求让她听上去像个变态。"

森川光的眼睛弯了起来："我知道，当小诗鼓励一个人的时候，才说明这人没希望了。她要求那么高，是因为她对这个人有所期待。"

裴诗耸耸肩，无所谓他们怎么说，径直把CD取出来放到唱片机里。第一首是《四季》第一乐章"春"的四架钢琴合奏。和最常听见的小提琴版相比，少了一些宏伟，多了一些轻灵，但依然生气勃勃、洒脱灵动，带着春暖花开时的清新愉悦，听着听着，好像连带窗外的枯枝都已慢慢生出了婆娑的绿叶。裴诗跟着曲子点头打着节拍，顺便拿起CD盒子看演奏者的名字："四个都是大师啊，难怪这么好听。"

森川光脸上带着微笑，只是静静地"看"着她。第一首曲子结束后，就是经典的小提琴协奏曲版本。裴诗打的节拍从点头换成了微微摇晃身子："悦悦要是能练到这种水平就好了。"

很快第一乐章出现小提琴独奏快板，裴诗随着节拍开始打响指："真好听。"

音乐稍微安静的时候，森川光终于轻轻说道："小诗真的很喜欢小提琴。每次听小提琴曲，你都会笑得很开心。"

裴诗摸了摸自己的脸："你怎么知道我在笑？"

"能听得出来，你很开心。"

这时裴曲的声音从隔壁传过来："姐，我下楼拿个邮件哦！一分钟就上来，菜不会煳的！"

"好。"裴诗答道，毫不在意地转过身去，不受影响地继续打着节拍，"我开心，那是因为这首曲子很欢快嘛。啊，下面这段是我最喜欢的……"

她跟着听完大半首曲子，一边看着CD盒，一边喃喃说道："都说钢琴是乐器之王，小提琴是乐器之后，我觉得蛮有道理的。"

"怎么说？"

"没有哪种乐器能像钢琴那样，可以模仿整个交响乐队的演奏效果。它的音色也是最动听的，不论你怎么弹，就算弹错音都不会难听。同时，它还可以为任何乐器当伴奏，很具包容力。钢琴是当之无愧的乐器之王，还是一个相当具有包容力的仁君。"

"那小提琴呢？"

裴诗抬头想了想说："小提琴尖锐而娇贵，单人演奏时根本无法为别的乐器伴奏。一旦破音就像女人的尖叫，比钢琴弹错音刺耳多了。只要它出现，就一定会夺走听众的注意力，变成演奏的重心。哪怕是在交响乐团中，它也经常扮演最重要的角色。所以，小提琴应该是一个挑剔、任性又傲慢的王后。"

森川光点点头："这么说来好像真是这样。只要钢琴和小提琴合奏，一般钢琴都会变成背景乐。"

想到森川光是弹钢琴的，裴诗觉得这样说有点不大好，于是清了清喉咙道："那是因为钢琴如果演奏大声，小提琴的音量就会完全被盖住，所以国王才会安静地宠着他的王后嘛。不过，国王很温柔，却也花心，可以同时宠幸好多乐器，无论什么音乐在他的衬托下都可以变成天籁之音。可王后离开了国王，最多就跟王公大臣般的大提琴鬼混一下，而且都远不及和国王合奏那么美妙，只能选择独奏……怎么这样说觉得小提琴好可悲？"说着说着，裴诗已经完全陶醉在了乐器拟人的世界里。

"小诗。"

"嗯？"裴诗心不在焉地回答道。

"如果你的手不好，我就永远独奏。"他顿了顿，"——我只和你合奏。"

刚好这时，整首小提琴协奏曲也到了尾声。最后一个音节落下时，裴诗呆了一下："啊？"

凉风吹拂着枯树枝。森川光坐在窗前，手指在微光中有些发白，他的眉眼像是薄薄的晨曦，脸孔却因背光有着旧肖像般的俊美阴霾。他淡淡一笑："没事，你去看看小曲的菜做得如何了。我好像闻到了一股烧焦味。"

裴诗吸了吸鼻子，赶紧到厨房去。裴曲不在厨房，锅里的菜果然都烧煳了。她赶紧把火关了，把锅取下来，然后去裴曲的房间，却从门缝里看见他正皱着眉在看一封信。裴诗在门口静站了片刻，后退一些清了清喉咙："小曲浑蛋，你把菜烧煳了！"

"啊，好的，我马上来。"他快步走出来，把信件揉成一团丢入门口的垃圾桶。

吃饭的时候，一直是森川光和裴诗说话。裴曲心不在焉，习惯性帮姐姐夹菜，发现她碗里的菜已经快要堆成个小山包时，她已挑起一边眉毛看着他。裴曲怔了一下，很快有些无奈地笑了："姐，你要多吃一点哦。"

晚饭过后，裴诗送森川光下楼，再回来看见裴曲蜷缩在客厅的沙发上，双目无神地盯着电视。他没有开灯，荧屏的光在他脸上照下一道又一道的彩光。直到她在门口站了十多秒，他才低声说道："姐，我不想参加决赛了。"

"为什么？"

"我没信心。"裴曲半眯着眼睛，显得有些疲倦，"肯定会输的。"

裴诗面无表情地看着他："你复赛里的分数是最高的，怎么可能在决赛输掉？"

裴曲答不出话来，只是又往沙发里缩了缩："……我就是不想参加了。"

裴诗沉默地走到他身边坐下，把一张揉得皱巴巴的信纸举起来："是因为这个吗？"

黑色的云朵缓缓游动，已盖住了月亮，就像是魔鬼的手盖住了苍白的脸庞。裴曲的脸也变得苍白，只剩下了电视屏幕照来的灯光。那张白色的信纸很大，上面却只有电脑打印出来的一行字：小曲，那首《练声曲》很寂寞啊，你是否想起了泰晤士河最后一班游轮上的月光？

裴曲的嘴唇开始发白，像是一切美梦都消失了，一切幻觉也都消失了。残酷撕裂黑暗滋生而出的，是赤裸丑陋的真实。往事的记忆化作了黑夜，从高处虎视眈眈地注视着她。她压低声音问道："写信的人，是夏娜吗？"

裴曲只是迟钝地摇摇头。

"那到底是谁？"

裴曲还是摇头："姐，别问了。"

"小曲，这件事我们必须面对。当年你不计较就算了，但现在被人再次提起，就不能再造成更多的伤害……复赛那天我遇到了柯泽。当时他过来抱我，我看见了墙角跟过来的夏娜……"裴诗觉得身体发冷，但还是残忍而冷漠地一字一句问道，"当年游轮上的那些人，到底是谁指使的？？"

她如此咄咄逼人，每一个字都像一把利剑，直刺入裴曲心中最脆弱的地方。他的嘴唇微微发抖，已因紧张而有些干裂。他凝视着她的眼睛许久，终于用力摇摇头："别问了。"

"小曲，我不希望你再……"她扶着他的肩，死死地盯着他，"你告诉姐姐，你觉得是谁指使的？"

裴曲身体抖得更厉害了，额上甚至渗出薄薄的汗。终于，他提高嗓音吼道："别问了！"他终于崩溃了，脸因情绪激动而变得通红，眼眶中流出大颗大颗的泪珠："姐，我求求你！不要问了！真的，我求你了……我不想说，求求你……"

裴诗被他的反应震住。但很快，她抱住他，紧紧地搂住他瘦削的身体。

"对不起，小曲。"她紧锁着眉，眼眶红得像兔子，"都是我的错。姐姐当年明明答应过爸爸要保护你，可是姐姐还是这么没用……如果当时受罪的是姐姐就好了……"

乌云悄悄散了，月光拉长他们地面上的影子。整个房间却像是荒凉的空壳，只装了两个透明的灵魂，以及渐渐侵蚀灵魂的、黑夜钝重的呼吸。

*** *** ***

全国音乐大赛小提琴决赛当日，吸引千万观众的不仅仅是优秀参赛者的表演，更重要的是那一排坐在评委席上为众人所熟知的面孔，大部分都是国内外的著名音乐家，每个人的名字说出来，都会让人联想起一串串精彩绝伦堪称经典的国际级音乐表演。但是，摄像机镜头打得最多的，莫过于正中央一个留着金发的发福妇女。令裴诗惊讶的是，这个人，她是见过的——这是复赛时，那个说她手指骨骼的意大利女人。比赛开始前，所有选手上台，为评委们一一介绍。他们都能感受到这个意大利女人审视的目光，并在与她对视后认真地挺直背脊——仿佛又是害怕，又希望得到她的赞赏。直到镜头打在胖女人面前的姓名牌时，裴诗才看见了上面的字迹：Marika Ricci。

她错愕地盯着这个胖胖的外国妇女，讶异地微微睁大了眼睛。这个人，竟然是Ricci夫人？！几年前犹如希腊女神一般高挑贵气的Ricci夫人？那个用一根G弦就能在交响乐中奏出悲壮小提琴曲的Ricci夫人？还记得自己曾经在欧洲参加过她的独奏会，当时她提着雪白裙边走上演奏台，将小提琴架在脖子上的瞬间，万籁俱寂。没有人再愿意出声打破仿佛来自天堂的音乐。裴诗怎么都想不到，当年的现代小提琴家、可望而不可即的提琴女神，竟然转眼间就变成了这副模样。西方人的身材，真是比异形还要奇特的存在……

还没来得及从Ricci那边的错愕中走出来，小提琴比赛已经开始了。她这才回过神来让自己集中精力，观察比赛的进展。

第一轮第一项是炫技曲。参赛者可以从帕格尼尼三首随想曲里任选一首表演。除了前台的演奏乐，赛场后台里，数十个小提琴手来来去去，小提琴拨弦声、擦弦声和琴盒开关声像是杂乱的交响乐充斥着偌大的房间。韩悦悦看着裴诗用松香替她擦弓毛，自己调琴的手却有些颤抖。裴诗没有抬头，但也听出她拨弦的声音有些不对，于是淡淡说道："悦悦，又开始紧张了？"

韩悦悦似乎很想表现得洒脱一些，所以捏捏脸说："我哪里是紧张，是那些摄影师把我的脸拍得好大，我在想要不要去拔牙瘦脸。"

裴诗的目光随着松香在弓毛上的移动而移动："拔一颗牙会减少22%的咬力，拔两颗减少一半，拔三颗就只剩37%。拔完了天天喝稀饭吧，还可以减肥。"

"你又开始取笑我！"韩悦悦气馁地靠在墙上，"如果出问题，肯定会被观众骂死的。"

裴诗轻轻吐了一口气："悦悦，你太在意别人对你的看法了。"

韩悦悦有些赌气地噘了噘嘴："怎么，这都有错吗？"

"如此在意别人的言论，是因为你不知道自己是谁，需要他人的评价来组成对自己的认知。如果人家觉得你好，你就觉得自己好，人家觉得你坏，你就觉得自己坏，那恐怕你一辈子都会这样焦躁，毕竟人的想法总是在变，不是吗？"

"你说得对。"韩悦悦揉了揉自己的卷发，"可是，我真的不知道自己是什么样的……我，我总是惹你生气。"

裴诗吹了吹琴弓，把它递给韩悦悦："你会变成非常优秀的小提琴家。"

韩悦悦的眼神瞬间变得清澈起来："……真的？"

"是。"

虽然裴诗还是和以往一样，连多几句安慰的力气都省了，但就这一个"是"字，让她瞬间充满了勇气。她握紧琴弓，用力点点头："诗诗，我不会让你失望的。"

帕格尼尼的第十七首随想曲，是完全展现左手超难度技法的曲子，一弓下来最多连至36个音符，不带任何感情却能带给人震撼的真正音乐艺术。韩悦悦总觉得这是三首帕格尼尼参赛曲里最简单的一首，她的动作也快，但弥补不了手不够大的缺陷，两根手指距离的扩张动作总有些跟不上，演奏这首曲子比大师们慢一些。尤其是第一小节在G弦和D弦的手指间距，一直是她的大问题。因此，这一天的比赛，从刚开始裴诗就很注意韩悦悦的技巧。但韩悦悦的表现完全出乎她的意料。开头不仅速度比以往快了很多，没有错音，甚至在演奏降G和降E的双音和弦时，二把位的位置都找得十分准确，整个开头起得从容不迫，干净利落。

裴诗有些惊讶地看向舞台中心的韩悦悦。她身穿不规则边曳地红裙，脚踩火焰跟红底鞋，如果不是架着小提琴，你就算说她马上要去给Gucci拍杂志硬照都有人相信。然而，在自己忙于工作的这段时间，她不知默默地下了多少苦功……虽然这首随想曲依然不够完美，但最后评委给她的得分，却比裴诗预料的要高很多。

裴诗站在帷幕，忽然心里有了一些期盼——或许，这个音乐大赛第一名不是完全没有机会拿到的？

只是，这样的程度依然入不了Ricci夫人的眼。所有媒体都向她投去了好奇的眼神，主持人也第一个请她给出建议。然而，她只淡淡地让翻译转达了"对新人来说不错，还有提升空间"这样礼貌却明显不够满意的答案。

第一轮第二项是在十首名曲里选一首演奏，韩悦悦选了柴可夫斯基的《旋律》。之所以会选这首曲子，背后还有一个渊源：柴可夫斯基出身贫困，并不是一炮走红或天赋异禀的音乐家。他曾经有过九个星期的短暂婚姻，又在离婚后得到了大亨遗孀梅克夫人经济上的支援。他们一生相互通信1400多封，却又遵循了约定从未见面，直到彼此在同一个时间段死去。柴可夫斯基刚从压抑的情绪中解放出来时，一边与梅克夫人通信，一边写下这首《旋律》，因此整首曲子充满了淡淡的忧伤浪漫气息。

韩悦悦一向喜欢伟大的感情，不论是亲情、爱情还是友情。所以，相较帕格尼尼炫技的曲子，她更擅长演绎《旋律》，就连揉弦的手指也感染上了一份柔和的色彩……

台下的观众听得如痴如醉，连评委都投来了肯定的眼神。裴诗心里的期待更多了一些，又同时收到一条微信。看见上面那个"司"字，也不知是不是离优美音乐太近的缘故，她忽然觉得脚底都变得有些轻盈，快速打开那条信息，点了下屏幕上的对话气泡。

"裴秘书，小提琴决赛你是忘了吗？"

裴诗立刻按住录音按钮，顿了一下："连夏先生都主动来提醒的大事，我当然不会忘。"

"没在电视上看到你。"

裴诗呆了一会儿，之后居然情不自禁地笑得眼睛都弯了："又不是我参赛，怎么可能看得到？我在后台。不过，你居然在看直播？"

夏承司直接跳过了她的问题："韩悦悦还不错。"

"那考虑考虑用她？"裴诗立即见缝插针，末了还忍不住调侃一下，"老板，慷慨一点啊。"

可是，这条微信发出去两分钟了，他都没有再回。眼见一整首《旋律》都快结束了，裴诗却有些听不进去曲子。她把手机重新拿出来，再次听了一遍夏承司的每一条微信，迟钝地意识到他每条微信都只有一句话，还是和以往一样简洁又不带私人情绪，她却说了那样的话……她忽然用力拍拍自己的脸，重重吐了一口气把手机装回口袋里。

短暂的演奏结束后，台下观众热烈鼓掌，韩悦悦鞠躬，评委们开始交头接耳……她摇摇头，让自己把注意力集中到现场。但这时，手机在口袋里震动了一下。裴诗连忙拿出手机打开，居然显示"和夏承司通话中"。

"夏先生……？"

"音乐大赛结束以后有事吗？"

"没有，有事吗？"

"那跟我去吃饭。"夏承司说了一个餐厅名字。

"好，是有什么……"

后面的"工作要交代吗"还没说完，那边早已挂断了电话。这时韩悦悦走过来，她赶紧把手机收了回去。韩悦悦激动得扑过去抱住她，差点用琴弓打到她的脑袋："诗诗，我现在分是第二高的！后面没几个人了！后面还有两轮，如果表现好，我还真的有可能拿第一啊！"

"真的？"裴诗的眼睛亮了起来，"太好了，我们先去吃点东西，下午还有第二轮。"

　　午饭过后，裴曲过来看她们，然后陪她们一起参加第二轮决赛。第二轮比赛第一项是和三位嘉宾进行弦乐器四重奏，第二项是两分钟自我展示。这一组韩悦悦抽签是第三个出场，所以很快就轮到她了。

　　第一项是韩悦悦的长项，因此毫无悬念，高分通过。第二项的自我展示，是决胜负的关键。韩悦悦让人从后台播放配乐，然后一人站在演奏台中央，开始演奏维瓦尔第的《四季》之《夏》的第三乐章：开始就直接进入高潮的急板，酣畅又焦躁的旋律，就像夏季第一场狂风骤雨，冲洗着巨大的音乐殿堂。然后，急促的音乐停顿，全场静止。虽说如此，那种停顿却让人的心思更焦躁，更急于听见下一次爆发。韩悦悦的胸口微微起伏着，像是能听见她的心跳声。跳跃犹如虫类震动的琴弓，快速按揉的手指，裙上随着拉弓动作而摇曳的血红花朵……就连头发也随着每一个短小促狭的停顿而舞动。音乐的高潮一波接一波，明明已让人觉得到达了极限，却总会有更汹涌的音符出现。韩悦悦的《夏》是生涩的夏，却也是朝气蓬勃而灵动的夏，全然注入了演奏者满腔的激情和沸腾的思绪！这是独一无二、不可复制的。随着那破弦而出的大量音律，裴诗的心跳也渐渐加快了起来……

　　"姐，今天悦悦超常发挥啊。"裴曲惊讶地看着韩悦悦，"真奇怪，昨天她还非要说柴可夫斯基姓柴，今天居然就变得这么有模有样。她平时绝对不可能这么好的……难道这就是浑然自成的自我表现欲？"

　　裴诗并没有回答。她认真地听着韩悦悦演奏的每一个音符，直到最后韩悦悦收了手，像是凯旋的女骑士，把弓当作剑，狠狠往下一挥，指着地面。短暂的寂静，就像是《夏》开头的停顿。接着，台下有不少人站起来喊"安可！"一些热血的外国人也跟着叫喊"Bravo！"掌声如雷，几乎把整个音乐殿堂都快掀翻了！

　　表演大获成功。评委给的分，对于初次参赛的新人而言几乎已经无法超越了。裴诗原本想看看Ricci夫人的反应，但发现她不知从哪一首曲子开始，就已经不在评委席了。韩悦悦刚走入后台就有不少人过去给她赞扬。她却径直走向裴诗和裴曲，还隔了很长一段距离就已大声说道:"诗诗,小曲,我今天表现不错吧?"

"很厉害!"裴曲朝她竖起大拇指。

裴诗没有说话,只是抱着胳膊,朝她扬着嘴角笑了笑。

她的眼光果然从来没有错过。韩悦悦平时是很懒,不爱练习,满脑子想的东西都和艺术打不着边,但绝对是有天赋的。刚想过去和韩悦悦说话,几个身影却绕过她,走到韩悦悦面前。

"不错,今天的表现可圈可点。只希望不要是运气。"夏娜挽着柯泽的手,完全漠视了身后的裴诗,撒娇一般对柯泽说,"泽,你说最后她会是第一吗?"

柯泽看了一眼旁边的裴诗:"应该会。"

夏娜也看了一眼裴诗,轻轻咬住嘴唇:"我倒是觉得不会。说不定会有更好的人出现。"

"不会有了。"另一个跟上来的人说道。

那人竟是Ricci夫人的翻译。而Ricci夫人只是站在一旁,周围的人就不由得与她保持了很长的距离。她用平淡的语气令他转达:"今天的参赛者表现平平,但我发现了一个天才。"

夏娜笑了:"Ricci夫人,你是说韩悦悦吗?她很优秀,但这不算天才。"

"不,我说的人是她。"

Ricci夫人转过身,指向裴诗。这下不光是裴诗,在场的人都露出了惊讶的眼神,夏娜尤其惊讶:"您在说什么?她?她连小提琴都……她根本就没有表演啊。"

Ricci夫人说了一堆抑扬顿挫的意大利语,翻译又转过来娓娓道来:"她的音高感、强度辨别、音色辨别、节奏感……都是今天我看到的所有选手不能比的。她除了不会拉小提琴,各方面都像世界级的音乐家一样优秀。"

"您,您是不是弄错了什么?"夏娜不可置信地看了一眼裴诗,"您看清楚,她今天根本就没有登台。"

"我知道。我之前见过她,她说自己不会乐器,我就不是很愿意相信。所以,从刚才我一直就在留意她。我发现她的耳朵简直比动物还要灵敏,哪怕是在三十六个连弓的音符里，有一点点错误她都会发现并且皱眉。夏小姐，一个人对音乐是否有天赋，只要看几个眼神、几个动作就知道。这一点你应该也很明白。"Ricci夫人用欣赏的目光看着裴诗，翻译又替她问道，"你叫什么名字？"

"裴诗。"

翻译递给她一张名片："这是我们Ricci夫人的名片，你或许听过她。她说了，只要你肯学小提琴，就到意大利去找她，她会动用所有的力量去栽培你。"

"谢谢，不过我想我是不会用上的。"裴诗没多看名片一眼，就把它装入口袋。

韩悦悦过关斩将，等到倒数第二人结束时，都没有遇到一个分数比她高的人。只要保持这种势头，最后一轮她的获胜率就会变成百分之五十！

只剩下最后一个人了。电视台的主持人带着有些激动的语气说道："全国电视机前的观众们，大家好，现在我们又回到小提琴大赛决赛现场。今天最后一组压台的参赛者，想必会让各位大吃一惊，不过不管这个人是谁，我相信评委们都会公平对待每一个人。让我们回到演奏台上——"

演奏台的大红帷幕重新拉开。出现在灯光下的是一个人人穿着燕尾服的庞大管弦乐团。而站在舞台正中央的人，是夏娜。

"怎么……怎么回事？"韩悦悦错愕地捂住嘴，连小提琴都差点摔在了地上。

演奏台中的夏娜回头看了一眼离她十多米外的裴诗，那个永远只能站在角落羡慕她的裴诗，浅浅地笑了一下。然后，她调了调琴音，拨弦，把琴弓放在那把价值连城的小提琴上，拉开了第一个小节的急板。

她演奏的，是《夏》。

韩悦悦那一首《夏》，却是属于她的夏。

看着夏娜窈窕而优雅的身姿，裴曲握紧双拳，闭着眼对裴诗说道："姐，你还记得六年前的照片吗？"

裴诗警惕地点点头。

裴曲提起一口气："那是夏娜寄给我的。"

第十三乐章 ♪

荒原翅膀

终于有一天美梦成真了，它向我张开了墨丘利的白色翅膀，
带着我，飞离了这片无穷无尽的荒凉。

六年前，裴曲曾经失踪过四天。

接到裴曲的电话以后，已经急到快发疯的裴诗立刻赶到泰晤士河旁。那一晚，大本钟无声地旋转着，伦敦像是一座华丽而巨大的坟墓。紫光四射的古老塔桥，也变成了富丽堂皇的墓碑。泰晤士河中流淌的，仿佛是静止的时间与漫漫历史的长流。河风阴冷，像是可以穿透皮肤，直接刺入骨髓里去。从台阶上方往下看，最后一艘游轮缓缓停在了岸边，一群穿着典型英伦朋克风的鬼佬从游轮上跳下来，其中一个还拉着一条系着项圈的狗。他们吹着口哨，互相击掌，然后快步逃离了那艘游轮。从游轮餐厅的厕所里走出了熟悉的身影，裴曲虚弱地靠在门板上。裴诗三步并作两步跑下台阶，几次差点儿跌倒，才终于上了甲板。结果刚要上去，工作人员就出来阻止她，说她只能在这里等待。她和工作人员几乎大吵起来，最后还因为想强行进入被推开。她急躁地从甲板上跳下来，顺着窗口往裴曲的方向跑，并大声叫着他的名字。过了很久，裴曲才看了她一眼，趔趄地走出了船舱，看着她，叫了一声："姐。"

他身后对面的河岸上，大本钟沉闷地敲响着。工作人员们上了岸，陆续离开了。泰晤士河上呼啸而过的风仿佛撕裂了黑暗，同时也扬起了裴曲两鬓软软的碎发。当时天已黑了，她并看不清他的表情。但即便站在如此真实的金棕色哥特式建筑下，她的弟弟也好像变成了透明的，像是下一刻就要掉入身后黑色的长河中……但他没有消失，只是慢慢地走下来，轻轻地笑了："姐，我们回家。"

裴诗检查过他的身体，发现他身上除了一些小擦伤，并没有什么大碍。裴曲说他自己是被打劫了，所以心情有些不好，回家也是把自己锁在屋子里就再也没有出来。直到半夜，裴诗从噩梦中惊醒，才恍然回想起那些鬼佬的动作，提着一颗心冲到了裴曲的房间。她拍了拍门："小曲！"

没人回答。

"小曲！"她又拍了拍门，发现还是没回声后，干脆拿钥匙开了门。

她看见他背对着自己坐在阳台上，身上沐浴着伦敦白色的月光。听见她的声音，他转过头来，眨了眨眼问："姐，怎么了？"

裴诗松了一口气："今天那些人……他们只抢了你的钱？"

"嗯。"裴曲又一次转过身去。

但是，她却透过细微的光，看见他脖子上有一圈红色的印记。后颈上的颜色更深一些，就好像是被人用东西套住脖子拖拽过一样。她知道裴曲的心情不好，所以当时并没多问。第二天，裴曲表现得很正常，除了话比平时少了一些，一个人待在房间里的时间更多了，也没做别的事。

一个星期过后，她带着他去拍证件照。当摄影师拿相机对着他的时候，他慌乱地按住了脖子，像是看见猎枪的动物一样，手足无措地躲开了摄像机的镜头，站在一旁浑身发抖。当时察觉情况不对，裴诗就放弃了拍照，然后带他回家。但回去无论她怎么问，他也还是一语不发。

又过了几天，裴诗收到一封匿名信。打开厚厚的信封，她彻底傻眼了——里面全是裴曲的照片。照片里他没有穿衣服，脖子上系着狗项圈被人牵着，嘴里含着骨头，和一条狗并排坐在一起。因为皮肤白皙，所以浑身被踢踹的伤痕看上去触目惊心。正面、侧面、上方、下方……照片从不同的角度拍摄，他摆着不同的姿势，却没有一个姿势像个正常的人类，甚至连眼神都是黑黑的一片空洞。裴诗当时整个人都傻掉了。照片上的人不是别人，是她在这世界上最心疼、最重要也是唯一的弟弟。

"他们为什么要这样对你？"

"你为什么不告诉我？"

"他们……他们还对你做了什么？"

所有问题，没有一个得到答案。裴曲只是麻木地、像是听不懂她的话一般，呆滞地看着她。后来她带他去咨询心理医生，医生说他患上了深度抑郁症，精神状况很糟糕，需要人天天陪伴，配合药物治疗，不然再这样下去，很可能会想不开自杀。听完医生的话，裴诗看了一眼坐在墙角的裴曲。记忆中小曲在医院呆呆望着她的模样，永远不会消失。

每次想到那个场景，裴诗都会觉得心快碎了。此时此刻，夏娜拿着小提琴，从当晚最为轰动的一场表演中回到了后台。她穿着定制的高级晚礼裙，一副不可一世的高傲模样。裴诗看着她，多年心疼的感觉瞬间化为了愤怒——打从出生起，就包括自己的手废掉之后，都没有如此愤怒过！

她径直走向夏娜，拍拍夏娜的肩："几年前那叠小曲的照片，是你寄的吧？"

夏娜愣了片刻，扯着嘴角脸上露出了讥讽的笑："原来你还记得啊。有这样的弟弟，你还真是够……"

她的话还没说完，却吃了裴诗一个耳光！和当年打裴曲那个留了七成力的耳光不一样，这个耳光凶狠而响亮，让穿着高跟鞋的夏娜往一旁趔了两步，差点摔在地上。但是，裴诗并没有就此罢休，而是沉默地抓住她的领子，又给了她一个耳光！夏娜被打得彻底蒙了，直到又挨了一个耳光，脸才扭了起来："你居然敢……"说到这里，她看了一眼正朝他们走来的柯泽，轻咳了一声，捂着脸委屈地带了哭腔："你为什么要打我？"

裴诗的眼神冰冷，就像是燃烧的火焰："因为就是打死你，你也死不足惜。"

她刚要扬手，右手却被另一只大手捉住。她抬头，捉住自己手的人是柯泽。他望着她，寒声说道："你既然不是柯诗，那应该不认识夏娜。那么，你为什么要打我的未婚妻？"

"放手。"

脑中再次出现裴曲对自己低声说"对不起"的模样，裴诗不由得提高了音量："我叫你放手，听不到吗？！"

柯泽身体微微一震，下意识地松开了手。这时，夏娜却铆足劲儿朝她的小腿狠狠踢了一脚。裴诗的左手一直使不上力，被她用高跟鞋这样一踢，重心不稳，立刻松了手。她看见夏娜嘴角勾起了浅浅的笑。夏娜没有出声，嘴型却在夸张地说着"拜拜"。然后，她脚下踩空，摔下台阶。夏娜这才迟钝地发现自己把事情闹大了，和柯泽一起冲上去想拉住她。

然而太迟了。她顺着阶梯滚了下去，身体撞上了阶梯下方高大的提琴架。密密麻麻的小提琴、中提琴、大提琴，还有连了线的电子小提琴噼里啪啦地落下来，砸在了裴诗的身上，像是下葬尸体的泥土一样把她活埋。

*** *** ***

记忆中的自己，似乎从小到大脖子都有些酸痛。因为，总是需要抬头仰望着挂在墙上的小提琴，那一把爸爸送的白色小提琴。因为自己个子不到，只能用儿童型的小提琴，因此那些世界名曲被拉出来的旋律也是带着犹如玩具一般的稚嫩。从四分之一的迷你尺寸，到二分之一，到四分之三……听上去几个小小尺码的变化，却让她等了七年的时间。从小到大，她从来不乐于当一个孩子，是因为太想长大，太想用父亲的琴演奏，所以举止行为也相当成熟，以为这样就会让自己长快一些——这一点和可爱的弟弟几乎是相反的，毕竟弹钢琴的孩子永远没有这种担忧。

到最后，哥哥亲手帮她取下那把挂在墙上的白色小提琴，放在她的手上。用标准的小提琴拉出第一个音节的时候，听见饱满成熟的音色，那种连心都微微颤抖的感觉……就像穿了十八年运动鞋的少女，首次换上了小女人的高跟鞋；就像灰姑娘忽然穿上了华丽的晚礼裙，踩着水晶鞋走入南瓜车……

168
169

医院里的灯光明明暗暗。一群护士医生围上来，用纱布按住裴诗流血的前额，一路小跑着把担架车往急救室推。因为失血过多，脑袋一直昏昏沉沉，半梦半醒。醒来的时候，她听见裴曲温柔的声音在身边响起："森川少爷，你跟着不方便，姐这里我照顾就好……姐，姐，你别担心，我在这里……"

裴曲温热的手紧紧握住她发冷的手，仿佛他们还在母亲的子宫里时，就一直这样依偎着彼此，为彼此传达着温度。紧接着，她头一次听见森川光如此焦急的声音："小诗，你还听得到我说话吗？医生，你要确保她没事啊……"

"她现在还有意识，头受伤不严重，主要是手臂……"

医生的声音渐渐模糊。她像是又一次回到了过去，又想起了那一个个尖锐的记忆瞬间。明明是柯泽先主动，先对她做出暧昧不明的行为……她在教室里一个人练习拉琴，他像个王子一样在门口等着她。等她出来以后，接过她手中的包，却让她自己背着琴盒——他知道，那是她最宝贵的东西，任何人都不可以触碰。

在出教室前，他在她的额上吻了一下，很自然地牵住了她的手。即便是北极的严冰，也会在这一刻融化了。她没太多表情，眼睛却迅速看向了别处，有些不自然地被他半拖着离开了学校。她一路上都很尴尬，随口说道："我发现伦敦市中心的小孩子特别少。偶尔出现几个，也像小大人一样。"

"市中心太忙太乱，亲人不放心吧。别的城市就有很多。"

"亲人……"她喃喃说道，"还好，我还有小曲。"

"我也是你的亲人。"

"哦，是吗。"不知为什么，她有些失望……

"一直都会是亲人，还会比亲人更亲。"柯泽转过头来，上扬的长眼中有一丝难得的柔和，"当然，我知道你舍不得小曲，所以，以后等他结了婚，我们再搬到其他地方去住。"

当时她一下没反应过来，歪着头说："那我们俩都不结婚了吗？"

"我们当然会结婚。"

"哦。"

生硬地回答过起码四五秒后,她才猛地觉得那句话好像有些不对。可他早已转移话题,和她聊起了遥远的2012年伦敦奥运会。

然而,最先和她保持距离的人也是他。爱情就像一朵花,盛开时最美丽,凋零时最残忍。他对她所有的甜蜜与暧昧,都在裴曲那组照片的事发生没多久后就消失了。他突然回到了夏娜身边,对她的态度比以往冷漠百倍。那个踮起脚轻轻松松为她取下小提琴的哥哥的背影,简直就像是一场笑话。可是那时候她还是这样傻,认为那是自己做得不够多,自己不够强大。她去报名参加了卡因国际小提琴大赛,没日没夜地拉琴,把自己整个人都融入小提琴的旋律中。从来没有哪一刻,她会如此感激爸爸为她铺开的音乐之路。如果没有音乐,她大概会像其他失恋的傻姑娘一样号啕大哭、买醉、在一些party上对陌生男子投怀送抱……但失去柯泽以后,她没有做出任何失控的行为。

因为,有小提琴陪伴。

浑浑噩噩的岁月在指缝间流走。大学时教授曾说过一段话,当时令她有些热血澎湃,现在想起,却完全是另一番滋味:"恩格斯指出劳动创造了人,也创造出了劳动产物——手。肌肉、韧带、骨骼经过遗传变异得到高度完善,才能让拉斐尔的画笔、托尔瓦德森的刻刀、帕格尼尼的小提琴弓为世界文明留下了灿烂的遗产。"

听见主治医生和森川光在门外细微的对话声,裴诗感到自己的头和手上的疼痛感还没散去,闭上眼,世界重新回到了黑暗中。

她想,如果上天能将演奏音乐的手还给我,我愿意出卖自己的灵魂……

夜渐渐变得深沉。小提琴大赛决赛已经结束了六个多小时。毫无悬念地,最终冠军由半路杀出的夏娜轻松拿下。黑色的轿车停在比赛会场外面,星光与树影在上面留下了稀疏的影子。夏承司看着早已无人出入的会场,又看了一眼手表。最终他连眉头也没有皱一下,直接发动引擎,面无表情地把车开了出去。

*** *** ***

"森川先生，这次手术很成功，我们能确定的是她的头完全没危险，疤痕也会留在头发下面，不会有大问题。至于手，唉，其实这是个遗憾。裴小姐的手五年前受过伤，但其实不至于残废。她刚受伤后，手臂上有淤血压迫神经，大概是遇到了庸医，误诊她神经受损不可再用手臂，对她造成的打击太大，耽搁了定期做复健，结果就判下了死刑……"医生看了一眼躺在病房里裴诗的背影，轻叹了一声，"裴小姐是个个性骄傲的人吧。"

森川光怔了一下，从椅子上站起来："什么，你的意思是……她的手还有救？"

"我只能保证现在状况不会比受伤前更糟，但这中间的时间太长了，现在神经已经萎缩，几乎处于坏死状态，恢复的可能性很小，而且复健做起来会很痛苦。就算恢复，恐怕也不能像最初那样灵便。能康复成什么样，完全要看个人体质了。"

医生离去后，喜悦的情绪毫无掩饰地展现在森川光的脸上。他有些兴奋地对一边的裴曲说道："小曲，你听到了吗，你姐姐的手不是完全没希望……"

裴曲跟着站了起来，却只是平静地透过病房上的玻璃，看着里面静坐的裴诗没说话。其实，如果姐姐知道他不希望她恢复，恐怕会很失望吧。可是他喜欢现在的姐姐，这个温柔的、体贴的，仿佛他随时可以摸得到、感受得到的姐姐。

裴曲还是沉默着离开了。

森川光推门进入病房。裴诗坐在空荡荡的病床边缘，听见声音，却没有回头。她原本身材就比较消瘦，现在因为伤势比以前更瘦了，头上缠着一圈白色的绷带，手臂也被纱布吊在脖子上。窗子大大地敞开着，风像是一双冰凉的手，轻轻捧起她两鬓的长发。森川光慢慢走进去："外公听说你受伤的事，让你先回日本养病，等康复了再回来。公司那边，我先替你请假。"

"嗯。"

裴诗始终都只是静静地看着窗外，好像这世界上任何事情都与她再无关系。她甚至不想问自己伤势如何，需要多久才会好。反正都是一只举不起小提琴的手，是好是坏，其实并没有太大差别。

到日本调养了一段时间，外伤差不多都恢复了。裴诗在医疗人员的帮助下开始做复健，让左手神经不至于完全坏死。但复健几乎是外科治疗中最痛苦的一部分。尤其是涉及神经的地方，既要克服强烈的痛感，又要忍耐无力感。就像一个鸡蛋，凭空捏它怎么都捏不碎，却要一直尝试。裴诗住的是单人病房，但整层楼的病人都和她是同样的状况。她隔壁有一个十七八岁的富家男孩也是因为外伤需要做复健。森川光路过病房时，亲耳听见他用力摔碎了所有的东西，扯着破音的嗓子哭喊："这样的手我不要了！我受不了了！我再也不要做复健了！"

可是，裴诗在治疗的时候，却连一句抱怨的话都没说。她只是在医疗人员的协助下，把手臂抬了起来，然后闭着眼睛，深深皱着眉，努力活动关节。每抬高一公分，仿佛就是多一层折磨。森川光看不见她苍白的脸，发紫的唇，满脸冰冷的汗水，却能从护士不忍的话语中听到她有多痛苦。有一次护士离开了，他在她身边坐下，听见她细微的、痛苦的喘息声，便轻声说道："如果很难受就说出来吧。"

"不过是配合治疗罢了。"裴诗闭着眼，努力转移视线，让自己忘记手臂上碎骨般的疼痛。

森川光替她盖好被子，温柔地笑了："医生说，完完全全康复要一年。小诗有没有什么愿望？"

"愿望吗……"

裴诗半睁着眼，浓密的睫毛像雨后疲倦的黑色蝶翼，轻轻地颤了一下，隐约盖住了些水光。她最终还是闭上了眼："没有愿望。"

就这样，两个月过去了。一个色彩明艳的黄昏，医院附近的树林已经变成大片黑色，地平线处的红云像是烧着了一般。夕阳悄悄地在城市里扩散，明明是火焰的颜色，却泛着孤独的气息。森川光、裕太还有裴曲一起到医院来看裴诗。森川光最先进来，双手背在身后，有些卖关子地笑了笑："今天我带了三件东西给你。"

"这么多？"裴诗啃了一口苹果。经过两个月的调养，她的神经也变得放松了一些。

森川光先拿出一大捧花，放在裴诗怀里："先是祝贺你快要出院了，这束白玫瑰是给你的。"

裴诗看了看那一捧红玫瑰，又看了一眼鬼鬼祟祟的裴曲和裕太——看样子又是他们在捣乱。不过她什么都没说，嗅了一下玫瑰花："谢谢组长，很漂亮。"

裕太假装什么都不知道似的望着天花板。还好裴诗没有戳穿他们玫瑰花的颜色，不然追究起来，森川少爷大概会知道，自己刚才一身西装拿着大捧红玫瑰站在医院外面，被多少女孩子围观了。裴曲一脸天真的笑，又拿出一个圆形的红木便当盒，放在裴诗腿上："姐，这几天你都没好好吃一顿饭，这是我和森川少爷一起帮你做的便当。"

"组长做的？"裴诗瞪大眼。

"好啊，我给你做饭你不惊讶，森川少爷做你就这么受宠若惊，下次再也不给你做了。"裴曲小小的脸鼓起了两个包子。

"不是，小曲，森川少爷眼睛不方便啊，你这样……"

"没事。"森川光打断她，微微笑着，"我只是帮忙捏一捏寿司，这活儿我从小做到大的，就算看不见也能做。"

裴诗用力地点点头："那我一定得吃完了。"

打开便当盒，里面装着色彩明艳的鸡蛋卷、精致小碗的乌冬面、贴着新鲜生鱼片的寿司、香喷喷发亮的鳗鱼、粉白相间的蟹肉……里面每种料理都只有一点点，但整个盒子里却装了满满的不同种类的料理。她嘴馋得差点儿流口水："这，太丰盛了吧。会不会很麻烦你们……"

"臭老姐，现在知道说你'们'了？"裴曲还在赌气。

"你喜欢就好。"森川光淡淡地笑着。

"这么多我根本吃不完。小曲你快过来，跟姐姐一起吃。组长和裕太也是，都过来吧。"她招了招手，和大家一起分享食物。

"诗诗，我们就不吃了，森川少爷还有个礼物想送给你。我和小曲先出去了啊。"裕太朝裴曲勾勾手指，一起走出病房。

于是，房间里只剩下了裴诗和森川光。裴诗拿起筷子，夹着三文鱼寿司蘸了一些芥末，吃了下去："还有礼物？前两个都这么好了，再送我要得寸进尺了哦……"

"你可以得寸进尺。"森川光还是背着手，"不过，因为这个礼物你会很喜欢，所以不可以偷看，要先把饭吃完。"

"是什么东西，这么神秘……"裴诗眨眨眼，还是老老实实地吃饭。

其实她并没有太好奇。就组长亲自下厨为她做饭这一点，已经让她很感动了。她一边和森川光聊天，一边很耐心地品尝着每一块食物，不时还喝上一口热腾腾的绿茶，大概吃了快半个小时，才把食物解决了一半："啊，好饱，好好吃。剩下的晚上吃吧。"

她笑盈盈地把盖子放在便当盒上，刚放在地上，却看见床上又多了一个东西。

那是一把崭新的小提琴。

这一瞬间，所有的好心情烟消云散。裴诗看着那把琴，尽量保持若无其事的样子："哦，这就是第三份礼物吗？"

"嗯。"

森川光同时递过来长长的琴弓："虽然音色不是最好的，但这把琴很轻巧。"

看着他清远的眉眼，裴诗并不想在这种时候破坏气氛发脾气，只是默默地把琴摆在了床的另一边："我知道了，谢谢森川少爷。我会好好收藏的。"

"你不用收藏。今天我问过医生了，你可以试着拉一下。"

这一刻，裴诗听得十分清楚，自己的心跳停了一下。她快速地抬头，握着小提琴的手骤然收紧："你……在说什么啊？"

"很抱歉到现在才告诉你这些。因为刚开始连医生都不确信你的手是否能恢复，我怕让你抱了希望再失望会更加难受，所以一直隐瞒着……"森川光顿了顿，"我先出去，你一个人试试吧。"

冰冷的门打开又关上，单人房间里只剩下了雪白的床，雪白的被子，雪白的墙壁，雪白的病号服……好像房里唯一的色彩，就只有裴诗黑夜般的黑发，鲜红的玫瑰花，还有床上深棕色的小提琴。窗外吹入的风，吹散了窗帘和脆弱的玫瑰。花瓣像是赤红的雪花，凌乱地飞舞在房内。裴诗将头发别在耳后，伸向琴弓的手又一次缩了回来。手心微微发汗，她只是静默着重新打开餐盒，又吃了几口蟹肉。

她不是害怕疼痛的人。哪怕是死亡的痛苦，她也不怕。可是，她却害怕这个不断重复的噩梦——伸手举起小提琴，却再也没办法演奏出任何旋律。就像是被深爱的人拒绝后，从心底害怕再看见他的感觉。裴诗麻木地吃着刚才还赞不绝口的料理，这样听着时钟又滴滴答答流走了半个小时。终于，她放下筷子，拿起了小提琴和弓。

——"小曲，你看什么？有什么好看的？滚出去！"

——"叫你滚出去你听不到吗？我拉不了琴了啊，我早就告诉过你了，我永远拉不了小提琴了，我的手废了啊！"

——"砰！"

——"铮铮铮！"

手出事后的一年里，她摔碎了七把小提琴，其中有一次琴弦断了弹到她的脸上，当场刮出了一条深而细的红痕，到现在下巴上还留着一道浅浅的白色伤疤。自己曾经像是被长矛刺伤的兽，在无人的森林中狂奔着，无助地号哭着。可是，没有人能拯救她。

失去了拉小提琴的手，连带梦想也一起连根拔起，离她远去了。她花了那么多年的时间，终于渐渐淡忘了那种将自己融入音乐的感觉。所以，不论是任何人让她接触乐器，哪怕是Ricci夫人的邀请，她都统统冷漠地拒之门外。不想回到那种无助和疯狂的状态。她宁可冷漠而平凡地活着。

可是，这一刻，她还是没有忍住。她以为自己早已死了。现在森川光却告诉她，她可以重生。真的可以有期待吗……

肩托早就架上了，琴也是早就调好的。把小提琴架在锁骨上，用下巴轻轻压住，裴诗歪着头，像是个小提琴新生一样，用很长时间把它调整到合适的位置，用左手握住右边的侧板。她的手心很热，因为紧张流了很多汗，把面板都打湿了。她再伸出中指，在E弦上小心翼翼地拨了一下——这个动作，她曾经试过几百次，几千次。但最后的结果，往往是手臂无力地垂下，又将小提琴狠狠地摔出去。

那一声拨弦，音色清脆，回声缭绕。

也不知道自己为什么要拖延时间，她又花了很长时间去调音，再拨弦。过了几分钟，她才颤抖着手指，把指尖放在了E弦上。随着手臂的抬起，痛感像是撕裂骨肉一样窜了出来。但是，她却因为这种明显的疼痛激动得浑身发抖——她的手开始痛了！

死去的手是不会痛的，只会像尸体一样垂下去——只有生命才会衰老，只有生命才有痛感，只有生命才敢反抗命运！

像是害怕这是一场梦，裴诗很小心地抬起手，忍着剧痛握起琴弓，把它放在琴弦上。她按下小指。因为多年没有碰弦，手上的茧已经摸不到了。钢制的琴弦一如以往地尖锐且刻薄，像伤害新手那样，在她的小指上留下了一条痕迹。

——"爸爸，好痛啊，小指按上去比其他手指痛多了，我不想学了！我讨厌小提琴！"

——"傻丫头，我们的小指平时是用不上的，所以按弦的时候会比其他手指脆弱一些。"

——"可是你看，全部都红了……呜……"

——"越是脆弱的部分，我们才越应该锻炼不是吗？如果你有一颗脆弱的心，那就让心也变得坚强起来。只有当你被厚厚的茧包裹的时候，才会无坚不摧，完成自己想做的事。"

这种轻微的痛，跟手臂的痛苦相比较，完全可以忽略。裴诗闭着眼，忍着剧痛，顺次把食指、中指、无名指、小指一个个放在E弦上，找准了位置，然后把弓毛靠上去。

她用单一的弦，拉奏起一首童谣。

哆哆嗦嗦啦啦嗦，发发咪咪来来哆……

——"诗诗，爸爸唱一首歌给你，你看看听了以后是不是就想继续学了……"爸爸温柔的歌声在半梦半醒中响起，"一闪一闪亮晶晶，满天都是小星星……挂在天上放光明，好像你的小眼睛……"

这是五岁时爸爸教给她的第一首小提琴曲，也是她人生中第一次和音乐对话时，踩上的那一个小小的台阶。从那一刻开始，她发现了，原来每走上一个台阶，她就离梦想的天空更近了一些。

一闪一闪亮晶晶，满天都是小星星……

挂在天上放光明，好像你的小眼睛……

传说最早的弦乐器起源于原始人民狩猎的弓，他们从射箭时发出的"嗖嗖"声得到了灵感，并发明了"乐弓"。因此，希腊神话中的阿波罗不仅是太阳神，还是音乐之神。天上的繁星像是银色的散沙，就像是阿波罗音乐之弓演奏而出的跳动的音符，又像是人间亿万个孩子憧憬未来时眨动的眼睛。

她的世界早已长满了枯草。终于有一天美梦成真了，它向她张开了墨丘利的白色翅膀，带着她，飞离了这片无穷无尽的荒凉。

一闪一闪亮晶晶，满天都是小星星……

挂在天上放光明，好像你的小眼睛……

森川光站在门口，沉默地听着裴诗演奏着这首单弦的童谣。他虽然看不到她，但这么简单可爱的音乐，居然显得非常悲伤。而此刻，病房里盛满了璀璨的星光。裴诗穿着白色宽松的病号服，美丽的黑发落了满肩，因为星光微微发亮，紧张的手却一直有些颤抖，导致音乐听起来断断续续，像已泣不成声。

裴诗，一直是无坚不摧的人。听说哥哥和其他人在一起的时候她不曾哭过，被人打断手的时候她不曾哭过，这些天复健极致的痛苦也没有让她哭过。

这一刻，滚烫的泪水却一滴滴落在小提琴上。

因为害怕打断正在演奏的音乐，她没有发出一点声音，眼睛也紧紧闭着，一张脸因为这沉默的痛哭而涨得通红。

有一天，美梦成真了。

它向我张开了墨丘利的白色翅膀，带着我，飞离了这片无穷无尽的荒凉……

第十四乐章 ♪

森川家事

年纪越大，就越害怕别人了解自己。
不是因为变坚强了，而是因为人生的包袱越来越沉重，
任何打击都可以将包袱下小如蝼蚁的自己挫骨扬灰。

翌年，南风带着早春的香气，吹落了槐树上白色的花瓣，吹来了金丝燕轻轻的呢喃。公园里有许多为上班上学抄近路的行人。年轻女子们早已把最新奢华材质的时装披在了身上。夏娜挽着柯泽的手臂坐在长椅上，慢慢翻着膝上的时尚杂志，眼睛眨也不眨地扫着各大女装品牌的成衣秀：狂野的蛇纹皮革、夸张的花朵装点绸缎、天堂地狱对比为主题的尼泊尔宗教风格套装……她自己则是穿着植物印花雪纺连衣裙，淡粉色基调令她有了甜蜜小女人的气息。最近她的打扮风格变了不下十次，连性格也收敛了不少，但她的男友永远都是一副不冷不热的模样。

　　"啊！"夏娜低呼一声，指着某一页杂志，"泽，你快看这里！"

　　柯泽"嗯"了一声，继续看手中的财经报纸，甚至连眼珠都没有转一下。直到夏娜说"我哥真是帅爆了"，他才有些好奇地扭过头去——夏承司和时尚杂志有什么关系了？

　　事实上，夏承司不仅上了女性时尚杂志，还为某奢侈品牌拍了很多宣传海报。其中一张是黑白的，他将头发全部梳到脑后，手里拿着一把枪，站在一片雪白的欧式墓地中，头上写着华丽的外文诗句。

　　"这发型真的很挑脸型，也就我哥敢这样了。"夏娜一边自言自语，一边翻着杂志，"天啊，这张……"

　　同样是黑白照片，但夏承司的头发换成了刘海往上翻的新潮造型。他一手插入口袋，一手牵着一个金发飘扬的瑞典女模特，从一个古典咖啡厅门口走过。照片是从下往上拍的，他的半边脸因为光影而没入黑暗，但另一半脸清晰得连每一根长长的睫毛都能数得出来。夏娜撑着下巴看了那张照片许久，美滋滋地笑了："你有没有觉得，虽然我哥没有一点外国血统，但也只有这些欧美名模才能撑得住他的气场。一般的女人跟他走在一起，总是很容易被忽略……不对，我是例外，因为我是他的亲妹妹嘛。"

　　柯泽总算搭理她了："夏承司为什么会同意为这些品牌代言？他不是一向很讨厌在公众前露面吗？"

　　夏娜开心地靠在他的肩上："应该是因为我吧。我们快结婚了，这是我们要挑选的婚纱品牌。他大概是想多拍些照为我们的婚礼和音乐厅招揽更多粉丝吧？"

　　柯泽看了一眼她指着的牌子，那个设计师的名字竟如此眼熟——是柯诗最喜欢的设计师。

　　"为什么喜欢他？他是低下平民阶层出生，却是全球上等人疯狂追捧的对象，连皇室成员都喜欢他高贵中带着堕落的设计风格。现代的时尚和音乐都是一样的，创造者越来越多，作品花样越来越多，消费者却越来越像，就好像在穿制服，唱国歌。但这个鬼才设计师，他的风格哪怕你只轻轻一瞥，都能从一千件半成品中认出来。"柯诗当时的笑颜，现在依然历历在目。

　　看见柯泽出神地看着设计师的名字，夏娜的心忽然提了起来——难道，他又想起了那个女人？这几个月来渐渐淡去的厌恶感又一次悄悄涌现。原本她在小提琴比赛时看见裴诗，也没有那么大的怒气。可是，当她听见Ricci夫人夸裴诗是天才的时候，心里就觉得不舒服极了——乐感好有什么用，裴诗和小提琴没有半点关系，Ricci夫人的眼光到底有没有问题？

　　这种不舒服的感觉，到裴诗云淡风轻地扔掉Ricci夫人的名片时上升到了极点。更要命的是，裴诗居然还敢打她耳光！她不认为自己踢了她一脚有什么错。但是，让她从楼梯上摔下去，之后她又像以前那样，犹如一缕轻烟般消失了，也不知道现在是死是活……这几个月，不能说毫无愧疚感。可惜所有愧疚感在这一刻烟消云散。夏娜合上杂志，声音僵冷："我们去别的地方走走吧。"现在一切都好。裴诗，她最好这辈子都不要再出现！

夏娜当然不知道，同一时间的裴诗，也在大阪关注着她关注的东西。她打开杂志，看见印有夏承司大幅照片的内页居然夸张地写着："西方性感和东方典雅的完美结合，令女人不敢直视的英俊！"

她皱了皱眉，把脸往杂志上凑近了一些——这真是夏承司吗？那种完全没有生活情趣满脑子只存放了数据和资料、感情细胞为零的扑克脸，居然会为时尚杂志拍照？其实，这张图看上去一点也不像是广告代言，反而像是欧洲旧时绅士的油画。如果换掉他身上那身时尚英伦风西装，穿上镶花领口袖口的黑色大衣，戴上高高的大礼帽，再让他站在古老的伦敦大教堂门前，抽几口雪茄，与同行的奴仆低语几句，再一边向匍匐在阶梯下的穷人们撒金币，就再适合不过了。

"小诗，看什么这么入神？"森川光的声音在她旁边响起。他们身后十米外的地方，裕太戴着墨镜穿着西装，率领一群森川组的兄弟们像特务一样尾随着他们。裴诗呆了一下，回头瞅了瞅他那双美丽的眼睛——他真的看不见吗？怎么自己在做什么他都知道……

"我在看街上的人。"

他们正在排队准备买章鱼烧。心斋桥的商业街总是挤满了熙熙攘攘的人群，街上也总是有人热情洋溢地叫卖着。女孩们背着挂满布娃娃的背包，化着浓厚而精致的眼妆，穿着高筒袜和十厘米高的可爱粗跟高跟鞋，踩着日本少女独有的内八字从他们身边走过。当然，无论是再漂亮的女孩，经过森川光身边的时候，都会多看他几眼，然后激动地围在一起悄声讨论。裴诗绕过森川光的背看着街上的行人："我发现大阪的人打扮和东京还真是不一样，东京的日本人穿衣服还蛮国际化的，经常可以看见欧美时装。但大阪这边简直跟动漫一样，衣服颜色好鲜艳啊。"

森川光静静对着前方，微笑道："是吗？我也是第一次来大阪，所以不知道。"

裴诗立刻反应过来自己失礼了："啊，对不起。"

森川光脸上的笑意更深了。他的声音像初夏的晨雾，因为喑哑而显得潮湿，因为温暖而显得柔和："这有什么好道歉的。不过对于大阪，很多人都认为哪怕它单独成为一个国家都没有问题。毕竟语言差别太大了，比东京人要热情很多。"

裴诗禁不住笑了起来："对，口音也很有意思。"

这时排队排到了他们。系着头巾的大叔听见他们一直在说中文，居然也用中文比画着跟他们说："这个，一百日元！"

裴诗愕然。森川光拿出一些纸币递给他，用日语说道："请给我四串。"

"什么啊，原来是关东的。"大叔喃喃地把章鱼烧给他们以后，又继续对接下来的客人吆喝起来。

一路走过来买东西，别人听见森川光的口音，好像态度都不大一样。裴诗接过章鱼烧，小心地呵护着森川出去："现在日本关东关西还有矛盾吗？"

"大阪人总认为东京人冷漠，不过这也是事实吧。"

裴诗若有所思地点点头："你也是东京人，我一点也不觉得你冷漠。"

"我不算真正的东京人。在眼睛还能看见东西之前，经常和外公到处走。"

"可是为什么别人都说你是东京的？"

"因为在东京出生长大，有那边的口音。"

裴诗啃了一口章鱼烧："组长你真奇怪，这不就是东京人的意思了吗？"首都人民一向都蛮自豪自己的家乡，怎么提到这话题，森川少爷还有些排斥？

森川光声音低沉了一些："我……其实只有母亲是日本人，父亲的祖籍并

182
183

不在这里。"

看上去是如此纯正日系美人的组长，居然不是纯种的。裴诗微微讶异："那你爸爸是哪里人？"

森川光沉默了许久，才轻轻说道："和你一样。"

章鱼烧差点儿呛在喉咙里。裴诗干咳几声："什么，我认识你这么久居然都不知道！"

以前一直以为森川跟外公姓，是因为父亲入赘了森川家，没想到……

"小诗，我不告诉你是为你好。"森川光递给她一串新鲜的章鱼烧，自己却没吃，"我当初就是因为太好奇，丢了眼睛。"

裴诗自然不会再多问什么。先别说她现在正在老爷子的地盘上，稍微有一点不对可能就会丢掉小命，即便没有危险，她也能理解森川光。

人就是这样，年纪越大，就越害怕别人了解自己。不是因为变坚强了，而是因为人生的包袱越来越沉重，任何打击都可以将包袱下小如蝼蚁的自己挫骨扬灰。

*** *** ***

冢田组大阪分部中，红木长桌上摆满了禅意浓厚的怀石料理，艳衣白面的艺妓迈着小米碎步，跪在榻榻米上为围在桌旁的森川氏男子们添食斟酒。房内寂静得只剩下酒水流动、餐具碰撞的细微声响。坐在最里面的男人就是冢田组组长，森川岛治也。他七八十岁，头发已花白，此时正襟危坐，一身黑色和服毫无皱褶地垂落，白色的领口下有着没入和服中的刺青。他的脸型瘦长，颧骨突出，双眼眯着，即便这一日心情很好，脸上一直有着笑容，嘴角两道长长的下垂纹也透露出他一生都不是个爱笑的人。他不说话的时候，哪怕是笑着，也没人敢大声呼吸。正式开始用餐之前，艺妓们为每个人的碗里都放了一颗黑鸡蛋。森川岛治也的手依然放在膝盖上，用他惯有的命令口吻缓缓说道："这是今早从箱根运过来的，请用。"

这种鸡蛋叫"黑玉子"，是箱根特产。箱根人喜欢把鸡蛋连筐一起装入温泉，放一段时间再取出，它们就会全部变成和煤球一样黑。传说"黑玉子"有延年益寿的功效，每吃一颗就会长活七年。这是森川岛治也最喜欢的地方特产。每次有家族聚会时，他总会让大家都在饭前先吃一颗"黑玉子"。大家都面不改色地开始用餐了。唯独裕太盯着那一颗发黑的鸡蛋，脸色有些发白——自从上一次从别人那里听说了帮内"黑玉子"的事情，他再看到这种食物，总是会感到反胃。老爷子的忌讳有很多，但最大的，几乎可以称得上是他缺点的，是他对自己周围的女人——可以是他的女人、妹妹、女儿、孙女，有着无可救药的控制欲。

森川岛治也还未接管冢田组的时候，曾经有个很爱的漂亮女人，叫美纪。那时候冢田组有个死对头是山咲组，山咲组组长睡了美纪，并在她怀孕之后收了她。森川听闻这消息后，只带了二十多个人，就直奔山咲组老巢神奈川。据说那个晚上整个神奈川街头一个人都没有，就只有子弹擦着汽车飞过的声音。黎明到来时，山咲组的爪牙几乎全部被剔除，满街尸体。山咲组组长扔下了美纪一个人逃离了神奈川，却在第二天早上在箱根被森川逮了个正着。

森川见了他，居然毫不动怒，还客客气气地请他吃了一顿饭，开胃菜就是一盘"黑玉子"。他当时吓破了胆，只敢老老实实地用餐，直到吃到一颗满嘴油肉的鸡蛋，才有些疑惑地把它吐了出来。"黑玉子"熟了以后上面总有一些圆形的孔，不注意看的话，很像长着大眼睛的生物胚胎化石——而他吃的那一颗，居然是个真的胚胎！

"善待你儿子，别把他吐出来了。"当时森川岛治也云淡风轻地这么说道。

虽然他不说，但从那以后，帮内帮外听过这件事的人，都不敢和他打了标签的女人有什么牵扯。除了一个男人。

此时此刻，他依然淡然地吃着那些神似胚胎的"黑玉子"，仿佛这个传说真的只是传说，和他没有任何关系："光。"

森川光当即放下碗筷："是。"

"你还记得上次我在电话里跟你说的话吗？"森川岛治也慢慢地咀嚼着口中的鸡蛋，眼皮也不抬一下。

想到裴诗正坐在自己身边，森川光下意识抓紧衣服："……记得。"

"在你这一辈的长子中，你是唯一一个没有子嗣的。"

森川光没有回话。森川岛治也也没再继续追问下去。这顿漫长的聚餐结束后，森川岛治也宣布让大家离席，自己端着茶品了一口，看着茶碗说道："光，诗，你们俩留下来。"

裴诗看了森川光一眼，和他一起重新坐了下来。庭院里的老树与纸灯笼一起整齐摇晃，蔓延着一股浓浓的古意。森川岛治也转着手中的茶碗，端详着上面的白色印花："这么说，光，你是在骗我了？"

森川光的眼中写满了不解："外公，我不懂你的意思。"

"你和诗一起撒谎骗我。"他这句话说得不紧不慢，听不出是疑问、反问还是肯定。

森川光屏住呼吸。裴诗有些担忧地看看森川光——他原本就不是会撒谎的人，这下单独被老爷子逼供，估计撑不了多久。她暗自轻吐了一口气，故意轻轻拉住森川光的和服袖子："这件事不怪他。他只是很尊重我，不愿意和我走太近。"

然而，这点动作根本进不了森川岛治也的眼。他冷冷地说道："裴诗，我在问光，没在问你！"

裴诗微微一怔，垂下了浓黑的睫毛："是。这是我的错。"

"光。"森川岛治也又一次把目光转向茶碗。

森川光沉默了半晌。在他停止说话的时候，总会安静到好像连呼吸都也跟着一起停掉一般。然后，他淡淡地说道："外公，我真的很喜欢小诗。"

尽管知道他是在演戏，尽管他的音调平静而缓慢，但听见这句话以后，裴诗的心跳还是抑制不住地加快了几秒——演得这么情深意切，看来她是低估组长了。这回他昧着良心撒了这么大个谎，回头一定得好好向他谢罪。在短暂的停顿后，森川光又继续说道："而且，我也和外公一样是传统的人，觉得两个人的关系适合慢慢发展，同时，我也想尊重她的意愿。"

森川岛治也静静地听他说完，终于抬转过头看向裴诗："裴诗，自从光告诉我你们开始交往以后，我一直把你当亲孙女看。要知道，你是他第一个女友。"

裴诗认真地点头："是。"

"告诉我，你喜欢他吗？"

"喜欢。"

"既然两情相悦，那就没什么好害羞的了。从今天开始，我会留出大把时间让你们单独相处。"森川岛治也放下茶碗，站了起来，一如既往地命令道，"在裴诗怀上森川家的骨肉前，哪儿都不准去。"

裴诗完全愣住，一直没反应过来。森川光却跟着站了起来："等等。这种事……这种事怎么可能是说有就有的啊。"

"光，你是我们森川家的男人。"森川岛治也拍拍他的肩，嘴角有隐隐的笑意，"不会太久的。"

森川光背对着裴诗，完全没有回头看她的勇气："外公，这太突然了。这样强迫，反而会……"

他话尚未说完，森川岛治也已重重拍了桌子！同一时间，冰凉的大风卷入庭院，像是穿越过广袤的沙漠、大海呼啸而来，像是一个想要逃狱的犯人，呼呼地摇晃着脆弱的纸窗。整个房间里静可闻针，森川光和裴诗毕恭毕敬地跪在那里，他们没有直接对视老爷子，但是却不约而同地感受到一股极大的威严。这样的威严仿佛一把巨剑悬在他们头顶上。森川光轻轻呼吸了一下，他的动作极轻，但是在这种时刻，却仿佛很大的声响。他无声地仰头望了望，嘴唇正要张开。但是没有想到，老爷子却比他先说话了。老爷子没有再发脾气，不怒反笑，一个看不出含意的笑容从他嘴角扯出："那我就等着抱孙子了。"

森川光的心忽地一沉。没有人比他更明白，老爷子这句话这个笑的含义。一旦小诗做不到这一点，小诗——就会死。

一个小时后，房间很大，却依然只有两个人。裴诗看了一眼坐在榻榻米上的森川光。他身后的窗台下摆置着两盆兰花，一盆雪白，一盆淡紫，犹如两位穿着和服的美人，回首一笑，望的是眼前男子的绝代风华。看了看那两株兰花，又看了一眼森川光，裴诗有些郁闷：一直觉得能和组长匹配的人，一定是要比艺妓艳丽、比公主优雅、在风雪中从马车上走下来用白纱盖住眼睛露出樱桃红唇的古典女子。要么，就该是夏承司那样的男人……慢着，好像有什么地方不对？

尽管他什么都看不到，但眼神闪烁，似乎比她还要尴尬。而她渐渐靠近他的脚步声，也因为失明而令他更加不知所措，甚至有些无助。她都已走到他面前了，他却抬眼"看"着远处："……你在哪里？"

裴诗闭上眼，深深吸了一口气，又长长吐出来。这一声叹息让他迅速抬起了头："……小诗……"

他似乎还有想说的话，但洒在他身上的光线已被她的影子盖住。他的脸形原本就相当清瘦，又长又窄的下巴令他永远都有一种年轻美男子的气质。此时他抬着头，配上一身翠青色的浴衣，整张脸更是精致又秀气。这么深居简出的组长，肯定是第一次吧。裴诗抬起他的下巴，端详了许久，低低地说道："其实，如果真的照老爷子的话去做了，吃亏的人恐怕是你。"

森川光怔住。他别过头，躲开了她的手："你在做什么？"

裴诗的手停在半空中。她上下打量着他："当初你看到不该看的东西都没了眼睛，如果没有做该做的事，是不是连手也要丢了？"

阳光温暖，却仿佛有了穿透肌肤的能量。森川光的睫毛微微颤抖了一下，睫毛下失明的瞳仁也如同卸下防备般载满阳光。裴诗沉默了很久，声音轻且坚定："如果不按老爷子的话去做，我们都没好下场。"

森川光略张开嘴，嘴唇饱满而形状优美，却说不出一个反驳的字。

光影在他们的身上反反复复。裴诗终于又一次抬起他的下巴，侧着头吻上了那双唇。嘴唇相触的瞬间，她感到被吻的男人身体明显轻颤了一下，脖子也往后缩了一些——明明是她被逼着做缺德的事，他却表现得像是被她非礼一样，这种感觉真是太不好了！裴诗跪在他面前，咬牙切齿地说："大少爷，你别不愿意，我也是被逼无奈。这种事再痛苦，忍忍就过去了。"

森川光微微蹙眉，一直沉默着，似乎真的很痛苦。见他没有反应，裴诗又一次靠上前去，一手与他五指相扣，一手绕到他身后，抚摸他的背脊，似乎想让他放松一些。但他整个人还是僵硬得像座石像，还是座总是往后退的石像。裴诗终于发难了："你别这样，我也没经验，就靠我一个人怎么进行得下去？"

看他还是没反应，她终于恼了，直接扑过去，抓住他的双手把他推到墙上，然后毫无章法地在他耳根脖子下乱亲一通。森川光把头别到一边，眉头皱得更深了："小诗，别胡闹了。"

"我哪有胡闹！"裴诗有些恼羞成怒，"我根本没做过这种事，你什么努力都不做，还嘲笑我？"

森川光看向一边的眼神空洞，声音也变得冰冷起来："就是因为没做过，所以没有羞耻心了吗？"

裴诗愣了愣，一抹潮红忽然从脖子根直接涌到了脸上："我这不是在完成任务嘛！"

"是吗？"森川光闭上眼，试着平息自己有些不均匀的呼吸。

看着他这么淡定又漠然的模样，裴诗气得想打他一拳，然后直接甩手走人。但一想到老爷子那么认真的样子，想到组长虽然这时候硬气傲慢，平时还是一个好人……坚决不能因为他一点小脾气就放弃了，她要以大局为重。她决定不再和他沟通，踢开他的双腿让他靠坐在墙角，然后坐在他身上，一边生涩又粗鲁地亲吻着他的嘴唇，一边伸出双手去解他的浴衣系带。但衣服还没脱下来，薄薄的浴衣就再也掩不住他身体的变化。裴诗的动作停滞了一下，转眼看向他。他的头发有些凌乱，刘海盖住了一只眼睛，另一只眼半睁着，声音又冷了一个调："你认为这跟吃饭喝水一样，做了立刻就会忘记吗？"

裴诗察觉到了他语气不对，但还是倔强地抓紧他的衣带："当然不是，这是任务。"

"任务？"半晌，他像是听不懂一样琢磨着这个词。

忽然，一股强大的力量将她推翻。连惊诧的时间都没有，手腕被不容抗拒地扣在榻榻米上，男人的体重也完全覆在她的身上。紧接着他的舌头探入她毫无防备的唇间，长驱直入地与她深吻。她一直以为森川光是个温润如玉、淡雅脱俗又未经人事的优雅贵公子。但他的吻，根本不像他本人那样纯洁又无助——直到他的手快速解开她的衣服扣子，手指轻轻一勾内衣扣也被解开，简直比她本人还要熟练，这一点便更加明显不过。而后他的手掌穿过内衣，覆上了下方柔软的……裴诗浑身一震，用力拨开他的手！

森川光立刻收了手，只是撑在她身体两侧，在她上方罩着她，淡淡地说道："如何，还要继续吗？"

裴诗用手臂挡住胸口，嘴唇发白，自始至终没有发出一点声音，他亦看不到她慌乱的表情。他轻轻笑了，在她耳边悄声说道："而且，只一次是不够的。想要孩子，以后可能几个星期、几个月甚至超过一年的时间，你都要天天和我这样鬼混在一起。告诉我，你还要继续吗？"

长久的沉默后，他刚想撑着身子起来，但手却又一次被她拉住。裴诗张了张嘴，最终还是轻声说："好。"

那一瞬间，森川光以为自己听错了，直至她冷静地说道："你在我最困难的时候帮了我。我不认为这是什么可耻的事。"

她又一次搂住他的脖子，在他的唇角轻轻吻了一下。森川光却连眼睛也没眨地僵了很久。此时此刻，那种将她完全占为己有的冲动像是快要了他的命。可是，他躲开了她的吻。

"如果真的有了我的孩子……"他屏住呼吸，"你准备接下来怎么做？"

裴诗有些莫名："这样不就渡过难关了吗？"

"我的意思是，你打算如何对待这孩子？"

"这不是我能决定的吧。老爷子肯定会带走他。"

"小诗，这不是你在路上捡到的小猫小狗，可以转手就送给别人。到时候，你就是一个孩子的母亲了，你不怕你会离不开他吗？"

裴诗低下头来想了很久，最终摇摇头："我不知道那是什么感觉。我连自己的母亲是谁都不知道，你要我如何去想象这个场景？"

森川光愣住。他朝她伸出了手，在她的肩上停了一会儿，最终只是轻轻拍了拍她的肩："我去找外公谈。这件事总会有其他解决办法的。"

森川光果然去找森川岛治也谈话了。他们最终还是被释放出来。庭院中，裴诗放下小提琴，在泉水旁坐下来，轻轻揉了揉自己的手臂和指尖。现在她的左手就像是婴儿一样脆弱而充满新生的希望。手臂举起超过半分钟会又酸又疼，指尖重新按在琴弦上也会有被利器伤害的痛感，毕竟太多年没有按弦了。可是，即便多年没练习，那些技法也像是忽然被唤醒的前世记忆，一点一点地重新回到她的手上。

可是，她已经快要等不及。每次闭上眼，她几乎都能想起遥远的记忆，曾经的自己。从此以后，冰冷的世界融化了，她的生活不会再孤单。每天早上睁开眼的瞬间，可以还没洗漱就先睡眼惺忪地拉小提琴，就算拉得乱七八糟全无节奏曲子乱串也好，偶尔不负责地拉出撕裂声虐待耳膜也好，等洗漱完了回来再好好认真地练习；她可以连续一周不和任何人说话，一个人去公园散步寻找灵感，用小蝌蚪填满五线谱，再一个人颇有成就感地演奏它，用仿佛来自天堂的音阶滋润自己；下雨的时候，她也不用像这几年一样望着窗外发呆，想着今天又不能出门了，她可以像以前那样站在窗前拉琴，看着雨珠像钻石一样挂满玻璃窗，让夹着雨丝的风吹散琴架上的曲谱，听着哗啦啦的纸声混入连续悠长的琴声……一想到这里，她的嘴角就禁不住轻轻扬起，抱着小提琴的手臂搂得更紧了一些。

直到一个声音从身后响起："重新拉小提琴的感觉很不错吧。"

裴诗有些愕然，站起来向身后的人鞠躬："老爷子。"

森川岛治也的外套披在肩头，双手叠在红木拐杖上，眼睛半眯着："既然你和光都不愿意这么早生子，那么，我给你们时间。你把你原本该完成的任务完成。"

裴诗怔了片刻。她不是没反应过来老爷子话中的含义，只是他往往说得越轻松，就表示他下次给她留的余地就越少。他说给他们时间，意思就是，他不会再给他们太多时间。裴诗点点头，沉声说道："我知道了。"

"回去之前，你最好先想清楚怎么解释这几个月消失的原因。夏承司那小子解雇的人，一般不会再用第二次。"

"我已经想好了该怎么做。"

森川岛治也默然看着她，半晌又转移视线望向天空，脸上露出了深不可测的笑意："现在的年轻人都喜欢冒险。既然你这么自信，我不阻止你。不过，后果自负。"

裴诗的嘴角也微微扬了起来："我知道。"

第十五乐章 ♪

天才复出

音乐和衣服一样，作品花样越来越多，却长得越来越像。

八月酷暑，城市中的空气从春末夏初的清新，变成了现在的沉厚。正午时分，仿佛连高楼大厦在海上的影子也恹恹欲睡，因灼热的海风摇摆起来。柯娜音乐厅在市中心的高处岿然不动，呈现出耀眼的金色。拖延了一年的时间，这座最大规模的音乐厅终于落成，并伴随着柯泽和夏娜的订婚宴正式开张。夏树金殿大厅入口处，夏娜和柯泽正招待从贵宾通道进入的客人：夏娜穿着一身她亲自设计的天蓝色渐变拖地长裙，脸颊绯红，卷发垂肩，浅色的长眉不施粉黛，缥缈得就像是中世纪童话里的仙女。柯泽则是穿了经典黑白搭配的衬衫西装，配上蓝色格纹的裤子，单独看又稳重又时髦，和夏娜站在一起更是犹若天作之合。贵宾们在他们的介绍下，穿过透明的夏树金殿大厅，鱼贯进入演奏正厅内部，在前排VIP的位置坐下。

　　不得不说，夏承司虽然是个企业家，但在打造满足客户需求的环境方面，还是颇有天赋：二层的VIP座席并不是传统的电影院模式，而是小沙发围着佛罗伦萨式的小茶几；全场座椅的布，都是仿制17世纪的威尼斯绣金线布料，据说是他手下在切塞纳一个教堂里找到的灵感；音乐厅的墙壁上挂满了音乐家的肖像，从画框到绘制手法，均属于古弗兰德斯画派；相框下还配上了木制雕刻的各种语言名句，例如巴赫的肖像下，就是英国诗人约翰·弥尔顿十四行诗中经典的一句"这是唤醒人们的号角",与巴赫的地位、创作风格相互辉映……

招待所有人坐下以后,夏娜在最前排坐下,却不得不忍受身边一些聒噪的贵妇。

"唉,什么古典乐,这都是洋人玩的东西,我们这些没有文化的人,也就是来凑凑热闹吧。"说话的人是周太太,一个老公近些年才赚了大钱的暴发户,因为能说会道,把单纯的夏太太哄得很开心,所以这些日子经常出现在夏娜的视线里。

周太太的一个好姐妹笑道:"也别这么说,我女儿当时钢琴考级,考的就是莫扎特的《献给爱丽丝》。我对这个还是有点了解的。艺术情操嘛,熏陶熏陶总是好的。"

夏娜长长地叹了一口气,用手撑住额头。每当一个人遇到的是蠢货时,总会缅怀自己最讨厌的那个劲敌。所以,听见这些人的对话,她居然就会有点怀念裴诗。这时周太太走过来,脸上堆满了笑:"娜娜,像你这样的女孩真的绝种了,又漂亮,又有钱,身材好,未婚夫又这么优秀,真是要让多少女孩儿嫉妒啊。"

"是吗,谢谢周阿姨。开场表演是我,我先走了。"

夏娜有些高傲地转身而去。或许她的想法有错——这些贵妇虽然讨厌,但起码没有裴诗那样无耻。

这一次开场是费奥科的*Allegro*,一首欢快且充满宫廷气息的琴曲。夏娜提着蓝色的裙摆走到舞台中央,站在钢琴手旁边,头发蓬松而柔软,笑靥如花,然后优雅地开始演奏曲子。订婚日当天选择这首浪漫的曲子,是再适合不过了。尤其是在这样奢侈的、千人瞩目的音乐厅里。她一边演奏着,一边向台下的哥哥露出感恩的神情。夏承司回以她淡淡的笑,但一直有些心不在焉。

这个音乐殿堂实在太贵气,就连后台的韩悦悦都被这样的气氛感染了。其实,她的梦想一直是当一个韩国明星那样的偶像型小提琴家,穿最时尚的衣服,为明星和影视演奏曲子,裴诗却一直在逼着她练习那些老掉牙的古典乐。

碍于对方态度强势，她一直没法拒绝，可她是不喜欢古典乐的。

斯宾格勒曾经在《西方的没落》中将西方艺术比喻成四季：中世纪时期是万物勃发的早春，文艺复兴时期是欣欣向荣的仲夏，巴洛克时期是哀怨忧愁的残秋……到现代文明时期，国际化的大都市代替了小型城镇，世界以无可控制的速度走向了商品经济化的时代，金钱的铜臭已扼杀了所有艺术的活力，当艺术被标上价码标签的时候，无价的艺术也就注定了走向严冬的死亡。就像裴诗所说，音乐和衣服一样，作品花样越来越多，却长得越来越像。那是因为这些商业作品五花八门的华丽躯壳下面，不过是一堆稚嫩的、天真到可笑的临摹作。现代名人也说过，什么是古典乐，古典乐就是大家都听不懂的音乐。这句调侃的话被绝大部分人赞同。既然大家都不懂，古典艺术又早已死亡，又何苦去挽回它。不如完全摈弃高深又晦涩的古典文艺，走向简单优美的现代流行乐。

这样的想法不是没有告诉过裴诗。但裴诗从来不多做解释，还是像个管教五六岁孩子的妈一样逼她练琴。不过没有裴诗，她今天也不会有机会来这里演奏。夏娜原本说过不拿音乐大赛第一，她就没机会表演。没想到裴诗消失后，夏娜刀子嘴豆腐心，竟允诺了她的演出，还邀请她加入柯氏音乐。因为和裴诗一直有合作的承诺，她没有答应夏娜。可是，裴诗到底去了哪里……

这一天，不仅韩悦悦有了机会登台进行处女秀，还有不少国内外知名的音乐家前来演奏。也有国际知名交响乐团在这里发布他们的新作品。夏娜从回到座位上以后，一直忍受着旁边周太太聒噪的评价——她根本就没有认真听音乐，只是在注意这个钢琴手身上穿的衣服是什么牌子的，那个大提琴家坐下来腰上有一堆赘肉。她很想说周太太几句，但一想到名单上压台演奏者名字上写着的"Mori Japan, violin & piano, Anon[1]"，又变得心事重重起来。

没错，压台演奏的，是Mori重点推出的对象。夏娜本来想自己担任压台，但夏承司说盛夏和Mori有重要的合作项目，而且据说Mori请的小提琴手很优

1　Mori Japan，小提琴&钢琴，无名

秀，所以压台就让给了他们的小提琴手。她几次要去调查那边的演奏家会是谁，居然同为小提琴演奏者，可以让哥哥把自己压下去，是米岛莉姐弟，还是西崎崇子？

漫长的三个小时结束后，终于到了最后一场表演。音乐正厅最后几盏灯也全部熄灭。彦玲原本站在正厅外等候夏承司出场，竟也被这瞬间凝重的气息吸引住，缓缓转过身，看着那幽暗的舞台。浅浅的舞台灯光打下来，照亮一架才换上去的卧式钢琴。这是瑞典国王册封的皇家钢琴，所有金属都由黄金锻造，并镶嵌了七千多颗水晶。如此华贵的制造，又由一层高雅的黑色包裹起来。坐在它面前的人，却是一个年纪不大的男生。

在场上千名听众里，可以说没有任何人比夏娜更好奇这个人是谁。她看见裴曲坐在那里，心里虽然疑云重重，但已有了一丝不安——为什么会是他？他和Mori什么时候又扯上关系了？听众们也不由得交头接耳起来——这就是如此盛大的闭幕表演？一个看上去不过二十岁出头的小男生？这让前面那些资历颇深的演奏家们都怎么想？

裴曲双手放在膝盖上，静静地看着钢琴，并没动静。

听众们的质疑声越来越多。

忽然间，明亮的光忽然照亮钢琴旁站立的另一个人。而后，整个舞台都亮了起来，像是一个巨大的银色展览盒，中间却站了一个危险的黑色影子。看见那道影子的时候，夏娜的身体猛地一震！握紧的双手被指甲瞬间掐破！

怎么……怎么可能是她？！夏娜猛地回过头，看了一眼旁边的柯泽。很显然，柯泽也因惊愕彻底呆住了。柯泽身边的夏承司却眼神淡然，毫无惊讶之色。

银光四射的舞台中央，寂静得犹如皇族奢华的坟场。女子穿着黑色的斜边曳地长裙，露出踩着系带高跟鞋的腿。她手中拿着白色的小提琴，并没有规矩地将它抱在腰间，而是随意地提着琴颈和琴弓，等待一切就绪。不少人已注意到了。那把琴，是去年才以一千二百万拍卖出去的白色尼尼微！

她的头发比一年前长了很多，此时像是瀑布一样厚重地被拨弄到脸颊右侧，以留出左肩的空位。而她脸上的妆容，与柯泽手机背景照片上少女时的她一模一样——黑发红唇，因她的成熟和长发有了一种致命的魅力。

夏娜的心脏却越跳越快，越来越乱。这简直就是最大的梦魇——柯诗回来了！

裴诗其实只比裴曲大几分钟，两人也都穿着黑色的正装。但是，裴诗的出现却让人忘记了她的年龄，就好像你从来不会计较一个美丽恶魔的年龄一样。所有人都渐渐地消了声，安静地看着她，等待她下一步的动作。看见她从容不迫地把小提琴架在肩上，看见她毫不费力地举起左手，夏娜原本高悬的心，终于在这一刻，完全沉了下去：裴诗把琴弓靠在琴弦上的刹那，她看到了裴诗压在G弦上的手指。

最了解你的人，永远是你的敌人。夏娜也是最了解裴诗的人。裴诗所有的练习演出视频她全部看过。演奏之前会把手指放在什么位置，摆出的架势，会引起怎样的风波和掌声，她都能预测出个大概。G弦上的低音，在别人手下或许是深沉、低调、缓慢的忧伤，但在裴诗这里，却绝对被赋予了另一层含义。夏娜捂住眼睛，简直不敢再看下去。

裴诗高高抬起修长的臂膀，最开始两个急促的低音响起后，便是长长的、恶魔脉搏般跳动的泛音——是拉威尔的《茨冈》。这首曲子开头风格沉重悲怆，所以大部分小提琴家总是会微微弓着背，用一种被折服的姿态演奏它。裴诗却像是一座无动于衷的塑像。她把开头五十二个独奏音节都拉完了，但自始至终都只是微微侧着头，眼神冷漠地震撼着整个音乐厅。

听着《茨冈》，许多音乐爱好者都不由得想起了诸多久远的名曲。虽然这首曲子距离现在只有百年的历史，但是，它的曲风不仅汲取了匈牙利舞曲的狂热风格，还模仿了帕格尼尼、萨拉萨蒂的高难度炫技风格。那种引发人们强烈怀旧情绪的、盛极一时的18世纪古典浪漫主义琴曲，就像我们进了电影院，忽然看见小时候最喜欢的动画片被改编成了精致的3D大片，惊喜的同时，却会更想念那个时代久远的动画片。随着曲子的推进，眼见《茨冈》的旋律开始变得轻快，钢琴手也开始弹奏流畅欢乐的前奏……

大家都在期待着《茨冈》的第一个高潮。但是，他们等来的却不是吉普赛人欢快奔放的音乐。传入耳膜的，是魔幻的、灵动的、充满生命力的旋律。熟悉而充满张力的音节，接连不断地从裴诗的指尖流出。别说其他人，就连夏娜的心跳都不由得随着这段音乐加快了速度。

帕格尼尼的*La campanella*！

先用《茨冈》唤醒大家对古典音乐的记忆，再用华丽的姿态展示出那个时代最伟大的小提琴家——她最擅长的帕格尼尼！她几近完美的演奏技巧，已经完全填补了只有一个钢琴手伴奏的缺憾。在场有很多人只是冲着夏柯两家名号来的，并不懂古典音乐，但已被她如梦似幻的演奏方式折服。连听这些曲子到耳朵生茧的韩悦悦，都惊讶到了目不转睛的程度。她一向不喜欢古典乐，可是……

裴诗的演奏速度太快，转换也太快。当大家还陶醉在帕格尼尼燃烧一般的音乐中时，她已迅速转回了《茨冈》后期一段令人眼花缭乱的左手拨弦片段中。然后她停下来，让裴曲弹洒脱地伴奏，她再加入。沉重却充满张力的独曲，在钢琴规律的伴奏下，却像是任性的火精灵一样，在一阵凌乱的拉奏中忽然停顿。

她握住琴弓，重重地用右手食指拨了一下弦！

她迅速地换回擦弦演奏，曲风继续毫无变化地凌乱进行。可是，那一下拨弦却扰乱了听众们的心。旁边一直在和儿子发短信的周太太，竟然都忘记了手里还拿着手机，自言自语道："妈呀，我听得浑身的鸡皮疙瘩都起来了……"

另一位贵妇也喃喃道："这女孩的手简直不像人类的手。"

可是，《茨冈》却以未完成的姿态刹了车。

若说之前观众还有心情点评，到最后一首曲子的时候，就都已再说不出话：一段宁静忧伤的片段，配上了一根弦长长的颤音结尾……这是巴洛克音乐最充满传奇色彩的曲子，来自于小提琴家塔蒂尼的一个梦。塔蒂尼性格叛逆，荒废了学业，又和红衣主教的女儿鬼混，最后被父亲与主教驱逐，躲到了修道院里避难。一个晚上，他梦到了魔鬼在他的身边奏乐，便诞生了这首带着邪气宗教意味的小提琴曲《魔鬼的颤音》。

前奏过后，裴诗直接演奏了这首曲子的精华所在，第三乐章。她淋漓尽致地展现出了那个时期急促、激烈而极尽奢华的风格。

像是大浪淘沙中的碎贝壳冲上海岸，像是月光下淹没了孤城的风雪，像是世纪战争前被战士吹响的号角！每一个音调都直直地撞在人的心房，让人呼吸越来越急促，甚至完全停止呼吸！

韩悦悦不曾如此清晰地听见自己的心脏怦怦乱跳，随着一波高过一波的曲调而浑身紧绷，她不由得紧紧握住双手。

她忽然意识到一件事：现代音乐确实已是艺术历史的冬季，万物死亡。可是，冬季过后，往往很快会春暖花开。

深蓝色的乐曲末尾，令人想起了蒙特利松林的蝴蝶树。大片的蓝色蝴蝶一如飞蛾扑火，覆盖了所有的枝干，像是要将树的躯干侵蚀一般，散发着临近死亡的美丽。

终于，她微笑着结束了最后一个音节，唇如烈焰，静静地面对着台下诡异的死寂。

夏娜微微张口，谈不上是惊慌，还是恐惧。只像是庞大的暗影，在某一个死寂的夜，将她整个人一口一口吃下去，直至尸骨无存。夏承司靠在座椅上，抱着双臂，冷漠地看着台上的女子，半边深邃的脸孔没入黑暗中。

十多秒后，场内才爆发出雷鸣般的掌声。

裴诗的小提琴，任何乐器都无法取代，就连有乐团合奏的钢琴也不可以。

只是，演奏台中央站着的，好像早已不再是裴诗。

她的阴影顺着丝质的黑裙延伸而出，在舞台的灯光下凝固，漆黑而纤长，就仿佛占领了她空壳肉体的魔鬼之影……

柯娜音乐厅的首次音乐会完美落幕！

各大报社、杂志社、新闻记者们纷纷涌入了大厦外沿，采访这一日前来参加表演的各路著名音乐家和乐团们。当然，由Mori隆重推出的双胞胎姐弟也变成了众人关注的焦点。有了裴诗的光环，不要说是其他新人，就连裴曲的伴奏都显得黯淡了很多。可是，她却是最不甩记者账的。

夏娜花了很长的心思才把自己调整回正常的状态，摆出各种姿势让记者们拍照，像是一只开屏的孔雀，正在高傲地展示着自己华贵的羽毛。可是看见裴诗的背影，她身体僵了起码四五秒，别人提问她一个字都没听进去。她的眼中只有那个穿着贵气的黑裙、细腰不盈一握的女子。裴诗在一群森川组成员的护送下，和裴曲一起从旋转门里走出来，冷冷地挡掉了所有簇拥上来的记者，并用手臂护着脸色发白、身体发抖的裴曲，目不斜视地从正在接受采访的夏娜面前走过。

直到柯泽连外套都没穿好，追着裴诗而去，夏娜脑中大约有十几秒的空白，然后推开记者跟了上去。

"裴诗，等等。"柯泽叫住了裴诗。

裴诗赶紧把对快门有恐惧症的裴曲送到车里，然后回过头来，看着他。她的黑色长发如流云一般散在肩头，红唇像是冬季盛开的寒梅，冰冷却艳丽。她只是眉梢微微扬了一下，表情的变化细微到几乎看不出来。柯泽的喉咙很干涩，手心却冒出了汗。"晚上我和夏娜的订婚晚宴，可以邀请你和你弟弟参加吗？"

裴诗看了他几秒，脖子没动一下，目光转到了跟过来的夏娜身上。这短短几秒时间，相机已经咔嚓咔嚓地闪了几十次，她的脸孔在银光中显得更加美艳夺目，但眼中始终不曾有半点波澜起伏。她居然就这样越过他们，转身准备也进入车中。可是，这时却有记者大声问道："裴小姐，请问裴曲先生是身体有什么状况吗？为什么从出来到现在脸色一直这么糟糕？"

裴诗踏进去的身子忽然停住。紧接着，又有记者追问道："是啊是啊，他好像身体不是很好？还是说有心理疾病？"

　　裴诗按住车门的手指忽然苍白。她看着车里一直浑身哆嗦的裴曲，严厉地低声道："我早就说过叫你不要给我伴奏，你偏不听。"

　　裴曲眯着眼，连嘴唇都变了颜色："可是，我想和你一起演出啊……"

　　"之前是恨不得又哭又闹又上吊要挟要上台，现在知道叫姐了？你也不看看自己是不是受得了这种环境！"裴诗气得在他脸上拍了一下，但那一下轻得估计连熟睡的人都唤不醒，"回去我再收拾你！"

　　虽是这么说，但裴曲从她凶狠的眼神中看见了更多的怜爱。原本还想说什么，她却转过身，有条不紊地回答，同时朝柯泽露出了礼貌的微笑："柯先生和夏小姐的订婚宴，我很有兴趣参加。"

　　裴曲愕然地抬头！她为什么会答应柯泽？那是他和夏娜的订婚宴，夏娜不满她很久了，肯定不会给她好脸色看。更何况，那里还有她一直以来隐瞒身份、刻意躲开的那个人。虽然她现在手臂康复，已经不打算再继续瞒下去了，但是——

　　"姐，你怎么……"裴曲赶紧往外挪了一些，想去拉她的手，但还没靠近，车门已被裴诗重重地摔上！

　　"她为什么要去啊！"裴曲有些焦急了，"我，我先出去叫她回来……"

　　"别去了。"

　　森川光坐在前排背对着他，命人把车门锁了起来："你姐姐是想保护你吧。"

　　"保护我……？"裴曲一时哑然。

　　"她不是不愿意和你同台演出，而是不愿意媒体把重心放在你身上。她跟我说过，不论发生什么事，一定要保证你是安全的。"从背后看森川光小部分侧脸依旧线条秀美，但他的声音却比平时冷了好几个调，"所以，小曲，不要再任性，再让她操心了。"

　　裴曲怔了一下，又看向了车窗外被记者围堵的姐姐的背影，忽然抓紧了衣角。

　　这时，另一辆纯白色的敞篷跑车缓缓驶入人们的视线。那是路特斯公司在日内瓦车展上新展示的重磅级超跑，有着由该公司开发的V8超跑发动机和借鉴了前作概念的外形，目前市价尚未能估测。就这样一辆不该出现在这里的原装车，已经足以引起不小的话题。从车里走下来的一男一女，却顿时让这辆车变成了无彩的背景：打头的女人身材高挑，浑身上下没有一个配件、一块布料是能在市面上找到的，风格却独属于那些耳熟能详的世界级顶尖设计师。她一手夹着半截未抽完的女式烟，一手撑着白色的蕾丝阳伞，戴着优雅的法式贝雷帽，面容极其年轻，保养得当，但言行举止又是她那个年龄的人独有的稳重、妥当。跟在她身边的是个年轻男生，锥子脸，单眼皮，勾了黑色的眼线，鼻梁又窄又挺。他的一头小卷发阴柔而雪白，白得就像那只在他怀里钻来钻去的纯种波斯猫。他的四肢瘦长，手指尤其纤长。那双花了上千万的费用去买过保险的手，此时却放心地放在波斯猫的嘴里，让它亲昵地啃咬。

　　年轻人或许不认识他身边的贵妇，却不可能不认得他。哪怕是对音乐一无所知的人，也该听过他的名字——Adonis，柯氏董事长的干儿子，柯氏音乐的摇钱树，还没学会走路就先会拿小提琴弓，六岁登台维也纳演奏帕格尼尼E降调Concerto No.1第三乐章，跳级毕业于牛津大学物理系，全国首席年轻小提琴家，名扬海外。不过，上帝赐给了Adonis非常人的音乐天赋，也赐给了他天才中都少有的怪异脾气。这一点从他给自己起的外文名字便可以看出来。Adonis，正是希腊神话中被爱神与冥后争到头破血流、连血滴中都可以长出玫瑰的美少年。

　　"正常男人根本不会取这种自恋又变态的名字吧，我怀疑他是gay。"以前韩悦悦不止一次盯着他的照片这样说。

　　明明从来没在现实中见过面，Adonis锐利的视线却一直在裴诗身上打转，看得她浑身不自在。但他身边的贵妇却像是完全不知道她这人一样，与她擦身而过，走到了柯泽面前。柯泽立刻站直了身子，有些局促地说："妈，你怎么来了？"

"说的什么话？儿子订婚，我能不来吗？"

说话的贵妇是柯氏音乐的董事长，也就是柯泽的母亲。她就如同女版的道林·格雷，与一幅被诅咒的画用灵魂交换了永生的年轻容颜。岁月不会在她脸庞上留下痕迹，却又总是会通过那双眼睛出卖她的真实年龄。从她与Adonis出现以后，几乎所有记者都丢下了正在采访的名人，直接冲过去将他们围得水泄不通："颜女士，请问这一回与Kenny G的合作是否顺利？"

"传言维也纳信乐交响乐团会集体跳槽到柯氏音乐，是否属实？"

"Adonis，你真的在和影后申雅莉大玩姐弟恋吗？"

…………

裴诗身边一下变得空落落的。她只是站在原地，静静地望着多年不见的养母。颜胜娇还是如此高贵，她一头浓密的黑发挽在左侧，系成了一个蓬松的发髻，右侧的碎发随性地垂落，却也都像半掩的秘密一样藏在贝雷帽下，一如从旧式电影中走出的巴黎社交贵妇。她始终没有正眼看自己一次，甚至连斜眼都没有。从自己换回了原来的名字开始，她就应该不会再与自己说话了。不过，裴诗只顾着看颜胜娇，却未留意Adonis已不知不觉脱离记者，走了过来。当裴诗留意到他靠近的时候，一个迟到的记者忽然从她身侧冲过，把她重重撞到一边！她脚下一个踉跄，眼见就要当场失态地扑倒在地……

忽然，一双男性的手及时伸过来，一手扶住她的腰，一手握住她的手腕。裴诗惊慌失措地站直身子，没料到动作却很自然地靠入了身后男人的怀里。然后，一股非常熟悉的古龙水味，混着他自身淡淡的体香，飘了过来。这独特的味道曾经被盛夏的某位女员工说成是"极致的女性催情药"，裴诗当时听了差点吐出来。可大半年过去再闻到它，她真有一种微微眩晕的感觉。也不知道是否太久没见了……

裴诗立即调整站姿，有些不自然地躲开了他的视线："夏先生。"

事情发生了翻天覆地的变化，她原本以为夏承司的开场白会是"你到底是谁"，或者"你来盛夏究竟有什么目的"，却没料到他一开口居然如此没有戏剧性，全是来自上司的责备："病假九个月，一回来不到公司报道，反而跑来演出，你这秘书是怎么当的？"

尽管手掌炙热，体香诱人，他的声音却瞬间把人拉到了深冬之夜的海底。裴诗刚想开口解释，Adonis就闪了过来，站在了离夏承司很近的位置："夏二公子，我们好久没见了，最近在忙什么业务呢？"

他说话和以往接受电视台采访略显傲慢的态度不一样，反倒轻声细语，有一种近似于女性的柔和。

"现在不是上班时间，业务的事请联系我的助理。"夏承司眼睛盯着裴诗，随意抽出一张名片递给他。

对知名的小提琴家竟然如此无礼，裴诗都有些诧异，怀疑Adonis会当场翻脸走人。谁知Adonis不但没甩他脸色，反而让波斯猫爬到自己背上，再用双手握住了夏承司的手："我就是喜欢你这种冷冰冰的样子，太霸气、太迷人了！"

裴诗大惊，嘴角抽了一下。Adonis眨了眨眼，声音变得更嗲更柔了："Honey，你什么时候才忙完工作啊？我下个月有音乐会，给你编码00001的票，你一定要来啊。"

拿到Adonis音乐会头号VIP的票，别说是他那数以万计的疯狂粉丝，就连裴诗听了都有些心动，不由得看了一眼夏承司。夏承司却完全无视了Adonis，用审视的目光看着裴诗："明天来公司报到，你最好想个合理的说法，跟我解释一个小小的骨折翘班九个月的原因。"

裴诗还没来得及说话，Adonis就已插嘴道："阿姨，你居然敢翘我家honey的班九个月？想被炒鱿鱼吗？"

裴诗耳朵顿时立了起来，扬了扬眉："阿姨？"

"是啊，阿姨，我从我干哥哥那里知道你的事情了。你也不用担心，虽然你学琴晚，但你可比我老多了，时间也比我长，不用害怕以后会没法出头。"

五岁学琴晚，一般人听了绝对都觉得是笑话。但这话从Adonis口中说出来，绝非一点点刺耳。尽管被如此挑衅，裴诗还是不以为然地抱着双臂，平静地说道："李建国先生，即便叫人阿姨可以让你感觉年轻一些，但你的年纪还是一样大到不能再被称作'神童'，别伤心了呀。"

Adonis最讨厌的就是别人叫他的真名。这一点从采访时记者叫他真名时他抽搐的脸可以看出来。而且，性取向不明的人，往往对年龄特别敏感。所以，裴诗的话每一个字都刺中了他的致命伤。Adonis气得半天说不出一个字，还没来得及反击，颜胜娇就派人来让他过去了。他吊梢的单眼皮眯成一条细缝，看了裴诗一眼："我非常讨厌你的演奏方式，你成不了气候的。"

"承蒙夸奖。"裴诗轻笑着目送他离去。

待他走远以后，裴诗又回头叫住了刚转身的夏承司："夏先生，请稍等。"

"什么事？"

裴诗斟酌着措辞，把一早就准备好的客套话说了出来："我这一回离职的时间确实太长了，几乎花了一年时间，现在回来可能要花更多时间再去适应。在你这里我学到了不少东西，不过我确实能力不足，无法胜任您的私人秘书一职。所以，我想提交辞呈。"

"适应期可以等，能力可以锻炼，都不是问题。"夏承司回答得十分模式化，"想解除十年长约也可以，先赔偿解约金。我不接受和平解约。"

裴诗愣住了。解约金……那笔数额对她来说，简直就是一辈子都赚不回的天价。她开始为难了："夏先生，我是Mori推荐的小提琴手，以后有很多机会与你们合作。我兼顾小提琴的同时肯定会耽搁工作，即便是这样，你也打算继续用我？"

"你音乐的工作与在盛夏的工作无关。做不好秘书就扣工资，扣到零为止。"夏承司没有丝毫同情心，居高临下地看着她，用冷冰冰的命令口吻说道，"明天按时来上班。"

第十六乐章 ♪

黑夜探戈

之所以变成天使，是因为我没有能力变回魔鬼。

无月之夜，艾希亚大酒店里，柯泽和夏娜的订婚宴上，宾客几乎都到齐了。宴会现场主色调为淡紫和雪白：椅子是雪白，椅背上的蝴蝶结是淡紫；桌布是雪白，桌上花瓶里的薰衣草是淡紫；地毯是雪白，照亮整个正厅的灯光是淡紫；未来新娘的裙子是雪白，胸前的山茶花是淡紫……会场角落里坐着一支小型古典乐队，从安勃罗西奥的《抒情小曲》，演奏到了丹克拉的《第四变奏曲》，来访的人却不光是音乐家，还有与盛夏合作的各大企业重量级人物、豪门子弟、社交名媛、国际超模、著名作家兼导演、国宝级画家，甚至连足球明星都有。整个订婚晚宴不论是从音乐到布景，还是从氛围到来人，都奢华到了浮夸。

　　因为森川岛治也交代过，在Mori与盛夏集团的产品正式上市之前，不允许森川光出席任何与盛夏有关的公开活动，所以森川光只把裴诗送到订婚宴现场就离开了。刚一进入订婚现场，第一个进入裴诗眼帘的，居然不是今天订婚的两个主角，而是站在人群中一对外国男女如梦似幻的背影。之所以确定是外国人，是因为女方的金色大卷发系成公主头发型，身材也是九头身比例。她穿着一身感染春天气息的淡绿色长裙，背着的限量牛皮链子包却布满了野性的迷彩。这样一个真人版芭比娃娃，往往是含蓄的亚洲男性很难驾驭的。可是她身边的男人，却把她显得温婉多情又小鸟依人。

男人穿着与她相配的墨绿色翻领西服，胸前的领巾只露出了细细的一条边，却也是画龙点睛的迷彩印花。在芭比娃娃身上的野性，到他这里就变成了时髦与硬朗。他端着一杯葡萄酒，左耳上小小的黄水晶耳钉在灯光中轻微闪烁，浓密的黑发刘海微微上翻，原本挺直的鼻梁更加立体，让裴诗立刻有了一种"难怪外国人接吻总要狠狠地扭脑袋，这种鼻子接吻很不方便吧"的想法。可是那男人一转过头，裴诗才发现他根本不是外国人。那是夏承司。

传言说克丽奥佩托拉七世长了空前绝后的完美鼻子，所以凯撒大帝和安东尼才会因她而死。法国哲学家帕斯卡尔说："如果她的鼻子稍微短一些，世界的历史大概就要重写了。"日本杂志曾经这样描述夏承司："如果夏承司变成女人，那一定会变成克丽奥佩托拉七世。"

看见夏承司的四十五度角侧脸，裴诗立刻想到了这句话。不过，这家伙到底在做什么？这身装束直接搬到伦敦时装周的T台上走一圈都可以了！再一看他身边的瑞典女模特，她忽然明白了：夏承司最近一直在杂志上卖弄美色，这一身也还是在给时装品牌做代言——他还真的很适合当模特，而且是国际超模。因为模特越是超级，要的就越是那种无须任何知性、气质、性感、微笑来点缀的空洞式完美。只有当他们没有个人特色的时候，才能成为展示服装特色的衣架子。

裴诗观察了他大概几分钟，他和十多个不同类型的客人说过话，居然只笑过两次——如果嘴角不带感情地扬一下、眼睛没露出过半点笑意也算是笑的话。连自己妹妹订婚都顶着这种仿佛肉毒杆菌打过量的脸，真不知道大脑回路是不是真的被跳动的股票和酒店楼盘数据格式化过。

夏承司带着女模特在人群中周旋了一会儿，忽然和自己父亲撞上了。他对夏明诚的态度和对别人没有什么不一样。夏明诚没戴眼镜，表情也比上次裴诗在他家看到时温和多了。他穿着经典的黑色三件套格纹套装，那好看的脸型和优雅的谈吐，简直就是夏承司二十年后的成熟版本。同时，他彬彬有礼又不失男人气概，像是个风趣的英国绅士，随口几句话就把女模特逗得笑弯了腰。

和第一次见面时的苛刻相比，这一天的夏明诚让裴诗略感讶异，却令夏承司有些反感地皱了眉。夏承司低头对瑞典女模特说了两句话，又指了指别处示意她和自己一起离开，谁知女模特竟有些挑衅地看了他一眼，笑着摇摇手。夏承司瞥了一眼夏明诚，看着其他方向轻微地吐了一口气，放下酒杯离开了。

看着这一幕，裴诗略感愕然。这算什么……夏二公子的魅力指数居然没有拼过自己的老爸？而且，他走了没几分钟，那女模特笑得更加花枝乱颤了，甚至激动得眼角都泛出了泪水。夏明诚却一直是一副谦恭礼貌的模样，在女模特做了一个打电话的动作后，迅速把自己的名片递给她。女模特看上去也就二十岁出头，尽管美得灿烂却也嫩得青涩，并没有怎么故作矜持，当场就拿出手机给他打了个电话。这时裴诗才想起，夏承司有四个工作号码和一个私人号码，印在名片上的号码没有一个是他会直接接听的。对比刚才女模特对夏承司那种挑衅的目光，应该是他的高姿态又惹恼了一位美人。

刚进场就看见如此精彩的一幕，裴诗差点忘记要拿起邀请函去登记。夏娜确实很重视这次订婚宴，甚至连邀请函也是与主题搭配的紫白色。当她走到服务台的时候，却正好撞上了同时也在登记的韩悦悦。

"悦悦，"裴诗眼中闪过一丝喜悦，"我打了你的手机一天，一直都没人接，还以为你在忙别的。没想到你也来了。"

"啊，是啊，可能是我没听到。"韩悦悦朝她尴尬地笑了笑，动作很不自然地拍拍手袋里装手机的地方。

"刚好我想和你谈谈，待会儿你有空吗？"

韩悦悦立刻看了一眼夏娜的方向："那，那一会儿再说吧，我有点事要过去一下。"

她几乎像是逃一样加快脚步走掉了。

裴诗并没有挽留。她心里清楚，韩悦悦心里肯定有很多不满。毕竟自己一声不吭就去了日本，只让小曲给她发了消息，把她需要练习的曲目和方式都交代清楚，也不告诉她自己的行踪。其实，不是不愿意说，只是但凡与森川氏扯上关系的人或事，多少都有些不安全。既然老爷子看得严，她还是和韩悦悦保持距离比较好。

她一个人走向小型的白色舞台，却只看见了公主一般的夏娜，完全不见柯泽的影子。

柯泽在隔壁的小包间里，看着自己母亲对着窗口的背影。夜尚未深沉，艾希亚大酒店外沿有无数蹲点的记者。来来往往的行人经过酒店的时候，总会忍不住多往里面看几眼。然而，冰冷的玻璃窗像是一道永远不会敞开的大门，把里面的盛宴与外面的世界完全隔开，让两边的人都以为彼此的世界是沉默而黑暗的。颜胜娇穿着米色的希腊式长裙，盘起的发蓬松而柔软，露出了仿佛不会老去的年轻颈部。这一身打扮让她的背影看上去只有三十岁。然而，她的容颜倒映在玻璃上，眼神冷酷到接近无彩："所以，这就是你想要跟我说的话。"

柯泽握紧双拳，对着自己一向害怕的母亲，终于鼓足勇气，挺直了背脊："对。现在我来跟你说这些，只是想让你知道我已经做了这个决定，而不是征询你的意见。"

他刚想转身头也不回地走掉，颜胜娇却冷不丁地说道："六年了。"

柯泽站住了脚："什么意思？"

颜胜娇垂头看了看手表："人生短暂，变数太多，哪怕是一分钟，都可以让一个人彻底改变成连他爸妈都认不出的样子。六年了，你认为这女孩还是当年那个柯诗吗？"

"在我眼中，她和当年没有区别。"

颜胜娇徐徐转过身，细长的眼眸扫向自己的儿子："如果你真有底气了，根本不会告诉我。"

"我只是尊重你。所以，希望你也祝福我们。"

"如果你真有底气，就不会告诉我。"颜胜娇只是机械地重复道，"就像你母亲我，如果决定做什么事，从来不会告诉别人自己下一步会怎么走。"

她抬眼看他，连转眼的动作都十分缓慢："去吧，做你想做的事……只要你不后悔。"

订婚宴大厅中，两位主持人走上台，人群渐渐安静下来。男主持人推了推黑框眼镜，拿着话筒，朝大家激动地说道："各位女士们先生们，欢迎参加8月25日晚，柯泽先生和夏娜小姐的订婚典礼！"待女主持人把他的话翻译成英文后，他又继续说道："首先，有请我们的两位新人……"

夏娜站在灯光下，脸颊绯红地等待柯泽出现。裴诗随着众人一起鼓掌。

记忆真是一件恼人的事。看见这满世界的紫白色，她想起的竟是他们的年少时光。那时她刚到伦敦，还是个对英国完全人生地不熟的愣头青，连开口跟外国人说话的勇气都没有。知道柯泽有女朋友的当日，自己很不幸地淋了雨大病一场，因此也错过了和朋友一起去银行开户的会面。这件事传到了柯泽耳里，他约她在银行门口见面。那天下午，他穿着两件套学院风的灰色毛衣和衬衫，抱着两本厚厚的英文书站在十字交叉路口，巨大的巴克莱银行标志下。银行是宫廷式的米白建筑，标志是天蓝与雪白色的。他不过是个十来岁的少年，站在那么多出入银行的精英中，却丝毫不显弱势。她赶紧挥挥手跑过去，他还是一如既往，有些傲慢地扬起下巴指了指银行里面，示意她跟着自己进去。当时她跟在他的身后，却在门口被人挤散。他无奈地叹了一口气，伸手握住她的手腕，拉着她往里面走。他始终没有回头。但与那么多陌生的人擦肩而过，有哥哥的带领，她却不再感到害怕了……

明亮的台阶上撒满了薰衣草花瓣。裴诗用力地鼓掌，直到掌心都有些发痛了，才渐渐放慢了速度，随着众人垂下了手。然而，几乎是在手掌刚垂下的瞬间，手腕就被人拉住，将她直拉出了人群，走向那个台阶。她错愕地抬起头，看见的竟是那个比以前宽阔成熟的背影。她穿着无袖的裙子，他不能再像以前那样隔着袖子拉拽她。他的手掌微微发热，让她的手腕也发烫起来。同时，她也看见了夏娜越来越惊诧的眼神。夏娜像是患上心脏病一样呼吸困难，胸口上下起伏。看见他们走上台阶，她似乎很想追上来，可是只迈出一步，就硬生生地停了下来。终于，柯泽把裴诗带到了台阶上，一把接过主持人的话筒，喘着气说道："今晚我要向各位宣布一件事。"

全场一片死寂。这一天参加他们订婚宴的客人，很多都是柯泽英国的老同学。他们不是没有看见来赴宴的裴诗，但鉴于她消失太久，都没敢很确定地上前和她说话。关于她和柯泽之间乱七八糟的传闻，几乎所有人也都听过。所以看见这一幕，他们隐约能预测到接下来会发生什么，全部惊呆地看着这两个人。被抢了话筒的主持人同样余惊未定，双手还放在胸前，维持着拿话筒的姿势。但是，等了很久，柯泽都只是拿着话筒，细微地喘气。

不论是视野还是头脑，都像是一下清醒了。他看了看台下的夏娜。夏娜紧紧抿着嘴，发红的眼中充满泪水。这不是他第一次看见夏娜露出这样的眼神，但在人多的地方见她这样，却是第一次。闭上眼，那些过往灰暗的场景依然历历在目：牵着狗满口脏话的粗野鬼佬、那一张张不堪入目的洗印照片、小诗住在医院里死了一般的眼神、小诗抱着弟弟痛哭的背影……终于，他深呼吸，再次睁开眼睛。

"那就是，我找到我的妹妹了！"他举起裴诗的手，搬出了他多年纨绔子弟的拿手绝活，脸上绽开比真笑还要灿烂真诚的假笑，"几年前她因为受伤提前回国，之后出了一些意外，就没能联系上，但今天她在音乐会上大放异彩，让我们兄妹再次团聚！……来，小诗，现在到你发言的时候了。"

柯泽把话筒递给了裴诗。与此同时，他也终于松开了紧握着她的手。

客人们有的大松一口气，有的为他们感到高兴，有的满脸失望，有的云里雾里。裴诗接过话筒，有些迟疑，但完全不怯场，疏离而淡漠地对着话筒说道："各位晚上好，我是裴诗。"

也许是因为她说话的语气太冷静，整个场面就像是即将加热到一百摄氏度的水被拔了热水器插头，忽然平静下来。她摊手指了一下柯泽："我是柯家的养女，本姓刚才已经介绍过了。我姓裴，非衣装，生父是前金树国家音乐厅首席音乐家兼指挥，裴绍。"

随着最后一个名字的出现，好不容易平静的气氛忽然又一次炸开了！

一直以来，柯诗神秘的身世之谜，竟然是这样！讨论声激烈地响遍了会场，就连知道她身世的柯泽、完全无关的夏明诚都被她突然的宣告震住了，夏娜更是目瞪口呆地看着裴诗，泪水几乎干涸在了眼眶。

这一定是这个晚上最可怕的事了，可怕程度甚至和柯泽拽着裴诗上台不相上下。这个女人……竟然是她最崇拜的人的女儿……

待议论声稍微静了一些，裴诗又继续说道："感谢我的养父柯平步、养母颜胜娇还有哥哥柯泽这么多年的照顾，现在也到我努力工作回馈你们的时候了。重新自我介绍一下，我是Mori Japan推出的小提琴手，五岁开始学小提琴，擅长演奏帕格尼尼、维瓦尔第和梅纽因的作品，有创作天赋与改编才能，曾经获得卡因国际小提琴大赛英国赛区的冠军，也受到过英国肯特交响乐团独奏小提琴手的入团邀请。这次在柯娜音乐厅表演，有意向与夏承司先生合作，建立一支柯娜音乐厅的官方管弦乐队，同时也延续了我父亲生前的梦想。"

她说的这些话，可以说是毫不客气，许多著名音乐家都不敢这样介绍自己。奇怪的是，在场没有一个人觉得她是在自吹自擂。而她始终没有看夏承司一眼，就好像有十足的自信，相信对方一定会同意一样。只是，如果她只是说建立一支管弦乐队为柯娜音乐厅表演还好，就算她本人没有实力，在有Mori那么强大的后台支撑下，夏承司都没有理由拒绝。但她特别强调了"官方"二字，就像完全没听过夏娜上个月才发布的消息"柯娜管弦乐队宣布成立"一样。

完成这一番演说之后，裴诗一个人来到室外的草坪上。她将披在肩头的丝巾裹紧了一些，仰头把混着醒酒药的酒喝完。星辰在夜空中极其稠密，一圈圈连成串，就好像昂贵的宝石项链一般。而高楼的灯光像是飞着的萤火虫，在城市的夜景中一闪一闪。

"你完全没给自己留后路。"

听见这个声音，裴诗扬起了嘴角，回头看向身后的夏承司："这叫孤注一掷，是跟夏先生学到的东西。"

夏承司淡淡地挪开视线，甚至懒得回答她。裴诗拿起两杯门前推车上的香槟，站在阶梯下看着他："不知我有没有荣幸和夏先生喝两杯？"

"想灌我酒？"夏承司微微挑起一边眉。

"和你喝一下酒而已，怎么疑心病这么重？"裴诗走上台阶，把高脚杯递给夏承司，"如果你酒量不好，那我干了，你随意。"

星光映入夏承司琥珀般的眼。被这样盛极容颜的人注视，就连裴诗与他对望都觉得压力有一点点大。好在他并没有看她太久，只是沉默地接过她手中的杯子。可他接杯子的手却不经意碰到了她的手指。

其实只是食指与中指轻擦过她的手背，薄薄的温度几乎无法察觉。她却像被高压电流打了手，杯中的酒水微微一抖，差点洒了出来。夏承司没太大反应，她被自己有些夸张的条件反射吓了一跳。大概是因为和他见面很多却没有几次肢体上的接触，所以才会……除了白天差点摔倒的时候，还有近一年前，在他家泳池旁边……

裴诗忽然想抽自己一耳光。想什么不好，偏偏在这么关键的时刻想到那时尴尬死的场景！但念头这东西向来是越驱赶就越阴魂不散，当时的记忆瞬间被唤醒了：夏承司的臂膀揽住她的腰，手指插入她的发，胸膛灼热，嘴唇也……明明已经过了快一年，但所有的细节到现在她都记忆犹新，甚至只要稍微一回忆，脸就会有些发烫。

她没有看他，仰头将香槟一饮而尽，还很是豪迈地把杯子倒过来炫耀给他看。夏承司轻笑一下，也将她递上的酒喝干了。只是，视线一直没有从她身上移开过。那样的眼神，就好像是有烈火在冰层下静静燃烧。已经隐约觉得气氛很奇怪的裴诗又拿了两杯酒，这一回是红酒，若无其事地递给他："能否让我为柯娜成立管弦乐队，夏先生爱妹心切，心里可能早就已经有打算了，对吗？"

夏承司自然地接过酒，晃了晃酒杯："这你不必激我。如果凡事都要用家庭作坊的形式运营，盛夏集团也发展不到今天。"

"这么说，在你眼中，小提琴手的才华高过身份了？"

"不，我对才华这种虚幻的东西没有兴趣。盛夏是商业机构，我们要的是商业价值。"

裴诗慢慢地点头："也就是说，如果我的商业价值比夏小姐高，这个工作就可以交给我去做？"

"对。这一点我已经告诉了娜娜，她说愿意接受挑战。"

"那这也太简单了。"裴诗朝他举杯，"来，先预祝我们合作愉快。"

夏承司喝下杯中的红酒，却没有多说一句话。

"夏天的星星真漂亮，就像萤火虫一样。"裴诗喝完了酒，放松地靠在大理石柱上，"可惜城市里没有多少萤火虫，也不知道是为什么。"

"不方便幽会吧。"

"嗯？幽会？"裴诗抬头看向夏承司，眼中也载满了星光。

"萤火虫发光，其实是发出求偶信号。雄萤如果想要交配，会让自己的腹部发浅黄色或浅绿色的光，去吸引雌萤。"

裴诗稍微警觉了一些。夏承司是完全不说废话的人，居然都开始向她解释这种无聊的东西了，看样子公司里的人说他从不上酒桌是因为酒量差真的不是谣言。裴诗又拿起一杯鸡尾酒给他："夏先生懂的真多，佩服。我敬你。"

诡异的是，夏承司竟真的乖乖地把那杯酒喝下去。裴诗有些紧张了，靠近了一些，像催眠一样轻声说："不过你还没说完，那如果雌萤想要回应雄萤，那会怎么做呢？"

夏承司微微垂下头："如果雌萤有意与雄萤交配的话，也会发出同样的光。"

这句话简直就是贴着耳朵的烙铁，从裴诗的耳廓一直烧到了耳根。其实，夏承司应该只是喝多了，除了说话略带醉意，似乎没别的意思。可是不知不觉他们的距离已经这么近了，他那股熟悉的体香混着酒香，就这么飘了过来，让她觉得自己的腿有些发软。如果不是之前吃过醒酒药，裴诗觉得自己肯定都有点喝多了。她顶住异性强大荷尔蒙的诱惑，又送了一杯酒上去："好解释，我敬你。"

就这样十来杯酒水下肚，裴诗发现夏承司已经有些重心不稳，身子也轻轻倚在了墙上。按照他这种自制力的标准看，此时的反应说明他已经很醉了。再喝下去，恐怕会睡过去。裴诗也假装醉酒晃了晃身子："夏先生，你看，你看，今天晚上我陪你喝了这么多酒，你得好好补偿我一下。"

夏承司果然一反常态，相当绅士地扶住她的腰："怎么补偿，你尽管说。"

"就是签个名，很简单的。"

"签名是吗……"夏承司往怀里摸了一下，"我没带笔。"

"没事没事，我有。"

裴诗以迅雷不及掩耳之速抽出早就准备好的员工解约合同和笔，压住上面的字，指了指签名处："这里签一个就好了。"

"不，我不签。"夏承司收住笔。

裴诗有些急了："为什么不啊？"

"我的签名很值钱，光陪喝酒完全不够。"

"那怎样才够？"

刚好这一刻，一首浪漫的小提琴夜曲演奏结束。突然安静下的环境，让时间走得格外缓慢。夏承司并没有说话，只是仰头喝完了高脚杯里最后的红酒。

随即响起的曲子前奏，是荡气回肠的大提琴独奏。一听到音乐就下意识去辨识曲目、作曲家和创作年代，已经变成了裴诗近似本能的反应。不过拉奏了几个音节，她就听出那是阿根廷作曲家阿斯托尔·皮亚佐拉的《探戈灵魂》，并没有留意夏承司已经把酒杯放回桌面，然后下蹲一些，撕开了她的长裙下摆！

这时，小提琴的伴奏也加入了正在演奏的《探戈灵魂》。高亢的弦音喧宾夺主，扰乱了大提琴原有的沉稳。裴诗惊愕地后退一步："你做什么！"

夏承司依然沉默着，拦住她的腰不让她后退，继续粗鲁地撕她的裙子，从下摆一直撕到了大腿根部！

与此同时，手风琴的伴奏混入了探戈。随着乐器增多，音乐越来越凌乱，连人的心也跟着乱成了一团糟。

"住手！你在做什么啊！"裴诗慌乱地用布掩住腿，但已经太迟了。一阵嚓嚓的裙子破裂声过后，夏承司把整块布料拽下来，在她面前晃了晃，扔到了草坪里。一条神秘高贵的曳地晚礼裙，转眼变成了露腿的斜边性感舞裙。终于，小提琴二重奏再次加入，以极其尖锐璀璨的高音，把音乐推向了第一个高潮。多重乐器的合奏，第一次令裴诗如此心迷意乱，完全无法集中精神去听任何东西。

夏承司握住她的手，把她拽到大厅舞池中央。瞬间，他们俩站在灯光下，变成了所有视线的焦点。腰部被他的大手按住，身体被迫靠在了对方的身上，脚步被动地带着进进退退。裴诗快要当场晕过去，步伐凌乱得几乎摔跤。夏承司却露出了带酒意的笑："你学过跳舞的，别装。"

她确实学过跳舞，而且教她跳舞的人还是柯泽。很想回忆当初学舞的情景，可是现在却什么都想不起来了。被眼前男人时而推开时而紧抱的野性舞姿，令她无法思考，脑中一片空白。

他握着她的手心滚烫，以一种不容抗拒的力量引领着她，跳着这支狂躁的阿根廷探戈舞。

明明只是跳舞，却几次令她莫名地感到害怕，想要逃跑，可是一想到想要成立的管弦乐队，她就几近强迫地说服自己留下："这样你就满意了是吗？"她抬头看着他，冷冷地说道。

夏承司领着她转了一圈，然后额头轻轻顶着她的额头，抬起她的一只腿缠在自己的腰上，往后跨了一步，让她撒开腿整个人靠在自己身上："我看上去像这么容易满足的人吗？"

探戈的舞姿太暧昧，过去练习的时候她的舞伴都是女孩。这一刻，她才发现，和男人跳探戈比她想象的还要让人无法接受。与夏承司过分亲密的姿势让她又一次想要推开他。

她懊恼地说道："那你还要怎样？"

乐曲接近尾声，钢琴、手风琴、小提琴一阵乱弹，整首曲子的巅峰排山倒海而来。他将她抱起来，转了一圈，然后搂住她的背，让她深深地弯下腰。她的黑发像是突然涌下的大片水流，在灯光中闪闪发亮。他望着她片刻，入了魔一样，垂下头在她耳边轻轻吐出几个字："跟我上床。"

男女舞者都是当日的焦点，这支探戈又太过绚烂，众人的掌声响亮得几乎震碎落地窗的玻璃！人群中一阵阵"再来一首"的呼声，让他们抢走了真正男女主角的风采。

然而，夏承司那四个字说得如此温柔，裴诗却能清楚地听见自己脑袋爆炸的声音。她差一点就动手打人了。深呼吸，再呼吸，努力让自己不要发火，过了好一会儿才压住怒气，直起身靠近夏承司一些，压低声音说道："你先签字。"

乐队相当配合，立刻选了一首从开始就相当激昂的舞曲，布拉姆斯的《匈牙利舞曲No.2》。可是，他们对峙在舞池中，不再跳舞。夏承司只微扬了扬眉，眼中却透出浓浓的兴趣："这么说，你还真的愿意了？"

裴诗没有说话，只是抬头用猎豹般的侵略眼神看着他。

"可惜了，我不玩办公室恋情。"夏承司的声音突然冷了下来，"真想和我睡觉，等你十年合约到期离开盛夏，我再考虑考虑。"

看着他忽然变清醒的眼神，裴诗完全傻眼了："你……没醉？"

夏承司扬了扬眉："我什么时候说过我醉了？"

"那解约书你什么时候才签字？"

见他们不再跳舞，一些早已蠢蠢欲动的情侣和夫妇跟着进入舞池，随着动听的音乐翩翩起舞。夏承司眼神一如既往地锐利，仿佛刚才喝的酒连水都不算："这么说吧。Mori在日本的势力很大，是我们这边无法控制的。森川光又很重视你。如果你是我，会放你自己走吗？"

如果说之前裴诗还抱着一丝侥幸和希望，听到这个解释后，就已是完全绝望。是她考虑事情不周到，完全没想过组长那边的关系。她静静地站了一会儿，虽然心有不甘，但也恢复了平时的样子："既然如此，我先回去了。明天公司见。"

她才刚走几步，彦玲已经气喘吁吁地跑过来，指着通往草坪的玻璃门："裴诗，你……你让少董喝了酒？"她看向桌子上那一排空杯子，一副恐慌的模样，"你还让他喝了这么多？！"

裴诗怔住："为什么不能喝酒？"

"彦玲，你别大惊小怪。先走吧。"夏承司后面那句似乎是对裴诗说的，却又没有看她。

彦玲愤然地瞪了一眼裴诗，立刻跟着夏承司走了。

裴诗很是莫名地看着他们离去的背影。说对夏承司的事不好奇肯定是假话，但她向来不爱做无意义的事。虽然后来在夏承司那里吃了亏，但这个晚上她的目的也算达到了一半，再继续待下去恐怕夜长梦多。她发了一条短信给森川光，拉了拉被夏承司撕烂的裙边，找服务生要回自己的外套，静悄悄地离开了订婚宴会现场。

夜色渐浓，宴会才刚进入高潮，裴诗已在风中将外套旋了半圈挂在肩头，纤长的背影消失在大门前。夏承司站在人少的地方目送她渐渐远离，紧绷的神经忽然放松，胸口却像涌起了潮汐。疼痛如同利刀刺穿肝脏一样席卷而来。他闭上眼睛，几乎能听见风的呼吸，夜的声音。

"少董，少董？"

头部一阵眩晕，他只看见彦玲的手在面前晃了晃，便陷入更深的模糊。身体里像是有蜂巢被捅破了，满脑子也都像住满了蜜蜂。

"没事。"

夏承司扶了扶额头，想走到一边坐下。可是，那种千万蜂针穿破身体的痛苦忽然一拥而上——他立刻捂住了嘴，但手心还是载满了滚烫的液体。根本没有时间去看究竟发生了什么，他闭着眼，试图保持冷静，调整呼吸，可是剧痛又一次夹着黏稠的液体冲了上来。

看见眼前这一幕，彦玲已经吓得双眼发直，说不出一句话：少董的手捂着嘴，但大量鲜血从他的指缝间流出来，而且越来越多，从滴落下来，变成汩汩流了满地。

"救，救人……！大家都过来，赶……赶快救人啊！"她脸色发白地冲过去，嘶声大喊起来。

与此同时，送裴诗回家的路上，森川光侧了一下头："救护车的声音？好像是朝着我们来的方向去的。"

裴诗沉默着打开窗子，看着救护车高速开往的方向，心中忽然有了不好的预感。不过，虽然彦玲反应很激烈，夏承司看上去却很正常，完全没有一点不适应的样子。如果他酒量真的那么糟糕，早就该醉了。可惜越这么想，那种不安的感觉就越明显。很想回去看一看发生了什么事。如果出事的人真是夏承司，那她的责任就大了，毕竟灌他酒的人是自己，如果彦玲再气愤地补充几句，好不容易到手的机会就会又一次溜走。而且，夏承司这个人太难琢磨。他对她回来的事一点不好奇，也不过问。当然也可以理解成是他本来就是这样的性格，但如果现在需要抢救的人真是他，他为什么要牺牲这么多去和自己喝酒？有没有可能，自己进入公司时本来的身份和目的……他一开始就知道了？而借酒套话的人，其实是他而不是自己？

本来一直就是在钢丝上行走，她不可能再为无关的事冒更大的险。她重新把窗子关上，没有再提起任何和订婚宴有关的事："这附近人多，救护车警车也经常出现。应该不是什么大事。"

然而，却突然想起舞池中发生的事。那支灵魂的探戈如此张扬，明明旋转在紫色的灯光下，却令她有一种在黑暗中完全裸露的感觉。她用外套把从裙子裂缝中露出的腿盖住。

回到家里时，所有的灯已经熄灭。裴诗轻手轻脚地走到裴曲的卧室，来到床边替弟弟盖了盖被子，却听见裴曲低低地说道："姐，你回来了。"

"还没睡着吗？"她在他身边坐下。

"一直在想你的问题。"

"我的问题？"裴诗微微一笑，伸手摸了摸他的刘海，"姐姐有什么问题？"

裴曲在漆黑的夜里轻轻地呼吸，小声说："姐，收手吧。我觉得这样高调地以爸爸孩子的身份露面，本来就是一种错误。我不希望你再错下去。"

"我也不愿意借爸的光。可是，小曲，我们的时间不多，如果没有个三年五载，完全靠自己的实力闯出名堂是不可能的事。"

裴曲抬起脖子，急切地说："我不是这个意思。我是说这整件事……姐，每次你一碰小提琴，我都觉得很可怕……我，我喜欢你这六年里的样子，很温柔，很善良，我不想你变成以前的状态……"

温柔，善良？这不是在形容天使一般的小曲吗，几时轮到自己的头上了？裴诗忍不住轻笑。或许这几年她曾经被小曲同化过，可是，这不代表她就要变成他这样的人。如果她也和他一样了，那又有谁能保护他呢？

她之所以变成天使，是因为没有能力变回魔鬼。

"好了，小曲。"裴诗打断他，顺着他的额头摸下来，拍了拍他的脸颊，"别任性。"

"姐，这世界上并不是没有温情的。你不要总是记住那些不好的事，你想想那些对你好的人，想想当时在伦敦医院救了你一命的匿名好人啊。"

裴诗愣了愣，在黑暗中对他微微一笑："你担心太多了。你知道不论发生什么，姐姐都不会离开你。早点睡吧。"

裴曲睡着以后，裴诗悄悄打开了台灯，拉开裙子的拉链，露出右上腹的肌肤。然后，借着昏黄的灯光，她看见了一道细细的手术伤疤。通常情况下，双胞胎如果是异性，那一般是异卵双胞胎；同卵双胞胎的婴儿一般都是同性。同卵的异性双胞胎几乎是不存在的。但如果原本的男性双胞胎在受精卵分离时，XY染色体里的Y染色体消失，其中一个就会变成XO，即女性染色体。这种情况下，对男婴的身体会毫无影响，但女性就会因为染色体丢失与异常而患上特纳综合征，导致后天一些功能不足。有的人体现在身材矮小、颈后发际低、色素沉着痣等外貌异常，也有人体现在无经女性疾病、血管瘤以及内脏畸形等健康异常。

裴诗就是属于后者，天生肝脏异常，但从小到大只是肝功能虚弱，并没有特别严重过。直到几年前在英国时因为感冒突然发作，转化成病毒性肝炎，而后由肝炎病毒引发了爆发性肝功能衰竭。当时医院内器官紧缺，医生对她进行了体外人工肝支持，但都没法挽回病危的状况。直到一个匿名人士主动捐赠了1/2的活肝脏……

裴诗摸了摸那条伤疤，忍不住叹了一口气。如果当时不是这个匿名人士舍己救人，她可能当时就会死在手术台上。这样重大的恩情她一直觉得无以回报，无奈无论怎么逼问医生，医生都说要尊重捐赠者的意愿不透露真实姓名，甚至连性别、年龄和国籍都不告诉她。只说捐赠者带话给她，说她只有十来岁，要爱惜自己的身体。那是她出生以来第一次为世间人情温暖所感动。她无数次破天荒地去教堂为好心人祈祷，盼望他或她在手术过后能早日康复……可是，这一切是太久以前的事，久远到她已经快彻底忘记了。或者说，久到她想逼自己忘记。

裴曲早已沉沉睡去。很多时候，她都觉得，自己的弟弟就像是一面镜子，灰尘累积在他的身上可以盖住他的纯洁，却不能玷污他的内心。她打开了手机，看着背景里昏黄照片上父亲的笑脸，忍不住抚摸着裴曲的额头。他们是如此地相似。

我们的生命就是在这样无限循环着。

小树在阳光雨露中茁壮成长，枝繁叶茂，开花结果，最后树木枯萎，又有新的种子落入土壤，延续上一代的生命。

小曲说得没错，自己现在所做的一切，可能都是错的。

可是人生并不是一个问题，可以让我们寻找办法来解决。它是一道敞开的大门，从来不曾束缚过任何人前进的步伐。如果哪一天发现一条路走不通了，那一定是因为我们自己在上面加了锁。这把锁可能是甜蜜的回忆，过去的荣耀，曾经爱过的人，甚至是某一段熟悉的音乐旋律。

这个世界上如果没有错误，也不会有生命的存在。如果没有错误，或许也不会爱上某个人，念念不忘某段早该放弃的回忆，孕育在母亲的子宫里，也不会变成现在的我们。

当我们走在熙熙攘攘的街道，看着一张张擦肩而过的陌生面孔，你永远不知道谁将进入你的生命，谁又会在下一刻离开，谁的背后又发生了多少故事……

借着月光，裴诗替弟弟整理了一下微乱的刘海，又看向满书柜中记载着父亲生平的图书与报纸剪辑，最后视线落在了墙上一张泛黄的照片上：右下角写着那张照片的拍摄时间，那是父亲死亡的前一天，他带着两个孩子在公园里拍的。照片的一角上，有一个淡到几乎无法察觉的熟悉身影。如果不是那顶帽子，那双鞋，她也不会想太多，现在更不会出现在这里。而那道影子混在嘈杂的人群中，像是一个肉眼无法看见，却被相机捕捉到的白色幽灵。

萤火虫腹部散发的光，是为求偶发出的信号。

星光像银河抖落的千万只萤火虫，成为了大都市千万灯火的倒影。盛夏的夜景太绚烂，让人们忘记了，夜，其实本来是黑色。

第十七乐章 ♪ 夏氏少董

命运这种东西并不准确，使它变得准确的，
是你的信任，以及令你变成它所描述模样的自我暗示。

欧元、美元、人民币。

——城市金融区的中心，一栋摩天大厦楼顶，三个立体的蓝色货币符号就像它们撑起的世界三大经济体，它们之间连接着黄金的桥梁，形成了维系全球金融平衡的三脚支架。

八月的酷热一直延续到了九月。伦敦奥运会才刚结束，英国光是贩卖那只像极了《怪兽电力公司》中大眼仔的吉祥物就赚了八千六百万英镑。刘翔负伤单脚跳到跑道终点亲吻跨栏引发的哭声和叹息声尚未结束，八岁到八十岁的雌性生物还都陶醉在孙杨拿下金牌后充满爆发力的嘶吼和八块腹肌中，在全球高鼻子白皮肤的生物都对十六岁叶诗文的羡慕嫉妒恨中，人们还在热议究竟是日本的男子体操运动员更像女人还是泰国的举重女选手更像男人时，不知不觉中，这一场热血的奥运梦已燃烧了整个夏天。

但是，这丝毫不影响金融圈的豺狼和小丑们坚定不移地互相厮杀。

阳光照亮了银行大楼往西街区中的盛夏集团。它是一栋线条简单、构造严密、玻璃皮肤、钢筋骨骼的现代化高楼。除了好像是机器削出的完整平面和立面，它没有任何的装饰，冷冷的玻璃窗连成一片，像是被线条割开的深冬冰河，从一楼一直凝结到顶楼。在六十三层楼的办公室中，墙上的世界地图上，除了已经布满了"盛夏"标记的亚洲地区，欧洲正西方岛屿上的几个点以及德国柏林也画上了新的绿色待工标记。光线透过带状玻璃窗射入办公室，同时照亮了地图一角盛夏集团首席执行官棱角锋利的署名——夏承司。

年轻的首席执行官背对着那张地图，眺望对面屋顶三大货币的海报。他微笑着对海报的方向伸出手，在空中划下了一个欧元的符号。

古代欧洲的骑士，都很讲究一种叫作"骑士道精神"的观念。一个勇士想要成为优秀的骑士，必须勇敢、忠诚、自持、守信。他们从来不会从敌人面前逃走，也从来不会从背后袭击敌人，更不会抛弃战友。他们对每一个人包括敌人都充满了敬意，你仿佛可以看见他们一边用骑士剑把对方脑袋削下来，一边还风度翩翩地说着"My dear fellow, I do hope your mother is well[1]"。

每个骑士心中一定有一份以心中女神为信仰的courtly love，我们管它叫作贵族之爱或典雅之爱。早在11世纪的法国南部，就有了这种爱情的出现。当勇者决定要成为骑士的那一瞬间，他就会在心中选择这样一个女人，并终生为她而战。她的地位往往非常高贵，是女王或者贵族小姐，也或是自己主人的妻子。他不求她肉体或感情上的回报，不论她要他做什么，他都会完成；不论她怎样羞辱他，他都会觉得这是她的可爱之处。就算她冤枉了他，让一群骑士殴打他，他即使有着以一敌众的能力，也不会违抗她的命令，他会卸下防备让其他人把自己打得遍体鳞伤。自古以来，courtly love都被西方人歌颂为最高尚的爱。

一个企业的建立，就像是一个帝国的兴起。董事长是统领帝国的国王，董事会是效忠于国王的贵族骑士，操纵着员工的管理层是骑士，普通员工则是浴血奋战的士兵。

新来的前台接线员把刚从法国买回来的手袋放在桌面上，一脸花痴地捧着印有夏承司头像的报纸说："我觉得，董事长就是那个国王，夏承司先生就是那个贵族骑士，那么，裴裴，你说谁才是他心中的courtly love呢？"

---

1 亲爱的朋友，希望你的母亲健康

听见那个"裴裴"，裴诗脸上立刻起了一层肉眼看不到的鸡皮疙瘩。本来想无视她直接进电梯上楼，看了一下时间还早，就停下来冷不丁地吐出两个字："他妈。"

"啊，不能是他妈妈呀，那是乱伦。"

这种重口味的话题在别的地方听见还好，但在庞大机械物一般的盛夏集团，简直像是看见夏承司头戴花环身穿沙滩裤在海边欢乐地奔跑一样。

裴诗本想走人，却看见对方又一次花痴地瞅了瞅报纸说："说不定哪一天，他也会为了女神而战。裴裴，你在他身边当秘书这么久，觉得当他的助理和秘书有没有可能变成他心中的lady呢？"

"说到骑士，古代每个骑士都有三匹马，不知你听说过没？"

"不知道噢。"

"第一匹是战马，身穿和骑士配套的白银盔甲，最为英姿勃发、高大矫健，是和主人一起出生入死、荣耀与共的好伙伴；第二匹是坐骑马，身披黄金盔甲脚踏真皮马鞍，体力好而且外形漂亮，是主人逛街泡妞时骑着散步的；第三匹是行李马，身上挂包裹，背上扛长矛，总是耷拉着脑袋，最病弱也最没用，说不定主人哪天饿了就会杀掉它做汤喝。对夏先生而言，彦玲是战马，他的司机是坐骑马。"裴诗陈述完上述事实，淡淡地说道，"我是行李马。"

看着对方一脸诧异眼眶湿润的样子，裴诗有些后悔是否这样说太残忍了。毕竟看这架势没多久夏承司就会叫人换了她，自己居然还在这种时候打破对方的美梦，实在有些不应该。

"那行李马有可能变成战马或者坐骑马吗？"

出于不忍心，裴诗只好说："可能吧。"

等了一会儿，对方的脸上居然渐渐泛出了一丝潮红。然后，她低声尖叫着捂住脸："……那岂不是要被夏先生骑！裴裴，你……"

裴诗呆了呆，扶着额头，更加后悔自己跟她说了这么多："不，其实你误会我的意思了……"

"真是好幸福啊！"

"……"

裴诗觉得自己的毒舌有点侮辱对方的智商，但认真对待又有点羞辱自己的智商，于是终于放弃说话，转身进入了电梯，走进了六十三层楼的盛夏集团执行董事的办公室。

坐在办公桌前的男人正翘着腿，翻看着项目负责人递交上的新建大楼策划。

他有一双浅棕色的明亮眼睛，颜色恰好比他左耳的黄水晶耳钉暗几个号，但因为高高的眉骨和鼻梁的侧影而显得凹陷深邃。他的眼中写满了好像对任何事都漠不关心的坚定，同时，又有一种为完成指标六亲不认的冷酷。这样的面容就像是地球运转的定律，或是设计好方程式的完美机械，不会容忍一分一毫的误差。他确实也是这种人——只要他愿意，就可以完成任何想要完成的事，而且可以轻轻松松做到第一。然而，即便是在他最热衷的地产业中，他也从来不与任何人比较，他要的从来都是"做得到"，而非"做得比你好"。也正是这种冷静，让他五年前从徒有亲爹的公子哥一跃成为各大杂志周刊的封面风云人物。

没错，在她面前完好无损坐着的男人，就是夏承司。看见他能量十足的模样，她经常怀疑之前在医院看到的他不过是一场幻觉。

"重做。" 随便扫了几眼策划案后，他就把真皮簿像推冰球一样，丢在光滑的桌面上。负责人唯唯诺诺地应着声，拿起簿子倒退着走出门外，完全把差点撞到的裴诗当成了透明人。裴诗发自内心不愿意来这里上班，所以连话也没和夏承司说，就坐在自己的办公桌前开始了一天的工作。

"去买早餐，双份的。"

听见夏承司头也不抬就冷冰冰地说着这句话，她忍不住腹诽这个男人果然不会愧对发给她的工资，只要一有机会，就一定会竭尽所能榨取她的剩余价值。板凳还没坐热，就又被打发去当跑腿的，她不是行李马谁是行李马？而夏承司最难伺候的地方，就是长了一张很刁的嘴，却从来不说自己爱吃什么。

好在熟能生巧，看他胃口这么好那就更不能选错。她买了双份的芒果百香果鲜榨果汁和波兰咖喱香肠，这两种食物和油条豆浆是他早上从来没有嫌弃过的。送回办公室的时候，他果然优雅而快速地吃完了其中一份。但她还没来得及进行每日例行的邮箱检查，就又一次听见他说："吃不下了。"

夏承司是从来都不会剩下食物的。裴诗觉得很奇怪，却没有多问。她走过去，拿起另外的食物就打算拿出去丢在垃圾桶里，却被他打断："丢在公司里会有味道。"

"我拿出去丢。"

"这么浪费食物，你想被扣工资吗？"

她的嘴角抽动了一下。这种明明是自己的错却怪到别人身上的行为真是无比欠虐。可这家伙偏偏是自己的上司，性格又让人捉摸不透，实在不好对他说刻薄话。

"夏先生，那我该怎么做呢？"

"吃了它。"他对着另一盒完全没碰过的香肠扬了扬下巴，命令道。

她很想把那些食物抽出来填到他的嘴里，说"夏公子你真把我当成垃圾桶了啊"，但看见他眼神的那一刻，身为他下属的奴性和胃部的饥饿感翻江倒海般在体内滚动。她接过那份早餐，回到自己的位置上默不作声地将它们全部啃食干净。

从上一次在柯娜音乐厅里公开表演后，从那一天晚上宣布要建立一支自己的乐队后，她就再也没有哪一天睡足过五个小时，更是忙到没时间吃早餐，毕竟需要做的事情太多了：寻找有才华的乐队成员，要和钢琴手弟弟裴曲配合演奏，作为一个管弦乐队的核心——首席小提琴手，她更是要做到在演奏小提琴时无懈可击。

好在从小她就习惯每天早上练一个小时的基本功——音阶、连弓、跳弓、切换把位，等等，所以重新苦攻了一下最熟悉的 *La Campanella*、《茨冈》、

《魔鬼的颤音》，她在柯娜音乐厅中的表演也依然令人过耳难忘。可是，小提琴到底是所有乐器里最难上手，也是最容易下手的。一旦停练一段时间，手指很快就像失忆一样变得非常陌生。五年的空窗期到底还是太久了，这段时间她几乎每天都在努力恢复过去的水平，哪怕给琴装了消音器，半夜三更也不免被邻居敲门抗议许多次。最后她实在没有办法，只有把五线谱架、松香和小提琴都搬到洗手间里去，打开家里所有的窗户让噪音传进来，再把自己锁到洗手间里偷偷练习。这样确实不再有人打扰，可是一个人被关在那么小的空间里做有氧运动，每次出来都会觉得呼吸困难，还因缺氧变得特别疲倦，倒在床上就会睡死过去。

本来就已经忙得焦头烂额，累得苟延残喘，她却还要朝九晚九地陪夏承司加班。这是夏承司让人头疼的公平性，那就是不论你在别的领域里多么有成就，在他的公司里，他还是会把你当成驴使唤。

"给我订两张28号飞伦敦的机票。"他又一次头也不抬地命令道。

"明白。"

他之前在伦敦就做房地产投资，买过五星级酒店，这段时间又将"罪恶的魔掌"伸向了欧元区，所以只要看到欧元的符号，哪怕脸上看不出笑意，眼中也会闪过仿佛野兽看见猎物时的光芒。这一次去英国，应该就是想要在那边召开会议布置下一步的动作。她立即打电话到机场，用他的白金卡订了打折的头等舱机票，然后把纸盒和杯子收拾好端出办公室，为避免boss挑剔病发作专程跑到楼下去扔垃圾。

谁知刚走到大厅，居然看见接线员和另一个女职员在聊天。两个人笑得特别开心，见裴诗来了，接线员笑嘻嘻地说："裴裴，你生日是什么时候呀？"

"10月30日。"

女职员眨眨眼："天蝎座呀，这不是最神秘、报复心最强的星座吗？这从裴大秘书身上完全看不出来啊。"

"报复心强没看出来，但神秘是真的。裴裴，你可要小心哦，到明年年底为止，天蝎的运势都不是特别稳定，事业可能会有很大的起伏，爱情上……我看看哦……"接线员翻看着网页上的星座预测，摸了摸下巴说，"桃花运会相当旺盛，可惜都是烂桃花。真命天子可能一直在你身边，可是你会被各式各样的优秀异性迷昏了眼，导致看不清前方的道路……裴裴，你叹气做什么呀，这可是美国最厉害的占星师预测的，很准的哦。"

裴诗从来不相信星座、生肖、八字、风水等与命运预测有关的东西。她一直觉得，命运这种东西并不准确，使它变得准确的，是人的信任，以及令其变成它所描述模样的自我暗示。

"好吧。"她敷衍地回答后，就跟着几个人进了电梯。

凑巧的是，电梯里也有两个女职员正在悄悄讨论着恋爱的事情。这才发现公司里也不是所有的女人都是灭绝师太，真正朝着这个方向前进的人只有自己。这样算下来，她活了二十多岁，恋爱次数居然还没突破鸭蛋，甚至从来都还没喜欢过什么人，这似乎不太正常。可是，当一个人精神世界非常饱满的时候，感情这种东西也就不再那么重要了。难怪那么多的艺术家孤独终老，就像她，有了一把小提琴，就可以一个人消磨掉一整天的时光，一直没人要也就不奇怪了。

这时彦玲刚好拿着文件夹也进来了。她和裴诗点头示意后，跟着大家一起沉默地看着楼层数字往上跳。快到三十多层时，她忽然低下头说："你这两天工作有好好完成吗？"

裴诗怔了怔："我？"

"对。"彦玲指了指自己的太阳穴，眼神异常犀利，"你这几天似乎工作效率不理想，昨天下班的时候少董问我你是不是没吃早饭，一副没精打采的样子。你小心点，他已经有所察觉了。"

效率怎么会不理想？累是累，但一直有好好完成工作。裴诗完全不理解了。除了偶尔在走廊里会突然头晕，就停下来靠在门上，但还不至于连夏承司都会发现……难道说，刚才那一份早餐是他故意……不大可能吧，夏承司是这种人吗？

当然，这想法在进入办公室后立刻被抹杀在了摇篮里。

"叫你订去伦敦的机票，有一张是你自己的，你居然两个都订头等舱。"夏承司摇了摇打开邮箱的手机，挑着眉毛淡淡地说道，"怎么，这钱打算自己掏？"

裴诗微微张开嘴，半晌都合不上去。这男人让她和自己一起到国外出差，居然完全不问她是否同意，太霸权主义了。最让人觉得难以接受的是，他的态度让你觉得自己被他差遣出国是理所应当的。

"我只是选了票截图给您，还没有填写乘客信息。对不起，我现在就去改。"

"不用改了，这钱从你工资里扣。"

"等等，夏先生，这明明可以……"

话未说完，夏承司已打断她："鉴于你过往的信誉度，改成延长工作合同的时间，按日计算。"

她特想大笑三声，再抽自己几个耳光。按照他这样的改法，这辈子她都得被他绑在身边为他当牛做马。国际航班的头等舱，这都是什么价位啊！刚才是谁觉得夏承司是故意留早餐给她吃的？有如此天马行空的想象力，还当什么小提琴家，她该去当作家才是。

"明白了。"她言不由衷地说道，"夏先生去伦敦几天，需要我准备什么东西吗？"

"开会，一周。"

"可是，这么短的时间内签证拿不下来。"

"签证一周内可以拿到。下午我要出去见客户，你中午回去把需要准备的资料都带过来。"他伸长了腿，双手插在裤兜里。

"是。"

"把这份文件校正一下。"

"是。"

她接过他递来的优盘，插入自己的电脑接口。拷贝文件的时候，她不时抬起头朝他的方向看去。眺望窗外的街道，人工种植的树丛在一阵细风中闪烁着绿油油的光亮，绵延到了数公里之外，和老城区的法国梧桐相连接，渲染出了一片动感的颜色，却生在一座对它们无人问津的冰冷城市里。夏承司低下头四十五度角的侧脸相当漂亮，在办公室里从来不像那些半秃头的各路总裁皱着眉一副难做人的模样，反倒是以一种平静轻松的神情去对待工作，这令他散发着别样的优越感。

她越发觉得他的恢复力好得惊人。当时医生嘱咐他还要住院一周，他很配合地照顾着自己的身体，但是连在医院他都不忘公事，还把她叫过去分配工作。穿上病号服的他比打着以温莎公爵式领带的样子柔弱多了，甚至还有一丝绝不可能出现在他身上的邻家大哥的气息。可是这个男人年纪轻轻就学会了如何hold住气场，只要有人来探病，他就一定不会躺在病床上，而是随身抽出一件道具，诸如茶杯、策划书、英国金融时报、商务平板电脑等，拿在手里坐在椅子上，做出一个身残志坚伟大领导的形象。面对她这个下属，他硬撑的毛病显然更加明显。她第一次过去的时候，工作堆得比较多，两个人交流了二十多分钟还没有结束。中途她出去接了个电话，回来的时候他已经坐在床上，但一见她进来，他又一次坐回到之前的椅子上，拿着她带来的合同冷冰冰地交代任务。

此时，他好像是对她的注目有所察觉，抬起头来像是在评估地产一样，不带感情地看了她一眼。她把视线重新转移到显示屏上，觉得自己当时肯定是脑门被驴踢过，才会觉得当时生病的夏承司有一点点可爱。

一个上午的工作结束后，她按照夏承司的要求回家准备资料。小曲没在家，但电脑的显示灯还亮着，主机的轰轰声让人听了都觉得燥热。太宅的孩子总是有万年不关机的习惯，连睡觉都要与电脑的辐射一起入眠，这毛病无论说几次弟弟似乎都改不掉。她过去晃了晃鼠标，准备帮他把电脑关掉。屏幕保护退去之后，一如既往地能看见他开的十几个网页和跳动的QQ头像。

她直接点了关机，很尊重他的隐私没有看任何聊天内容。但是，当网页一个个自动关闭，最后一个网页上写的一行字让她稍微愣了一下——"夏娜&Emanuel Sandor，罗马尼亚完美小提琴钢琴合奏 *La capricieuse, Op.17*。"视频上传的时间是两天前，暂停在夏娜穿着金色长裙陶醉拉琴的画面上。她知道夏娜这段时间去了欧洲东部表演，但没想到裴曲居然在关注她的演出情况。刚想多看几眼，电脑已经进入了关机模式。她没时间多想，就把手机和材料都带上，在楼下拍了签证照片就赶回了公司。

午后，裴诗回到公司，在大厅里看见了一个婀娜的女子背影。那个女子被一群人包围着，穿着一条腾龙刺绣连衣裙。这条裙子是由知名设计师结合东西方审美手工制作而成的，是第一件在伦敦V&A博物馆展出过的华人服装设计。这是一件内敛知性的精工服饰，穿在她的身上，却散发出了类似帕丽斯·希尔顿般华丽嚣张的气焰。

前面有几个西装男挡住了她的去路，其中一个恭恭敬敬地说："夏小姐，夏先生今天要接见重要的客人，暂时不见其他人，您还是改天再来吧。"

"见客？那是我亲哥哥，你们居然说我是'其他人'？"夏娜抱着胳膊，一脸的不可思议，"放心好了，虽然我刚从东欧回来，但绝对不会带什么传染病给他的！让开，我要上去找他！"

"夏小姐，夏先生真的特别交代过，今天连董事长来都……"

"让开！"

凌厉的呵斥声让几个男人更加为难，他们面面相觑，视线四处搜寻，直到停留在后方的裴诗身上，才如获大赦般对裴诗挥挥手："裴秘书，请快点给夏先生打个电话，说夏小姐要见他。"

一听见这个姓氏，夏娜的耳朵都快立了起来，她掏出镶满雪白珍珠的手机，愤怒地拨通了电话，指甲在触屏上敲得啪啪作响："你们是在开玩笑吧，我联系自己哥哥还需个小秘书来传达？我自己打电话给他！"她不耐烦地用鞋尖点地，回过头来轻蔑地看了一眼裴诗，狠狠翻了一个白眼，出口的声音却是嗲嗲的："二哥，你让下面这群人放我上去啦……什么？为什么不见啊……可是，可是我有给你买礼物，都给你带来了……好，好吧，那我改天再过来。"

挂掉电话，夏娜悻悻地看了一眼裴诗："你那是什么眼神？"

裴诗目不斜视地按下电梯按钮，没搭理她。

"裴诗，我在跟你说话，听不到吗？"

"怎么了？"她这才慢慢地把视线转移到夏娜身上。

"我听说你向我下战书了。"

"不是我向你下战书。是夏先生说，柯娜音乐厅是盈利性质的艺术厅，谁更有商业价值，谁就可以为它成立官方管弦乐队。"

"我知道你小提琴拉得不错，但你也应该知道，在这个时代光有才华是不够的。什么是商业价值？就是对消费人群有影响力的意思。作为大音乐家的女儿，你的身上确实有不少话题，但是也仅此而已了。你在盛夏集团工作了这么久，难道你连和我之间的差异都看不出来？"

"什么差异？"裴诗不卑不亢地说道。

夏娜睁大眼，忽然笑了，像是在嘲笑她的不自量力。"看看你，"她摊开手指向裴诗，"再看看我。这差异你还看不出来？"

"虽然我不理解你在说什么，但夏小姐，既然你如此有自信能赢过我，就不必多说了。"刚好这时电梯也到了一楼，她等电梯门打开，朝里面走去，"我们回头见分晓。"

"慢着。"夏娜伸手拦住她。

"还有什么事？"

"我们还没有把决定胜负的方式定下来。"

"这个夏小姐来定，我随意。"

"发行音乐CD，可以是团体，也可以是个人，任何形式的曲风，谁赚的钱多就算谁赢。"夏娜抱着胳膊，鲨鱼牙型的耳环在咖啡色的卷发中闪闪发亮。当她稍微有点动作，那些光泽也会随着她的气焰一起跋扈地抖动。

"行。"

见她答应得如此干脆，夏娜觉得浑身的血液都在往脸上冲——这个女人不知道是太过自信还是太愚蠢。是，裴诗确实有音乐天赋，但现在的市场要的可不是单纯的音乐家。就这种一板一眼又完全不懂包装的样子，怎么可能吸引别人去听她的音乐？而且，自己与柯泽在国内音乐界的地位，就像是皮特和朱莉在好莱坞的地位一样，影响力怎么也不是她这个新人可以比的。

"我看我们还是不要浪费时间了。"夏娜越想越开心，叹气道，"裴诗，你赢不了我的，弃权吧。"

"不。"

夏娜觉得自己的耐心快被这女人耗光了，她又一次伸手挡住裴诗的去路，拿出手机快速拨通一个电话："你进来。"

"夏小姐，麻烦你让开，我还有工作要做。"

"你等等。我让一个人进来见你，如果你见了她之后还要继续坚持，那我也不再试图说服你。"

话音刚落没多久，大厅门口已经出现了一袭白色的倩影。她将一头秀丽的卷发松松地盘在脑后，身上穿了一套雪白的蕾丝连裤装，腰带是嫩粉色，高跟鞋是白色条纹状。除了手中的米白色小皮包，她身上毫无装饰，却已经美得无以复加。原本就长得漂亮，这一身打扮更把高挑的她瞬间拉高到了模特的水平，一路走过来，连盛夏集团里机器人般的员工们都忍不住对她频频注目。

裴诗看着她，眼中有转瞬即逝的错愕。但裴诗反应得很快，一下就想明白了是怎么一回事，只是静静地看着她靠近。很显然，她看见裴诗以后也惊呆了，脸上甚至露出了尴尬的神情，但不愿意再多看裴诗一眼，只是加快脚步走到夏娜身边，皮笑肉不笑地说："娜娜姐。"

听见这个称呼，裴诗更加确定自己的猜测没有错，夏娜接下来的话也验证了这一点："现在重新介绍一下，这是我未婚夫才签约的小提琴手韩悦悦，也是我接下来的二重奏搭档。"

韩悦悦的眼神闪烁，一直没有直视裴诗，原本高高瘦瘦如模特般的魅力，也因为别扭的动作黯淡了下来。裴诗盯着她看了好一会儿，终于轻轻地哼笑一声："现在介绍完了，我可以走了吗？"

"……你！"夏娜明显没猜到她会这么说，气得上前一步却再也没有拦她。

裴诗走进电梯。这时那群本来在拦夏娜的男人中，有一个年轻清秀的站出来，把一个牛皮纸信封递给她。她不解地看了一下那个信封，男人匆忙解释说："这是夏先生让我转交给你的。"

她随口应了一声，心不在焉地把它装进手里的文件夹中。看着电梯门外的韩悦悦，她从对方眼中读出了复杂的情绪，像是愧疚，又像是怨恨；像是解气，却又有着不甘。她知道悦悦在恨自己什么。两个人认识这么久，自己却假装外行一直欺骗她，告诉她自己不会任何乐器，栽培她只是为了完成自己成为经纪人的梦想。看过了她在音乐上的所有自负与挫败，实际上自己却是音乐家裴绍的女儿，并且从五岁就开始拉小提琴，不要说是敏感而小女人的悦悦，即使再大度的人，都会觉得自己被当成棋子耍了。

虽然有所隐瞒，但裴诗确实是把所有的本事倾囊相授，毕竟谁也没有想到她几乎废掉的手会有康复的一天。这份诚意，想来以后也无法让悦悦明白了。她快速按下六十三层的按钮。电梯门遮挡住了韩悦悦蹙眉时漂亮的脸。

推开执行董事办公室的门，裴诗晃了晃手中的文件夹说："签证需要的资料我都准备好了。我现在去预约大使馆吗？"

"先拿给我看看。"

夏承司依然埋头专注于手中的工作。接过她的文件夹以后，他快速地翻了翻她填好的申请表，鼻间轻哼了一声："除了名字，居然没有几项和当初你给我的简历是一样的。"

"夏先生如果不满意，可以按公司规定解雇我。"

谁知夏承司这回连拒绝都不给，直接把凌厉的目光从表格上转移到她脸上："别忘了，你是想进入柯娜音乐厅的人。别考验我的耐心。"

"但是，夏先生是想和Mori合作的人。"

裴诗扬起嘴角，眼中却没有一丝笑意。可就是这个表情已经让她比冷冰冰的样子绚烂了很多。在蓝天的烘托下，她的身影像是精工绘制的一幅画，眼中写满了毫不畏惧。他的眼睛微微眯起来，像是闪烁着不易察觉的意趣，却又有着一如既往的认真："今天晚上我和你先生吃饭，可以聊聊这个话题。"

她的心跳快了一拍——他会不会试探森川少爷？自从手恢复以后，她一直专注于音乐，完全没有时间和森川光沟通。如果穿帮，那这个男人就等于完全抓住了自己的把柄。不过无论如何，她都不会露出一点担忧。她脸上挂着犹如枷锁般的笑："荣幸之至。"

他没再回话，只是继续翻看她的文件。忽然一个牛皮纸信封掉在桌面上，他捡起来把它打开，展开里面的信纸。看了几行字，他的眼中闪过短暂的迷惑。她立刻说："不好意思，这个我忘记拿出来了。"

他把那封信看完，一直没有说话。她知道他一向对任何事都要求苛刻，有一种让所有的事都像机械般完美运转的偏执症，但是没想到放错封信都可以让他沉默这么久。她正想着如何打破沉默，他却用两根手指夹起那封信，摊开手心递给她："如果不是我检查你的文件夹，这种东西你也打算交到大使馆去？"

原本想解释一下刚才的情况紧急，但心中清楚自己的上司最讨厌的就是寻找借口，她干脆微微欠身把信接回来。结果看到第一段话她就呆住了：

"亲爱的裴小姐，很抱歉我没敢当面向你告白，只能找借口把这封信塞给你。其实，从你最开始进公司的时候我就被你的美丽吸引住了，但鉴于公司规定和你的冷淡从来不敢靠近。自从上次看过你在柯娜音乐厅的演奏，我才知道，原来我偷偷喜欢着的女神竟是一个优秀的小提琴家。我陶醉在你的音乐中不可自拔，随着时间的推移，对你的感情越来越深，你几乎每时每刻都占据了我的大脑，让我白天无法认真工作，夜晚辗转难眠……"

"这……"她错愕地看了他一眼。

"这人是公司里的吧。你自己处理。"

"知道了。"她有些窘迫地握紧了那封信。

"材料先放在我这里，签证我找人帮你送，你先去给我泡一杯咖啡。"

"是……"

她迅速转过身，几乎是一路小跑出了办公室。关上门的瞬间，她的脸颊竟然微微发红起来。这算是什么？居然有人会给我写情书，这实在太奇怪了。看见最下面留下的邮箱和电话号码，她的脑中浮现出了刚才在一楼年轻男人略显局促的样子，然后用力摇摇头，让自己不要多想。虽然夏承司很讨厌，但在不玩办公室恋情方面，她绝对是举双手赞同的。

办公桌前，看着她在玻璃外自己纠结了半天，还像自我催眠一样摇晃脑袋，转角走入了茶水间，夏承司轻微地笑了一下。他把她的文件夹收好，本来想装进抽屉，但她为签证拍的一寸照掉了出来。她习惯把东西多准备几份以防出现意外，所以这次的照片也多出了一张。他静静地看着照片，把其中一张一寸照片拿出来，装进了自己的钱夹。

第十八乐章 ♪

艺术伦敦

懂女人的男人，高情商的女人，是恋爱中最难对付的人。

海边的别墅中，一名白衣侍者把茶点送上来，放在客厅角落里仿佛炼乳酿制的多角小茶几上。除了沙发和茶几等家具，室内的玻璃窗、门以及楼梯等装潢几乎都是透明的，这令整个家看上去像是一座藏匿了宝藏的空中之城。

　　这个侍者与主人都是爱笑的人，不同的是，侍者脸上的笑容是恭敬而令人愉悦的，主人的笑容却是疏远的，像雾一般令人迷惑。主人静坐在茶几前，身上穿着一件面料精良的衬衫。衬衫扣子是来自日本海里捞来的稀有珍珠贝母，衬衫本身却是由女设计师在巴黎手工制作而成，然后他们将它运回日本，穿在他的身上。因为被某个人说过"组长真瘦啊"，他嘴上不说内心却一直很介意，那以后他很少穿深色的衬衫。海边的天渐渐黑下来，人工的烛光、外面的灯塔、漫天星光相互辉映，他别着金色三叉戟徽章的纯白衬衫也变得更加醒目。森川光静静地坐在椅子上，以笑容接待对面的男人。

　　"刚才进来的时候，我就发现了森川先生懂宝石。没想到……"夏承司环顾了一下四周，"连纺织的收藏也非常讲究。"

　　"都是外公的收藏，我只是略懂皮毛。"

　　这绝对是谦逊的说法。仅客厅里，墙上沙发垫上都有各式各样的纺织品：精美透明的茶色空气织品、银线纺织的发亮昆虫翼刺绣、淡金丝线绘山茶花装帧的古典名著、格鲁吉亚手工绣制的锦缎和鸟羽丝绒……森川组组员们总有那么多种方法，把任何行业中最考究的制品从世界各地迅速弄到手。可惜无论这些东西多么赏心悦目，他们的森川少爷都没有办法看见它们。

客套的开场白过后，正餐也陆续上来，森川光看不见一个个端上来的盘子，只是隔着侍者的身影缓缓说道："夏先生，你知道我今天邀请你过来用餐的原因吗？"

"我想，应该和我们的合作项目无关。"

"是关于小诗的事。"

森川光下意识摸了摸手指上的铑戒指，似乎正在琢磨从哪里展开话题。但夏承司已先说道："其实你想告诉我，不论裴秘书做了什么，都不要迁怒于她，对吗？"

"她是受害者。"

"放心，那都是她和我妹妹之间的矛盾，我没把她放在眼里。相信她也没把我放在眼里。"夏承司不以为然地说道，"或许还有其他人，不过这都与我没有关系。"

"你能这么想，那自然最好。"

"只是我一直没明白一件事。"

"请说。"

"她想要复仇，但她恨的到底是谁？不是我高估她，但我觉得她不像是那种会为了一个男人拼命的人。所以，那个人不应该是娜娜。如果她的手臂不是意外，她应该最恨那个断了她手臂的人。"

森川光也沉默了。

他当然不可能告诉夏承司实话。这个男人虽然和自己年龄相仿，但脑子实在太精明，稍微留下一点蛛丝马迹，就会知道所有事。外公的计划绝不能让任何人打乱。他从小到大都和外公生活在一起，外公年轻时比现在还要难对付。运气不好的是，家里那么多兄弟姐妹里，外公偏偏对他最苛刻。冢田组教条森严，就连他看见了自己最亲的人，也被毫不留情地夺走了双目的光明。

精心烹饪的料理一盘盘摆上来，他忽然想起了小时候的场景：他从小一直都是很安静的个性，与兄弟姐妹用餐，听见他们扯着嗓门吹嘘自己，他也只是带着淡笑从不发表评论。有一次，他的蒸鸡蛋刚端上来，旁边喝醉的表哥就把小杯子举起来，大声说："光，哥哥正在讲重要的事，你却一直不吭声是什么意思啊！你不能因为自己是私生子就不合群了吧！"

他惊讶地抬起头，看着一脸嘲讽的哥哥。一旁的大姐听后愤怒了，也跟着站起来："你怎么可以这样说光？他只是没和父母见过面而已，你喝醉了别瞎说话！现在就给他道歉！"

原本表哥看见光明显受伤的眼神还有些愧疚，但被大姐这样教训，恼羞成怒地涨红了脸："我说他是私生子有什么错？他本来就是私生子，不然妈妈也不会被关在那种地方！连自己父母都没见过的可怜虫也值得你这样维护吗？"说完还不解气，就把手里的蒸鸡蛋淋在森川光的头上。

鲜蛋的黄色浆液从他的黑发上流下来，没过多久，就被窗外一阵冷风吹得腥臭四散。旁边有洁癖的妹妹立刻捏住鼻子走到了一边，只有大姐拿纸巾替他擦拭污垢。之后大家虽然都安慰他，但被表哥这样说穿了的事实还是在四周悄悄扩散，就像那杯鸡蛋羹一样，擦得再干净，也无法掩饰它的恶臭。不过这些都已经不是他关心的事情。他只听见了那一句"不然妈妈也不会被关在那种地方"——原来，从小别人跟他说父母遇难死去的事，都是谎言。

大姐告诉他，光的妈妈其实没有死，她只是一个人住在了不愿意被打扰的地方。但你绝对不可以去见她，不然外公一定会发怒。当时，小小的光睁大眼睛，像是看见奶嘴被吊起来的小婴儿，问妈妈到底在哪里，她长得是什么样，好看吗？

"妈妈和光一样，皮肤白白的，有一双温柔的眼睛。光和妈妈长得很像很像哦。"大姐难得如此温和地安慰道，"要健康开心地长大，一定会和妈妈长得越来越像。"

之后他虽然只见过妈妈一次，也没有机会看见自己长大的样子，但妈妈在花园中回头看了自己一眼的模样，已经深深地烙在他的脑海里。因为看见了不该看的人，他被惩罚熏瞎了眼睛，但从那以后他也想好了，他要像童话故事中勇敢的王子一样，把妈妈从封锁的城堡中救出来。如果有一天他可重获光明，最想见的人第一是妈妈，第二就是……

他想起了那个人的声音："组长也会好奇自己的长相？唔……高高瘦瘦的，白皮肤，眼睛很温柔很好看。怎么说呢，你不用担心自己长得不好看啦，让你去演《极道鲜师》，赤西仁、龟梨和也和速水重道统统会败给你。"

当时她的手臂残了以后，每天在家里只能无聊地看电视剧，说出一堆他都没听过的名字。听他说一个都不认识，她还故作鄙视地推了推他，说组长你好逊啊，连他们都不知道。她的声音如此特别，像是青瓷花瓶摔碎的瞬间，饱含着清脆又决绝的情感——这样的女孩子，应该也有一双坚毅的眼睛。

饭后森川光送走了夏承司，就和裕太一起坐车去了裴诗和裴曲家。

"等等先别开，停停停，我看到诗诗了！"裕太按下车窗，"森川少爷，诗诗在那里！"

司机请示森川光后，把车停下来。

"她在打印东西？"森川光听着不远处传来的打印机轰轰声，朝着前方问。

"对。"

裕太将视线投向小店铺中的女子身上：她留着披肩长发，头发比一般人的黑一些，在日光灯的照耀下有着成片的光泽。宽松的衣服并没有遮掩住她过于纤瘦的身材，黑色的套裙勾勒出她细腰的线条，衬衫领口却是有些男孩子气的立体折叠式。她低头取出厚厚的打印纸，将一边头发别在耳后，鬓角和发际线周围有一圈不同于后面长发的茸茸碎发，在灯光中立起来，像是孩子的头发一样勾勒出可爱的晕圈。因为有着好看而瘦削的脸形，她低头的样子十分优雅，可是，眼睛却像是深潭的水，沉寂冰冷，无论是伤害还是讨好都无法引起一丝的波纹。

"诗诗！"

听见不远处裕太的声音，裴诗回过头去，也看见了摇下窗露出脸的森川光。她匆匆付钱给老板，把手中一叠打印好的纸抱过去，弯下腰看着他们："组长，裕太，你们来了。"

裕太指了指她手里的纸说道："你在打印什么啊？这么多。"

"空白五线谱。这样比较便宜，买本子太贵了。"她摇了摇那叠纸，"这都是我DIY的，我把行距压缩得很小，而且旁边还留下了修改批注的地方。组长，以后等我写好了曲子，选出最好的演奏给你听，你可要参谋参谋。"

"荣幸之至。"森川光微微一笑，"上车吧。"

"我走过去都比你们快，在家里等你们。"

等森川光被裕太搀扶上楼，裴诗果然已经到家了，而且脖子和锁骨间还夹着小提琴。裴曲正在弹钢琴与她调音，她左手旋转着提琴的微调器，右手拿着弓在两根弦上拉动，也没有对话，就朝着裴曲使了个眼色，两人非常有默契地开始演奏曲子。

这是一首华丽细腻的音乐，带有1700年后晚期巴洛克的风格。西洋艺术音乐中之所以会流行当初这种音乐，是因为那个时代贵族执政，喜欢富丽堂皇的巴洛克建筑，宫廷乐师们为了迎合他们的喜好而创作出同类别炫耀权贵与金钱的音乐，所以，"巴洛克"一词也逐步应用到了音乐当中。在亚洲地区，音乐家们都会演奏大量巴洛克音乐，但大部分作曲家都会想，那个时代都已经过去了，那个时代的音乐家都留下了那么多动听的曲子，我们还做什么尝试呢。因此敢挑战巴洛克音乐创作的音乐家没有几个。

可是，裴诗最大的优点和缺点都是以自我为中心。一旦她想尝试什么，即便别人有再辉煌的成就，也无法影响她的行动。她大胆地把巴洛克的华丽与现代音乐的轻盈地融合在一起，并加入了大量在古典音乐时期少见的三附点音符，令曲子更有了一种高贵慵懒的韵味。仅靠倾听，都像有无数钻石在耳边碰撞，像能看见纯白波斯猫在金碧辉煌的殿堂中傲慢地散步。在她停顿的时候，裴曲演奏出了快速却均匀的音节，与之前附点音符的懒散形成鲜明的对比，以至于她再次主奏时，有了一种全力奔向高潮的畅快。最终，她用一个特加强音结束了整段激烈的演奏。

森川光和裕太一起给予了肯定的掌声。她开心地露出了微笑，做了一个"嘘"的动作，又演奏了一首较慢的抒情曲。再次给过她掌声后，裕太看了看她的手指，讶然说："诗诗，你的手指都变成黑色了……"

裴诗看看自己的左手："哦，这不是黑色，就是揉弦久了有点凹陷，没关系的。"

"她回来以后一直在拉这首曲子，晚饭都没吃拉了五个小时，一直没休息，能不黑吗？"裴曲指了指厨房里凉掉的菜，"姐你的手才好，还是别乱来啊。"

"我马上要跟夏承司去英国开会，这几天当然得抓紧时间练练了。"她不以为然地摆摆手，又对森川光说，"组长，你觉得这两首曲子如何？"

森川光怔了怔，说："挺好的。"

"啊？就这样吗……没有一点意见？例如哪里拉得不好。我现在可是非常谦虚的，不会允许任何错误发生。"

森川光一时答不上话来。要说技术性错误、演奏性缺陷、力度问题、重音问题……她几乎是没有。最起码对只会弹钢琴的他来说，他完全听不出哪里有毛病。她创作的这两首曲子可以说非常纯熟充满技巧，尤其是第一首，很有她的个人特色，到第一首结束，他都觉得状态很好。可是到了第二首，他听完居然有些走神。不是说不好，而是太普通。挑不出一点缺点，也找不出优点，导致他再回想第一首曲子也觉得少了点什么。

"组长？"

"我在想呢。"他连忙应答，又想起刚才裕太说她的指尖都练发黑了，只能笑着说道，"我觉得挺好的。如果是这样的水准，对付夏娜绰绰有余。"

"可是这样还不够吧，我会多写一点曲子，然后再慢慢选。"

其实他没有撒谎。她睡梦中写的曲子都能完败夏娜。因为夏娜在古典乐创作方面几乎毫无造诣，她只擅长演奏和写类似流行乐的抒情曲。现在会煽情却毫无艺术细胞的音乐家太多，夏娜就是其中之一。如果不是有优渥的家境、经常上媒体的父亲兄长、音乐世家的公子哥未婚夫，她不可能走到今天这一步。

裴诗无疑是个天才艺术家，但她缺少的，似乎刚好是艺术家最不能少的部分。这是在他看来非常泛滥，连夏娜都拥有的东西。

翌日正午，黑色轿车朝着国际机场的方向驶去。

高架两旁是闪闪发亮的高楼，均是由墨绿色的玻璃拼接而成的方形建筑。它们像装上了一面面墨绿的、宝蓝色的镜子，又像是微波荡漾的海底宫殿，在彼此的身上映射出清晰的倒影。在这样烈日炎炎的时刻，那辆车下了高架，停在路边，一个穿着套装的女子从上面走下来，一路小跑去十万八千里外的超市，买了一瓶矿泉水，又一路小跑回来，把粉色的矿泉水瓶递给身边的上司。但没想到夏承司拧开矿泉水，仰头喝了一口，就把它扔到后座去了。

看见这一幕，裴诗差一点想含血喷在他的脸上——从出发到现在，他已经让她下车给自己买了五次软饮料了，第一次是以"不喝碳酸饮料"为由扔了她买的雪碧，第二次是以不喝带甜味的矿泉水为由拒绝了她的农夫山泉，第三次是以他只喝某进口牌子的矿泉水为由拒绝了又一种矿泉水，第四次是她没在那家超市找到他要的矿泉水，第五次终于买到了，他却只喝了一口。之后面对她充满杀气的目光，他还用那种"看我做什么，有病？"的眼神漠然地看了她一眼，继续靠在座椅靠背上看手机上的股票行情。

这可恶的眼神，让她到机场也一直黑着脸。她这样的表情配上身边模特一般精致却面无表情的上司，让人不由自主地退避三舍，还差点吓坏了小朋友。可是夏承司对她的折磨绝不仅限于此：候机室里，他让她去找前台要Wi-Fi的密码，她总算把密码要过来，他却用都没用，一直在用手机上网；他叫她去弄吃的，然后又犯了老毛病，让她一个人把食物解决掉；好不容易登机，他总算愿意动一动那高贵的手，自己把笔记本电脑放在行李架上，坐下来却又开始发号施令："去给我倒点喝的。"

好在她早有准备，把刚才过安检后买的一瓶矿泉水掏出来递给他。他看了一眼矿泉水，朝着前方扬了扬下巴："我不想喝矿泉水。去倒橙汁。"

裴诗的忍耐度终于在这一刻达到了极限。她抱着胳膊，正襟危坐地对着夏承司说："夏先生，我们能商量一件事吗？"

夏承司这才把眼睛从手机上转移到她脸上。

看见他那张漂亮却又欠虐的脸，她的火气更大了，开门见山说："第一，飞机还有几分钟就要起飞了，除非你现在把我变成一个橙子，否则把我拧成麻花我也没法榨出橙汁给你。第二，如果你想喝的是飞机上那种橙汁，麻烦你自己找空姐要。第三，即便你是我的上司，也能否请你不要这么专横，不要总用命令的语气和我说话。"

刚说完这句话，恐惧感就犹如黑夜降临般排山倒海地涌来。

她顶撞的人是谁？夏承司！接下来十年都可以让她做牛做马的顶头上司——夏承司！

无奈覆水难收，她只能憋着气，做好被他说"裴秘书，下个月的工资自己扣掉，再顶撞我，扣两个月"的准备。

任谁也不会猜到，夏承司静静地看了她一会儿，只说了一句话："这是三件事。"

裴诗像是中了美杜莎的眼波攻击，僵在机舱内。谁知紧接着，夏承司的嘴角竟自然扬起，眼中露出了淡淡的笑意。温暖的阳光透过窗子洒进来，把他的脸照得犹如峡谷般轮廓分明。看见他的面容，她的脑袋变得一片空白。可是，更让人无法猜到的是，他说出的话竟是："帮我找空姐要一杯橙汁吧，阿诗你觉得呢？"

他咬字特别清晰，字正腔圆、音色低醇，比南方人标准，又没有北方人的官腔，是在商业领域男女通杀的说话方式。几乎所有搞房地产风险投资的人都是这样说话的，他却因为做得最好而令人印象深刻。她对他说话的所有印象，都停留在各种各样的谈判中、公司活动中、商业聚会中。可是，这一次他说话，却是用如此温柔的语气。当那个委婉的"呢"以略带上扬的音调说出来，她的神经中枢有被雷电瞬间击中的感觉。

她腾地站起来，跑到前面去把空姐叫了过来，直到空姐说"裴小姐你可以在座位上按键呼叫我们"，她才反应过来自己做了什么傻事。

他喝过了饮料，把杯子放在一边。飞机终于快要起飞了，他又回头对她说："我觉得还是系上安全带比较好，阿诗你觉得呢？"

飞机飞到高空，指示灯上系安全带的灯灭了。夏承司又抬头看看行李架上的笔记本电脑，微笑道："帮我把Mac拿下来吧，阿诗你觉得呢？"

她终于崩溃了："夏先生，都是我的错。请你用以前的态度和我说话吧。"

他脸上的笑立刻烟消云散，恢复了以往冷冰冰的态度，抬了抬下颌："去拿Mac。"

看见他恢复正常，她觉得舒服多了，帮他把笔记本拿了下来。然后她靠在座椅靠背上，发现不远处的空姐们都在看着夏承司，兴致勃勃地悄声议论着什么——头等舱都是几个人伺候一个人，所以八卦的时间也特别多。她想，如果坐在这里的只有夏承司一个人，她们早就想尽各种方法，在他的手机里留下她们的电话号码了。她咂咂嘴，无奈地在内心叹气。这男人的外表可以媲美奥兰多·布鲁姆在《指环王》里演的精灵莱格拉斯，实际内心住了一只伏地魔。如果世界上所有的人都和他一样生活，那这世界恐怕就没有喜怒哀乐，只有强力竞争与高速运转了吧。可她又时常觉得，这样理性其实未必是一件坏事……

等夏承司再次注意到她，她已沉沉地睡了过去。她的睡相很甜美，睡姿却东倒西歪，手袋也几乎要掉到地上了。他刚想把它拾起来，却看见里面几片白色的包装物。他愣了一下，又看看她因疲倦而格外放松的睡颜，明白了她一天都如此暴躁的原因，轻轻吐了一口气。

这时，空姐拿着毛毯走过来，小声说："夏先生，要不要给裴小姐盖一下毛毯？"

"嗯。"

因为怕吵醒裴诗，空姐只轻轻把毛毯盖在她身上就走了。这时她却翻了个身，额头顶在他的手臂上。他的动作停了一下，没有再回头看她，打开笔记本。

几个小时后，裴诗醒过来了。她眨了眨倦怠的眼睛，察觉到自己正靠在别人身上，潜意识里就把对方当成了小曲。这时机舱里的灯都已经全部熄灭，前方还有个商务男推了推眼镜，在阅读灯的金色灯光下看金融报刊。她听见身边传来纸张清脆的声音，然后抬头望过去。

身边的夏承司正在翻阅一本厚厚的书，阅读灯照亮了他脸上最突出的部分——鼻梁和眉骨，其他地方都陷入了深深的阴影中。他用的是带木香的柑橘古龙水喷雾，温和又清新，在很多年轻男士中非常流行，是一种辨识度很高的味道。但这种味道混合着他自身的荷尔蒙气息，就构成了一种独一无二的香气，溢满了她呼吸的空气，简直立刻就把她秒杀了。

当然，再多吸引力也无法抵御紧接而来的惊吓。因为她发现自己一直靠在他手臂上睡觉，而他好像毫无意识一样在看书。她像被电棍抽了一下，猛地坐起来，慢慢缩到毛毯里。他的脖子几乎没动一下，就偏了偏眼睛看看她，又继续把注意力集中在手里那本安·兰德写的《源泉》上。

都说安·兰德是资本家和上流社会最追捧的哲学文学家，没想到在夏承司身上竟然也一样适用。她想了想，点点头说："她的书还真符合你的气质。"

"我对她的观点并不完全赞同。"他平淡地接道，夹在两页纸间的手翻开了下一页，"这本书的主题是建筑设计，我对与我领域有关的东西都感兴趣。"

"我还以为你对文学有兴趣。"

会这么说，是因为她在替他收拾东西时看见了他带在身上的几本书，分别是博尔赫斯的散文集，加缪的《局外人》以及村上春树的《1Q84》。恰好后两本书她也都有看过，夏承司会看这类书完全出乎她的意料，因此她瞬间有了一种找到战友的感觉。可没想到，这样试探性地一问，他居然直到再次翻页，也一个字都没有回答。

一般来说，男人不懂女人吃哪一套，所以恋爱吃亏。女人懂男人吃哪一套，但是控制不住要去纠缠对方，所以恋爱吃亏。因此，懂女人的男人，高情商的女人，是最难对付的人。可是，像夏承司这样连看都看不出是否懂女人的男人，似乎更难对付。有时候她甚至会想，他会不会压根就不喜欢女人，所以才把所有女人都当成了化石？

不爽的感觉又一次涌来。可自己试图越级与上司聊天似乎也是很傻的事。可能是两个人坐得很近，所以给了她一种他们可以沟通的错觉。太傻了。

有了这样与他对抗的念头，到下飞机前，她都没再和他说一个字。

抵达伦敦时已是晚上九点，夏季英国的天还没有完全黑下来。一走出希思罗机场，就能看见停在外面的传统伦敦黑面包出租车和红色双层巴士，它们比国内的很多车都要大，却永远挤在英国狭窄的街道上，因而更加显眼。裴诗和夏承司上了前来接人的轿车，看着窗外的街景，再一次踏入这片土地的感觉依然那么不真实。在国内坐在车上，往窗外看到的都是大楼的底座，一定要探出头去，才能看完整个建筑。但是在欧洲，在车里随便怎么坐，都能一览全景。或许正是因为这样的感觉，欧洲人才总是自信满满，因为与他们的楼房相比，他们永远不会显得渺小。

但是，哪怕经过资产阶级革命和工业革命的洗礼，人与人的差异在英国依然比其他西方国家严重：这里有很多人住得起有管家、红地毯、旋转楼梯的贵族式住房，它们矗立在伦敦最昂贵的西区，让人踏进它们的大门都不敢；也有很多衣着破旧的卖艺者停留在地铁站中，演奏着他们喜欢的音乐，周围的行人穿着正装手提公文包从他们身边无情地走过，连斜眼也不肯施予；也有悠闲的情侣游客给他们一些钱，拥抱着彼此享受这一个瞬间；许多Tesco超市门口，总有一些穷人正在乞讨……每天有无数的人来来往往，游离在这座城市中，谁也不知道他们从哪里来，会往哪里去。

这是一座具有独特气息的城市，是一座只要到过，就会深深烙印在心里而永久不会褪色的城市。这也是一座四季被冰冷的海风包围，永远感受不到春夏暖意的阴郁城市。

夏承司回到家中住下，裴诗则和随行的几个员工在附近的酒店登记。把行李放置好后，她乘坐地铁去了一家英式酒吧，在昏暗的灯光中找到了一头非常显眼的金发。她提着包绕过拥挤的木桌，到那个金发的胖女人面前坐下。

这个女人叫 Marika Ricci，人们称她为 Ricci夫人。她是曾经对裴诗赞不绝口的著名小提琴家，但近些年已在演奏界销声匿迹，转行成了音乐评论家。不久前裴诗才辛苦找到了她的联系方式，并把自己创作的几首曲子寄给她。

她用带有意大利口音的英文与裴诗嘘寒问暖，然后直接进入主题："I absolutely loved your performance, but your work this time……How should I say, you have sent me many pieces of your work, but they all sound the same. Shi, You could have done it so much better." 裴诗的笑容凝固在了脸上，半晌才说："What do you mean?" [1]

"Emotions." Ricci夫人沉默了很久，好像是在故意延长沉默的时间，以展示自己的不悦，"It doesn't seem very disputable that music is something

---

1　Ricci夫人和裴诗的对白翻译如下：

Ricci夫人："我绝对喜欢你的表演，但你这次的作品……我该怎么说，你发给我了很多曲子，但它们听起来都一样。诗，你可以做得更好。"

裴诗："您的意思是？"

that can eliciting emotions in audiences. I don't see any emotions in your work." [1]

原本她一直对裴诗的作品抱有很大的期待，但事实说明希望有多大失望就有多大。只是看见裴诗一直呆愣地看着自己，仿佛因为过于意外而完全忘记要解释，她觉得自己有些过于苛刻了，只轻轻叹了一口气，又问道："Have you ever fallen in love with anyone?" [2]

这句话一直回荡在裴诗的脑海中。

她一直以为柯泽是自己的初恋，但到Ricci夫人这里，自己好像变成了一个完全没恋爱过的小孩子。之后Ricci夫人说了很多关于爱的东西，告诉她爱一个人是会恨不得把一切都献给一个人，不论做什么事，都一定会把这个人的心情放在第一位。也正是因为这种情感，贝多芬才为裘莉塔·圭齐亚蒂写出了《月光奏鸣曲》，柏辽兹才为爱塔·史密斯写出了《幻想交响曲》。哪怕不是爱情，一个音乐家也应该有其他伟大而充沛的感情，例如对挚友、亲人、国家的爱。不将自己的情感投入到创作里去，哪怕旋律再动听也无法让人产生共鸣，这样的音乐是不可能被流传下去的。

经过Ricci夫人的提点她才发现，她可以在演奏曲子的时候全身心地投入，可一旦涉及了创作，她确实就像被困在了什么牢笼中一样，完全无法释放自己的感情——不，是无法释放，还是她真的没有感情呢？她自己也发现了这个问题，她的曲子永远都与被夏娜偷走的那首如出一辙。这就好比一个作家写了几十本书，读者们却只用读其中一本就已足够。这对一个创作者而言无疑是最可悲的事情。

不过在音乐上，裴诗一向有着常人无法媲美的毅力。第二天晚上工作结束

1　Ricci夫人："感情。音乐可以引出听众的情绪，这是毫无争议的。我在你的作品中看不到任何感情。"

2　Ricci夫人："你有没有曾经爱过别人？"

后，她就带着一叠空白五线谱，临时赶到鸽子广场旁的圣马田教堂[1]，买了一张教堂烛光室内乐表演的票，想要去寻找灵感。她想起以前在伦敦读书的时候，自己所有的钱除了给小提琴换弓毛、换弦、护理，几乎都花在了这上面。时隔多年，她又回来了，这样的感觉令她怅然若失，却也令她感到安全。

整场音乐会开始前十多分钟，金色的天主教堂里蜡烛已被点亮。听众们陆续入座，紧闭的门后传来悠扬却杂乱的小提琴声。试音断断续续，仿佛后面的休息室是一个关闭的魔法八音盒，重复着动听的片段，预示着接下来精彩的表演。裴诗坐在二楼，可以清晰地看见教堂中央摆着较高的第一小提琴架，第二小提琴架、中提琴架、大提琴架和低音大提琴架紧随其后。低音大提琴横置在座椅旁，后方是木制的羽管键琴。

终于，演奏乐队走了出来，除了低音大提琴手和羽管键琴手，每人手里都拿着各自的管弦乐器，他们一齐向听众席鞠躬，迎来了第一轮掌声。在大提琴手的介绍下，首席小提琴手姗姗进来。令人意外的是，他居然是一个亚洲面孔的男人，戴着黑框眼镜，看上去大概有二十八九岁。他和其他人一样，穿着燕尾服，系着白领结，笔直地站在那里，如同十八九世纪的绅士，看上去竟然毫无违和感。

他站在自己的琴架前拿起了话筒，说出了一口流利的英式英语："Good evening ladies and gentleman, we will bring you Bach tonight. In 17th century, Bach and his wife …[2]"简短的介绍后，他放下话筒，与乐队成员们各自就位。

一开始就是齐奏。是大名鼎鼎的巴赫的A小调小提琴协奏曲。第一个小节

1　圣马田教堂（St. Martin in the fields），是英国伦敦的一座圣公会教堂，罗马时期它曾是伦敦城外的坟场。1542年，亨利八世重建了教堂，以避免该地区的鼠疫患者通过他的怀特霍尔宫。当时，它在字面上符合"在田野"，因为它孤立地位于威斯敏斯特市和伦敦市之间。

2　先生们、女士们，晚上好！今晚我们将带给你们巴赫的作品。在17世纪，巴赫和他的妻子……

响起的时候，裴诗的心清晰地抽了一下。那种萌动的感觉，不亚于很多恋人被告白时的激情。到高音时，首席小提琴手甚至会忘我地踮起脚。所有管弦乐演奏者并没看彼此，但肢体动作一直整齐划一，左右脚的重心随着旋律而摇摆不停。其中，首席小提琴手的动作一直最突出，也最为动情。他在演奏时有着裴诗没有的热情与感性，因此，每一个自信的神态、微笑的嘴角、拉弓的动作，都完完全全被她捕捉在眼里。

第一曲很快结束，他朝着听众鞠躬。在听众鼓掌的同时，小提琴手们均用左手拿着琴和弓，用右手拍左手手背，也为他喝彩。他脸上挂着演奏时胸有成竹的微笑，开始带领乐队成员演奏巴哈贝尔的D大调卡农。这一曲开始就是小提琴三重奏，大提琴、低音大提琴有规律地配乐。小提琴演奏时高时低，时快时慢，犹如顽皮的精灵打乱了原有平稳的步调。再次演奏结束后，首席小提琴手向听众介绍了一下曲子的特色，末了还补充了一句 "Probably you haven't noticed.[1]" 英国自嘲式幽默引来大家一阵大笑。

紧接着的是欢快又辉煌的巴赫E大调小提琴协奏曲。在这一曲中，首席运用了很多跳弓，重复切换大量音律，非常有节奏感，听众们也不由得在桌子上轻轻打着节拍。每一个乐章结束都会有短暂的停顿，成员们离开琴弦的弓也是轻轻的，生怕一不小心用敏感的弓毛多擦出一个音。这首协奏曲结束后，首席与三个演奏者握手，微笑道："Thank you so much indeed. And then we will bring you a small special treat, solo.[2]"

本是中场休息，他却忽然插入了一段浪漫的华彩段[3]。当冰雪般伤感的优美

---

1 也许你们还没有意识到这点。

2 非常感谢你们，接下来将带来一段独奏。

3 华彩段（Cadenza），又名华彩乐段，音乐术语，指独奏部分的装饰性乐段，既可以预先创作，亦可以即兴表演，形式自由，并时常有炫技意味。此乐段以所有声部的延音作标记，常出现在乐曲的尾声前。源于18世纪歌剧演员在咏叹调结尾处的即兴演唱，后常用于协奏曲中。华彩段一般不附伴奏，但亦有例外，如埃尔加的《小提琴协奏曲》中的华彩段就有乐队伴奏。

独奏响起，伴随着羽管键琴破碎的配乐，所有人的心都像是被融化了一样。连裴诗都禁不住撑着下颌往前靠了一些，认真倾听他演奏出的每一个音节。

这一首曲子结束后，掌声比前面的曲子都要响亮很多。

听众们一边津津有味地讨论刚才的音乐，一边离开教堂进行中场休息。羽管键琴手留下来调琴，同时和首席小提琴手低声说话。裴诗下去的时候，刚好有几个听众在用手机和他们合照。首席看见她，露出了十分惊讶的眼神："等等！"

原本从他的口音和举止来看，裴诗猜想他是个不会中文的BBC[1]。听见这男人说出自己的母语，她呆了一下，转身看着他。

"你是不是前段时间才在柯娜音乐厅表演过的……"他说到一半，皱眉沉思了片刻，"不对，她应该在国内，不应该在这里。可是，那段视频我看了很多次，应该不会认错人……"

他的普通话果然不是特别标准，父母应该是香港人。她没想到连这个圈子的人都会知道自己，也不知道是夏承司给旗下音乐厅做的宣传太厉害，还是自己那次演奏确实一炮成名了。

他又疑惑地看了她一眼："你是不是叫裴诗？"

"嗯。"

"竟然真的是你。"他喜出望外地朝她走过去，对着一直一脸迷茫的羽管键琴手说，"She's the genius I've mentioned! She can play Paganini very well！"羽管键琴手还没来得及消化，他已握住了裴诗的手，连语言都忘记转换："Can you marry me？"[2]

裴诗受惊不轻，猛地抽出手往后退了一步。

"啊啊，你曲解我的意思了。我的意思不是说你嫁给我，哦不，当然，如果你愿意嫁给我，我也很开心。我想说的是，我实在太喜欢你的表演了，所以特别想认识你，我叫Andy。"

1　BBC，British Born Chinese，指在英国出生的中国人。

2　"她就是我提到过的天才！她演奏帕格尼尼很棒！你可以嫁给我吗？"

看见对方伸出的手，裴诗忍不住抽了抽嘴角——他穿得如此正式，个性却如此焦虑狂放，这让他看上去像是个增高版的卓别林。但她最后还是和他握了握手。他眨了眨眼，兴奋地说道："一会儿让我送你回去吧，我觉得我们一定会有很多共同话题。"

下半场开始后，Andy的表演似乎比开始要澎湃很多。先是亨德尔的A大调羽管键琴与弦乐协奏曲[1]，裴诗心想还好他弹的不是羽管键琴，不然大概会像贝多芬那样把脆弱的琴弹断。这一曲有大量羽管键琴的独奏，Andy握着小提琴和弓，放在身子右侧，左手绅士地放在燕尾服后，朝她露出温柔的笑意，还点了点头。这一动作弄得好多听众都朝她的方向看过来。曲子结束后，羽管键琴手出来向大家鞠躬，Andy连鼓掌也不忘朝裴诗抛媚眼。

最后他们演奏了巴赫的双小提琴协奏曲，彼此握手后向大家道谢，又增加了下半场的华彩段。

这才是真正的高潮，大提琴手和低音大提琴手一起拨弦，如击鼓，如暴雨，每一个音节都拉动着人们的神经。Andy不再看乐谱，一边演奏着，一边走到听众席中，在裴诗面前停了下来，为她演奏了起码二三十秒。众人都看出他的意向，纷纷露出饶有兴致的表情。一曲终了，掌声雷动，足足超过两分钟。

表演结束后，Andy还是像刚才所说那样，坚持要送她回家。他把小提琴交给成员带走，自己还穿着燕尾服就和她一起上了出租车。

刚从音乐厅出来，就看见满大街的不一样的人。虽然都是英国人，但街上的金发女子明显和女性音乐家们不一样。她们的头发更直，更多修饰，肤色也经过紫外线晒黑过，一下把裴诗从中世纪拉回到了摩登时代。在伦敦的街头，到处都能看到挂着旧式绅士画像的餐厅和酒吧，就像一幅幅油画挂在精致却黑暗的角落中。

每个国家都有一个最辉煌的年代，也有一个最让人向往的年代，或许我们

---

1. 亨德尔的A大调羽管键琴与弦乐协奏曲，即George Frideric Handel的Concerto in a major for harpsichord and strings。

现在已经再也看不到了，毕竟在中国，一座座高楼大厦拔地而起，胡同和弄堂都已被翻修的建筑掩盖，在哪里都能看见建筑工地。而英国无疑是将历史遗迹保留得最多的国家。在伦敦，就连面包店都是充满旧式英伦乡村风情的——外面是奢华的建筑，里面却是红砖的墙壁。有历史的国家总是会让人感到有些惆怅，会让人变得越来越念旧。所以，崭新的经济面貌和保留的传统文化，往往只能二选一。

裴诗看着窗外的街景，和Andy聊了很多关于音乐和文化的话题。他也得知她只是陪上司来英国出差，很快就会离开。

"真可惜啊，如果你住在这里就好了。"他一脸遗憾地摇摇头，半开玩笑地说道，"这样我就有足够的时间来让你当我的女朋友。"

"你觉得一周时间不够吗？"

"呃？"

她没再说话，只是在黑暗中把目光从窗外转移到他身上。他张了张口，哑然了半晌才说："你……真的要当我女朋友？"

"如果你不是开玩笑的话。"

他像是被人当头打了一枪，怎么都活不过来了。这时他们也到了她住的酒店。他原本应该让她下车自己再跟着出租车离开，但见她下车，他竟也跟着跳出来："裴小姐，你是认真的吗？"

"你要我重复几次呢？"

不管怎么说，恋爱是一定要谈的，这样才能写出曲子。这个Andy给人感觉不错，两个人就发展试试吧。她一边这么想着，一边带他进入酒店："这里不好打车，我回去上网帮你订一辆车吧。"

他们一起走到她的房间门前，她转头说道："你在这里等我，我订好就出来。"

"好。"

她掏出房卡刷了一下，然后推开门，脚步只踏进去一步，就被里面的情景吓了一跳：公司里一个部门经理坐在座机旁，正在焦急地打电话；夏承司似乎刚从椅子上站起来，边穿黑色长风衣边大步走向房门的方向。他和裴诗正对上眼，也看见她身后的Andy，僵持了一会儿，冷冷说道："你去哪里了？"

"去听音乐会了。"她没有忘记他在飞机上对自己爱理不理的态度，因此回答得也丝毫不带感情。

"那是什么人？"他看了看Andy。

"Andy，我男朋友。"

第十九乐章 ♪

英国北行

真正的艺术不是理性的。

"男朋友？"

夏承司扬起一边眉毛，打量着她身边的男人：他高挑而瘦削，黑色的头发略带自然卷，下巴上有冒头的胡楂儿，像是即将在荒芜皮肤上滋生的细小野草。他散发着谦卑恭敬的气质，但这些不拘小节的胡楂儿令他又多了几分矛盾却充满魅力的狂野。这样的男人并称不上是美男子，但搭配上他身上的礼服，当你知道他是一名艺术家，他顿时如同大礼堂一样熠熠生辉。

夏承司似乎来了兴趣，把目光转移到裴诗身上，冷不丁放出一颗即时爆炸的炸弹："你丈夫知道你有男朋友了吗？"

这句话让在场的人都毛骨悚然了一下，Andy更是用一种不可思议的目光看向裴诗。裴诗抿着唇，喉间有隐隐沙哑的笑声。她将双臂抱在胸前，毫不畏惧地直视夏承司："夏先生，我们明人不说暗话。你早就知道我并没有结婚，不是吗？"

"哦？那我还真不知道。不过那都是你的私事，只要不影响工作，都与我无关。"夏承司一副童叟无欺的模样，也不再多看Andy一下，就用下巴对着门口的方向扬了扬，直接带着部门经理走出门去。

"这个人是谁啊？真酷。"目送他们离去以后，Andy转头对裴诗说道。

"我上司。"

听见她言简意赅地回答，也没有打算继续这个话题，他发现这个女孩有着寻常人少有的不卑不亢，心中对她的喜欢又多了一分，握着她的手在唇边轻轻碰了一下："其实就算你结过婚，我也不在意。"

她有些不自然地抽回手，淡淡地说："放心，我没结过婚。"

"那多没意思。我还想说，结过婚的女人更有吸引力呢。"只见她脸上露出了混合着诧异与藐视的眼神，他大笑起来，"我和你开玩笑呢，不要介意。"

裴诗却不是那种有幽默细胞的人，她以累了为由，把他从宾馆请了出去。她关掉所有的灯，只留下书桌上的台灯，拿出早已准备好的空白五线谱开始作曲。苦思冥想一个小时后，她发现自己真的有些困了，便放弃了创作，把小提琴拿出来练了练基本功。不知是不是被Ricci夫人说中了要害，自己就丧失了对创作的热情，现在的她只想演奏，不想浪费脑子去写任何曲子。

虽然没谈过恋爱，但她也知道爱情这种东西需要经营。第二天陪夏承司出席了一个会议，与合作者谈了一笔生意，她就找机会溜出来，和Andy出去约会。

伦敦的天是一如既往的阴沉，铅色的云朵像是沉甸甸的石块，压在奢华却没高楼胁迫感的建筑上方。刚好碰上伊丽莎白二世登基六十周年庆典，中国城挂满了米字旗和五星红旗的飘带，女王的头像列在大门上，因而增添了一份难得的喜庆之感。他带她去吃了黎巴嫩的食物，他们两个解决了无数个小碟子装的菜肴。她非常挑剔，说他们的特色点心米布丁吃起来像香皂，这让服务生笑得十分尴尬，却乐得Andy直不起腰。

她发现他是个行动派。因为，前一秒他还在说待在伦敦太无聊，后一秒他就直接带她去了帕丁顿火车站，买了票上了特快列车。几分钟后广播播放结束，列车像是以伦敦市中心为起点射出的喷气式飞机，"嗖"的一声往北方驶去。随着火车离站，树木、楼房与远处的山像是空中的浮游，努力地追着车厢跑。两条垫满枕木的铁轨界限越来越模糊，和那些途经的风景一样被猛地抛在脑后。

渐渐地，车轮像是在气流上飞驰，让他们没了方向感。他们靠在靠椅上，开始聊演奏技巧和音乐色彩，聊巴洛克的奢华和文艺复兴的伟大，聊以纽姆记谱法记载的曲子[1]，等等。她发现他们之间有太多的共同点：他们都是普通人眼中所谓的"艺术疯子"；都自私自利，相较在生活中的感性，他们更愿意把情感投入到音乐中；时常觉得宝贵的灵感抛到生活中是一种浪费……他们甚至连喜欢的曲风都是一样的。当她聊起一张不是很热门的CD——腓力五世和波旁王朝的宫廷音乐，他居然都能和她不约而同地说出最喜欢贾科莫·法科[2]两把大提琴演奏的G大调第二芭蕾舞曲，尤其是第二乐章的阿勒芒德舞曲。

找到有这么多话题的知音对彼此而言都太难得。他撑着下巴，有些天真地说："你说我们死了以后，会不会也会像法科一样，死了两个世纪，遗作才被另一个不算闻名的音乐家发现、赏识，然后将它无声无息地流传到世界各个角落？"

"不会。"她断然回答。

相处了半天下来，裴诗发现，即便是在英国的首都伦敦，依然有不少懂得享受生活的人，例如Andy，他不会让自己太过操劳，每天劳逸结合地演奏放松，并不会像夏承司那样让自己忙到几乎进医院——夏承司非但是个自虐的人，还喜欢拽着别人和他一起找虐。一想到这里，她就不由自主地看了一下手机。上司并没有来找她命令她回去，这令她莫名有些失落。只不过她向来不是会让自己烦心的人，很快把手机丢到包里和他去了湖区。

1　纽姆记谱法（Neumes），或称纽姆谱，是一种早期的记谱法，出现于五线谱诞生以前。大约形成于9世纪，并且于10世纪发展出四线谱，到了12世纪，才发展出标记音符时间长短的方法。

2　贾科莫·法科（Giacomo Facco，1676—1753），意大利的巴洛克小提琴家、指挥家、作曲家。在他的时期他曾经是意大利最出名的作曲家之一，但死后被彻底遗忘。直到1962年，他的作品才被作曲家、指挥家兼音乐学者的乌贝托·扎诺里（Uberto Zanolli，1917—1994）发现。

位于西北海岸的英格兰湖区已经很靠近苏格兰了。她不敢相信自己竟然真的跟着Andy跑到这么远的地方。她冒着被夏承司杀掉的风险和他一起下了巴士，开始游览女王最喜欢光顾的胜地。

他们乘船在湖面上行驶。晴天下的湖面闪闪发光，就像是打碎的亿万颗金黄宝石碎片落在水面，不断跳跃着、闪耀着。岛屿上的房子随着船的行驶而移动，在绿色树群和紫色花朵中若隐若现。船只如同穿着雪白军装的放哨战士，有秩序地排在一起，被他们抛在身后，坚定不移地目送着每一位游客，而后消失在视线中。大团白云簇拥着，藏匿着金光，翻卷的浪花却是雪白的，在船下卷起连绵的波纹，如同流动的白翡翠，激荡着宁静的湖面。小岛的陈旧小木屋旁，崭新的米字旗迎风飘扬。岛上一片苍翠，深红、深紫、橘黄的植物簇拥着别致的小房，一如神话中掌控水晶球巫婆的魔幻小房屋。远处的山脉层次分明，越近越绿，越远越蓝，最远的蒙上了浓浓的雾，仿佛已经和雾霭融为一体。黑色的鸬鹚以优雅的姿势在空中飞过，最终落在岸边的天鹅群里。岸边有大片深青色的干净住房。

她想，住在这里的人一定心胸开朗，说不定还会魔法。不经意抬头，蓝天白云如此靠近，突如其来地占据了她的视线。这才是这里美丽的原因吧。在浓雾阴天的英格兰，上帝把奢侈的好天气都给了这里。她轻轻哼唱着音调，在船上写下了一整首曲子，却忘记了Ricci夫人向她强调的事。

所以，当她把又一次的作品发给Ricci夫人，得到对方简短的回信"You haven't gotten it yet[1]"后，气得差点把所有五线谱都撕了——又不满意，到底怎样才满意！她都已经为了写曲子专门去交了个男朋友，和他出去约会培养恋爱的气氛，她如此辛苦写出的作品，却依然会被全盘否认。她试图与对方沟通，却得到了一个更气人的回复："True art is not reasonable.[2]"

---

1 还没有得到它。
2 真正的艺术不是理性的。

这是什么破理论，难道自己就不是用心去写的吗？她心情不愉快极了，一整个晚上什么都没做。

第二天Andy因为演奏要提前回伦敦，裴诗的心情很浮躁，不愿意跟他一同前去，只是发了一条消息跟夏承司说自己要去罗蒙湖逛逛，就一个人乘车再往北。

如果说秀丽的英格兰像是一个年轻漂亮的少女，那么荒凉的苏格兰就是一个高大沧桑的男人。这里有苍茫广袤的草原以及极具民族风情的苏格兰风笛。灰色的天上盘旋着黑色鸟群，它们如同迷路的秃鹫找不到归途。眼前是满目翠绿，远处是藏蓝山脉，神秘而自然，像是尚未被开发的未知领域。苏格兰的天也是不同于英格兰的曼妙。在英格兰如果有晴天，那便是大海般的蔚蓝中飘着几朵雪白的云。而在苏格兰，那是满天灰色的云层中，漏着几片奢侈得如同昂贵丝绒的宝石蓝天空。

广阔的绿色草原上坐落着尖顶的石房，白色的羊群、黑色的马群正在低头吃草，或是懒洋洋地在草地上溜达。因为天气寒冷，一些主人还会让马儿穿上色彩鲜艳的布制"衣裳"。一切都是如此自然纯朴，与多年前并没有什么区别。如果不是因为加油站和小型的玛莎百货连锁店，一定会有人认为这里依然停留在撒克逊人统--英伦三岛的遥远时代。

下车后，裴诗收到了一条短信。她还在忧愁作曲的事，随便看了一眼，并没打算回复，但看见屏幕上出现名字"变态狂"的同时，车外的冷风倏地吹来，她忍不住打了个哆嗦。打开一看，被她叫成变态狂的上司果然一如既往简明扼要："到罗蒙湖了吗？"

苏格兰最深的湖是以水怪闻名的尼斯湖，最大的湖则是罗蒙湖。听说罗蒙湖水澄清而凉，是来苏格兰一定不可以错过的宝地。一想到夏承司那张比湖水还冷的脸，她不得不硬着头皮回了他一句："到了，我在这里待一会儿就回去。"

一路顺着乡村小巷走向罗蒙湖，她发现这里和别的旅游景点不一样。这里并没有太多商业店铺或者叫卖的小贩，只有零零碎碎两三个纪念品店。其他小房全是当地的住户人家，每家每户的房子都是石制的，门口种着大片植物，紫红的花拳头般大小，灼灼夭夭地盛开着，颜色整齐划一，色泽艳丽得毫无萎靡之势，令人不敢相信它们居然是真的花朵，而非塑料做的。

尽管景色优美，她还是承受不住这里刺骨冷风的摧残，缩着肩膀跑到一家家庭式纪念品店买了一件披肩。披肩是苏格兰特产的蓝色格纹羊绒材质，搭在身上更像是把人都裹进了荒芜寒冷的塞外世界。她一边在店里闲逛回暖，一边想着自己来错地方了，要写出柔和的曲子，跑到苏格兰来找灵感实在不合适。她心不在焉地取下一本*Scottish Fairytale*，随便翻了翻里面的内容，发现还有几个非常有趣的小故事，完全不顾裴曲的尊严想着"要给弟弟念童话"，就打算把这本书买下来。

这时，一个熟悉的声音在身后响起："你知道什么是真正的Scottish Fairytale吗？"

"嗯，是什么？"她随口说道。

"就是他们的内裤。"

这才想起苏格兰服装中男人也会穿裙子。而最传统的穿法里，男人都是不穿内裤的。她先是愣了一下，反应过来以后直接笑出声来。可笑着笑着，忽然觉得这声音不大对，语言也不大对，于是用极其缓慢的速度转过身去。

看见夏承司面容的刹那，她几乎把手里的书都摔在地上："夏、夏先生，你怎么会在这里？"

"我刚好也打算来这边走走，直接过来了。"

"哦……"她松了一口气，拍拍胸口。但直到付账买下这本书，她都没有回过神来。

从苏格兰风景进入视线的那一刻起，她就一直能感受到当地浓浓的苍凉气氛。如果用音乐来描述，那便是耳边一直响着高亢孤独的苏格兰风笛曲。可是，在看见夏承司身影的瞬间，好像音乐突然切换成了多重小提琴协奏曲——肯定是因为这男人太过华丽，和这里格格不入，所以才会使她产生这样的错觉。

他们俩一起走到了湖边。从罗蒙湖的码头往湖心看，湖光山色，风凉水清，总会让人有一种它是一片平静的海的想法。湖岸边的沙地上，清澈的浪花一层层翻卷而来，淹没了岸边暗金色的沙石。靠近岸边的湖面飘着几只不知名的水鸟，几乎不怎么动，只是静静地"坐"在浪花上，随着浪花起起伏伏，呆呆愣愣的，不注意看，还以为是三岁孩童在泳池里玩耍的玩具。

裴诗盯着它们看了半天，眨了眨眼睛："那是什么，鸭子吗？看上去很可爱。"

"看上去冷酷，实际是因为太呆了连表情都不会做。"夏承司随便瞥了它们一眼，"跟某人还真像。"

她张了张嘴，想要顶撞他几句，但对方没点名道姓，她只能吃了这个哑巴亏，默默在心中"哼"了一声。

码头上大概是最冷的地方。它长长地延伸到湖心，他们站在最外面的木制平台上，像是悬浮在湖心表面。这片湖像是一块支离破碎的巨大翡翠，清风卷起的波澜，形成了琉璃瓦般的水浪。而水浪整齐划一，层层起伏，又令视野中的景色和谐而恬静。放眼望去，青的山，蓝的水，都以最原生的姿态融合在了一起，还蒙上了淡色的雾霭。就像是名画家完成作品后，在画卷上洒上了薄薄的水，完成了最后点睛的一笔。然而风很大，却偏偏又卷来了最冷的温度，就连靠在码头栏杆上拍照的金发女子，也都失去了素日风姿妖娆的模样，发抖着让朋友赶紧拍好离开这里。这里就像是神灵偷偷制造的秘密人间胜景，因为过于奢侈和美好，而不舍得让任何人多停驻一分钟，但又因为美丽而不愿意独享，让人们发现了它，却只能匆匆而过，珍藏在文字中、相机里、回忆里。

灵感在心中蠢蠢欲动，却依然处于呼之欲出的状态。只是这里实在太冷了。只要有风吹过来，她就会冷得神经错乱，但又不能把难受写在脸上——要知道，这变态狂上司骨子里还有歧视女性的特质，她想，如果自己表现得有一些柔弱，或许会被他直接套起来丢到湖里。大概是想象太过真实，水化作冰刀刺入身体的寒冷像已袭来，让她不由自主打了个哆嗦。她赶紧咳了一声试图掩盖，而后闭着眼，开始琢磨新曲的旋律。

忽然，肩上被温暖的触感覆盖。

她睁开眼，迅速回头看向身后。看见夏承司为自己披上他的外套时，她吓得差点当场晕厥过去——他在做什么？他居然会做这种事，难道她快死了？难道她真的要被套住丢到湖里去？

她担心得脸色发白，半晌没能说出一个字。

"你如果生病，就没人在机场给我跑腿了。"他平静地说道，又不动声色地给出总结，"那会很麻烦。"

大概是平时被他训练得已经习惯被虐，他给出这样的理由，她竟然还松了一口气，大大方方地把他的外套穿好，拍拍胸口："原来如此。那我还真不能生病了。"

脱掉外套的他还穿了衬衣和背心，裤子修长，令他笔直的腿部线条更加清晰。他有着亚洲人中罕见的宽阔平肩，而且是属于结实却无大块肌肉的类型。这样的骨骼配上瘦削紧绷的手臂，却都藏在了含蓄的衬衫下。他整个人简直就像这罗蒙湖一样，是一个冰冷而美丽的奇迹。在她的记忆中，他似乎从来没有露出过温柔的眼神。她突然想知道这个男人撤去了面具会是什么样子。可看了他没多久，就与他的目光相撞。突如其来的慌乱让她别开了头，用僵硬的姿势掏出手机玩微信。

第一条消息是公司里的一个女同事发来的。这个时候发消息过来，她想应该是公事，就直接用扬声器放了出来。谁知传来的是与工作时一板一眼截然相反的兴奋声音："裴裴，我听说你恋爱了？天啊，冰山居然融化了！你现在在哪里，男朋友在不在身边，帅不帅？"

现在国内是下班时间，对方应该是在地铁站里。微信里的声音吵吵嚷嚷，但还是没能掩饰住那边说的任何一个字。没想到转眼的工夫，才发生的事就像光速一样传到了世界另一端的公司里去。夏承司是不可能和别人八卦的，那传出去的人应该是他带来的人。想瞒是肯定瞒不住了，但是面对夏承司，她说话还是有点尴尬："他还有演奏会，先回去了。"

"回哪里？你在哪里？"

"他回伦敦了，我还在罗蒙湖。"

"你一个人在那里做什么？"

"作曲。"

"我的天啊，曲子在哪里不可以写？回国你就得跟他牛郎织女了，现在不多拿点时间陪陪男友，以后该怎么办！"

"船到桥头自然直。"

"……裴裴，你老实回答，你是真的喜欢他？"

"当然。"

"那怎么你的声音听上去这么冷静啊，完全听不出是在恋爱的状态。话说回来，你们进展到哪一步了？接过吻了吗？"

恋爱的话题聊多了，自然而然会朝着重口的方向靠。她回了一句"没有"，然后偷偷看了一眼夏承司，清了清喉咙，"对了，我可能快回去了，现在和夏先生在一起。"

从她抖出杀手锏"夏先生"，那边简直就像是动画片里放烟幕弹的忍者，无声无息地消失了。她总算逃过一劫，对着夏承司耸耸肩，表示自己也很无奈。可是第一次在他面前说这么多废话，她觉得莫名地有些害羞。而且不知从什么时候开始，只要一和他面对面，后颈就仿佛被重物压着一般，需要花很大力气，才能抬头与他对视。

他靠在栏杆上，刘海儿被风吹乱，像是舞动的丝绒一样擦着漂亮的眉。他若无其事地说道："这能算是恋爱吗？都没有接过吻。"

她张开口，正想说"当然能了"，谁知对方却淡淡地补充了一句："连我们都有过。"

她用了大约四五秒去反应这句话的意思，而后冰冷的风像是失去效应一样，完全无法阻止脸颊开始变得发热："那，那个不算。明明是游戏。"嘴上是这么说，那种热度从皮肤下烧起来的感觉，却一直从身体的各个部分蔓延到耳根子。

这到底是怎么一回事，跟夏承司在一起，她总是说错话，心慌意乱，举止反常，脑袋像是充血一般不能思考。她一向最不喜欢的就是低情商的人和难以控制的事，因此，这种感觉让人觉得讨厌又害怕。而她明明给出了回答，他依然只是沉默地看着她，眼中流露着的感情像在等待什么，却又带着无所谓的冷漠。

她终于无法这样僵持下去，拿着手里的谱子转身就走："我先回去了。"

"不是在这里寻找灵感吗，你还什么都没写。"他指了指她手中的五线谱，上面的小蝌蚪还是昨天画上的。

"这里找不到我想要的感觉。"

夏承司没有开车过来，居然是因为火车宽敞好放腿这种荒谬的理由。

苏格兰的天气很冷，就是在火热的六月也要穿两件长袖才能保暖，难怪当地人都是皮肤苍白的高大人种。而且越远离都市，人们的口音就越难懂，在湖区游逛的时候她直接怀疑这里的人讲的根本不是英语。因此到了车站终于能听懂别人说话，她感到舒缓很多。他们坐的火车人不是很多，上车以后她非常自觉地坐在他前面一排，却被他叫到对面坐下给他端茶送水。好在他没有给她施加压力，只是拿着一本海明威的短篇小说集翻阅起来。她意外地发现，夏承司这样的年轻企业家爱看文学作品，比真正的文艺青年爱看文学作品还要让人感兴趣。

"我脸上沾到什么东西了吗？"

他突然说这样一句话把她吓了一跳，她翻了翻原本在整理的五线谱，用一种漠不关心的语调说道："我是在看你手里拿的书。"

他没有回答是她意料中的事。而恼人的是，只要跟他待在一起，她不但整个人会神经紧绷，甚至会无法作曲。看着窗外晃动的风景，她很想写一些曲子的片段，但与Andy相处时那种平静又灵感如源泉的感觉消失了。最终她放弃挣扎，在他的命令下去餐饮车厢买咖啡。

果然，不论再怎么用书籍修饰自己，夏承司就是个冷硬的印钞机，印钞机就是艺术绝缘体。她腹诽着把咖啡放到他面前，他放下书，挽起衬衫的袖子，开始为咖啡加糖。他露出的半截手臂呈现出年轻男人的健康与结实，而且比想象中的要更加修长。她忍不住拉开自己的袖子看了看，相比下来纤细白皙很多。她有一双柔韧度高而纤长的手，让她可以毫不费力地跨十一度奏乐，这算是上天赐给一个小提琴手最好的礼物。但是，她的缺陷也在于手臂手指过细而力道不足，因此，她花了很多时间去练习按压指板，才演奏出了拥有激昂效果的乐曲。

在这一点上，她毫不遮掩地给了他赞扬："你这双手拉小提琴一定很适合。"

他搅拌咖啡的动作停了一下，垂眼看了看自己的手："怎么说？"

"有的人手小，有的人力气小，有的人手大但手指尖粗大找不准位置——小提琴这种东西是很敏感的，按错一毫米音听上去都有差别。而这些问题你都没有。你的手指长、手大，而且指尖不粗。你平时是不是有做俯卧撑？"

"对。"

"那力量上面也没有问题了。你在天生条件上比我都好，真该去学小提琴。"

"我是夏娜的哥哥，要学早学了。"

"那为什么不学？没兴趣吗？"

他漫不经心的样子刺痛了她。他这算是什么态度，轻视？认为这不是能赚钱的东西，还是他根本就看不上乐器？这个没有灵魂和感情的男人，夸他两句就蹬鼻子上脸，要给他点教训！

"不过你的手看上去没什么灵活性啊，恐怕连完整的音也拉不出来。刚才的话当我没说好了。"她摇摇脑袋，把五线谱叠在一起，放入文件夹中。

"灵活性这种东西你也能看出来？"他居然吃了她的激将法，看向她的眼神里有几分挑衅。

"当然能，不信你试试。"

"行。"

她把随身携带的琴盒打开，小心翼翼地拿出提琴递给他。一定要挫挫这个骄傲男人的自尊心。她这么想着，堆着不怀好意的笑在他身边坐下，像教小孩子一样把琴放在他的肩上，奇特的是，他就这么妥妥当当地把提琴夹住了，而且放得很平稳——大概是有胸肌的缘故吧，她低头看了看他的胸膛，但很快又不自然地把头抬起来。

她也曾经这样教过小曲，不过那时候小曲还是少年，身材瘦削，腮托调整了半天才放上去。而且小曲是学钢琴的，小提琴与钢琴最大的冲突就是不管在什么情况下，前者都要有保留指[1]，后者如不是特殊要求，按键后的手指必须高高地抬起来。所以每次只要一按第二个音，他的手指就会像弹钢琴一样优雅地抬起，无论教几次都没用，最后她一掌打飞他，放弃了说服所有人去拉小提琴的野心。

不知道是不是夏承司太过桀骜不驯，当他架起琴的刹那，她的强迫症又一次发作，而且比以前还要更加严重。她忘记了要刁难他的初衷，如同孜孜不倦的导师跟他解释拿弓、拉空弦和奏出音阶的方法，同时还兴致高昂地强调很多对初学者而言根本不可能理解的东西。她越说越兴奋，看他的琴架得平稳，还自言自语说"这样很好，如果你没夹住，切换把位的时候琴就会跟着晃"，她抓住他的手往高音部分挪了一些，说这就是切换把位，二把位是

1　保留指，指按在弦上的左手指，在不妨碍下一个音弹奏时，不要马上松开，而是保留在琴弦上。演奏小提琴的时候如此做可以加快演奏速度。

这里，三把位是这里，四把位是这里……整个过程中她一直滔滔不绝，却未留意到，从她握住他手的那一刻开始，他轻轻瞥了一眼她的脸，目光就再也没能挪开过。

"……你根本没有听我在说什么，对吧？"发现他注意力不集中，她甚至忘记了他的身份，尴尬又不悦起来，"假装注意力不集中，并不能掩饰你根本学不会的事实。"

"是吗？"

"所以你不要总觉得自己什么都是最优秀的，你也有不会的东西。"她这才迟钝地想起自己原意是要打击他，撇撇嘴有些傲气地说道。

他没说话，看着手指把弓子握住，然后按着她说的方法，对着A弦长长地拉了空弦。神奇的是，弓虽然不是很稳，但并没有破音，也没有初学者那种锯木头的声音。

她眨了眨眼，愕然道："你学过吗？"

他没说话，按她说的去做，按下手指拉出音阶，依然不熟练，但左右手都十分有力，音色响亮饱满。到他开始试着拉二把位，她终于点点头，肯定地说："对啊，你是夏娜的哥哥，她多少应该教过你一些。"

"没学过，这是我第一次拉琴。"他把弓和琴放在桌面上，指了指刚才按过的位置，"你刚才说了那么半天，不全都告诉我了嘛，这里是一把位，这里是二把位，右手五指要全部弯着，琴弓不能歪，要和琴弦呈十字交错状……"

"骗人。你肯定有偷偷学过。"

他不想再解释，重新拿起看到一半的书继续阅读。她凝视着他的脸半晌，发现他好像真的没有骗自己，忽然用力击掌："夏先生，你是天才！"

他疑惑地抬头看着她。

"第一次拉琴的人一下就会这么多，你真的很聪明啊。"

他完全不吃她这套："没兴趣。"

"我以为你很喜欢音乐。"

"喜欢看电影，就一定要去当导演或演员吗？"

"可是，你天生条件这么好，脑袋还这么聪明，不学真的很可惜。"

"然后呢？"

"我敢保证，你就算是从现在开始学，也会很厉害的。"

从他们认识开始，她从来没有用这样的语气对他说过话。她只想说服这个男人，就像一个小女孩喜欢玩芭比娃娃，就要强迫邻居小男孩拿Ken[1]和她过家家一样。她大概不知道，自己对他露出的眼神充满了期望，也没留意到对方睥睨的眼神中有另一种情绪。

"而且，我跟你说说小提琴的好处。吃饭以后你想锻炼身体不长小肚子，肯定不能坐下，散步无聊，运动太激烈又对胃不好，这时候该怎么办？"

"然后呢？"

这时，火车刚好在一个站放慢行驶速度。这是一个偏僻的小镇，站台上的人寥寥无几，窗外的噪音小了很多。她觉得自己快要攻克他了，无心留意外面的景色，只是往他的方向挪了挪，热切地说道："然后，你就可以站着拉琴！它和钢琴不一样，你可以带它到任何地方去，还可以用任何姿势演奏。这可是结合了减肥、艺术、品味为一体的……"

话没说完，一片阴影压下来，嘴唇被什么东西堵住了。心脏在这一秒完全停止了跳动。车窗外也变得更加寂静无声。她惊诧地瞪大眼，眼睁睁地看着他拨起她的下颌，轻轻地吸吮着她的唇瓣。他的鼻尖触碰着她的脸颊，过近的呼吸唤醒了迟钝的心跳，心脏却开始严重心律不齐。

直到火车完全停下，弓子滑落在地。她才惊恐地退开，弯腰将它捡起。

"终于说完了吗？"他扬了扬眉，换了个舒适的姿势靠回靠背，重新开始读书。

刺目却不灿烂的阳光射入车厢。他的侧颜轮廓如此分明，被阳光刻印出

---

1 Ken，芭比的男朋友。

峡谷般的倒影。唯独那双琥珀色的瞳仁颜色很淡，几近透明。车窗外有几个穿着制服的女高中生路过，指着他的方向，围在一起激动地讨论着什么。可这一刻，裴诗只觉得洪水猛兽都未必有他可怕。

"我，还有事先下车了，伦，伦敦见。"她把小提琴装回盒子，拿起文件夹和包，飞速奔出车厢。

第二十乐章 ♪

欲盖弥彰

每一笔巨额财富的背后都有深重的罪恶。

——巴尔扎克

列车在帕丁顿站台停下。

　　这是伦敦市最大的一座站台，庞大得犹如巨兽的巢穴，但因为坐落于市中心，又直达希思罗机场，所以永远没有空旷的时候。无论何时，这里永远挤满了来自世界各地的人：有理着新潮发型的英国商业精英，他们身穿笔直的西装，随身携带笔记本电脑，对蓝牙耳机说着带英腔的德语；有戴着头巾额心带红点的印度胖妇女，牵着两个孩子的手，孩子肤色是深咖啡色，大眼长睫毛，可爱地四下探望，就像刚出世的幼猫；有低头听音乐穿着休闲装的黑人男子，他们的牛仔裤往往外露出半截白色内裤；也有成群结队穿着低胸短裙的西欧女孩，她们踩着细高跟鞋，拖着小巧的行李箱，张扬地炫耀自己的青春美貌，同时，也伴随着蒙面穆斯林女子低调而嫌恶的眼神；在地铁站，还可以看见典型的英国妇人——整个人都像是站在黑夜中，薄黑纱羽毛帽下是浓而精致的妆容，面孔傲气却透着几分绝望……这些毫无相似点的人聚集在了这座巨穴中，与裴诗擦肩而过。她看着站内明亮的光线从四面八方的出口射出去，弥漫开来，融入了夜空，成为了伦敦幽微的喘息声。

　　已经离夏承司那么远了，尴尬却始终像洪水般朝裴诗袭来。她心中清楚，他是觉得她太吵才这样做的，她的表现确实有些不妥，可是他怎么可以……

"吻"这个对她而言一向是不痛不痒的词，这一刻让她连想一想都会觉得无地自容。也不知道是不是因为这一次发生得比上次还意外，她一直无法平息，只要回想起来就会浑身发麻，心脏狂跳。

她是如此讨厌无法控制的事物，所以这件事一定当作没发生过。她没有去找夏承司，直接回到酒店开始作曲。拿出笔的时候，唇边好像还有他留下的触感。她开始不可遏制地想起他，想起他每一个凌厉的眼神，冷漠的微笑。随着漫不经心轻哼的曲子，笔下的音符一个个凌乱地呈现出来。但等她回过神以后，发现自己根本没把注意放在五线谱上，再看看自己写的曲谱，她自言自语地说着"什么乱七八糟的玩意儿"，然后把它当废纸叠好塞到草稿堆里。再一次试着作曲，她想的还是那张不该出现的脸。而且只要自己不加以控制，她就会让自己去想更多的东西。假如在火车上，如果自己没有躲开，而是大胆地回应他，结果会是怎样；假如她当时表现得淡定一些，不是仓皇逃掉，他会有怎样的反应；假如他真正开怀笑起来是怎样，温柔起来是怎样，难过起来会是怎样……对他越来越多的好奇心让她觉得这感觉实在不对。她终于受不了了，放弃作曲，打电话给了Andy，把他叫出来一起吃饭看电影。

看见Andy后略微安定的心情让她感觉好受了很多，她还是喜欢这样平静的相处模式。聊天时她有意无意地透露了自己即将回国，他原本还想强装无所谓，但很快整个脸都拉下来，坦诚地说出自己非常舍不得。看见他闹别扭的样子，她不知为什么想到了裴曲。于是，给了他一个温柔的拥抱，让他以后一定要去看她。

这一场短暂的约会结束后，她回到酒店情绪终于平复了一些，重新提笔开始作曲。原来的感觉回来了，她很顺利地写出了一首新曲子，反反复复修改了数次，直到四点英国南部的天已经明亮，才意犹未尽地躺在床上。她试着入睡，却兴奋得有些睡不着觉。这是交男友后第一首写好的成曲，已经迫不及待想要拿给别人分享。算了一下国内已经是白天，她把曲子发给了森川光，然后打电话给他。

"小诗这首曲子很好啊，和以前的风格很像，是稳扎稳打的作品。"电话那一头，森川的声音带了点鼻音，似乎有些感冒了。但他对她永远都是如水的温柔语调。

她的心却凉了一半："和以前的风格像？没有突破吗？"

"突破当然是有的，你最近是不是去了英国北部，好像曲风带着一点那边的味道。只是感情方面……似乎还是和以前一样。"

她握着话机的手冒出了涔涔细汗，悬着一颗心说道："感情和以前一样？那是什么意思，是没感情的意思吗？"

森川光非常了解她的个性。她是个自尊心很强的艺术家，允许别人说她有技术上的错误，甚至可以接受别人说"你就是个蠢蛋连基本乐理知识都不知道"，却最忌讳别人说她没天赋。所以他小心翼翼地琢磨着用词，尽量婉转地提点道："感情这种东西可以慢慢琢磨。"

听见这句话，裴诗明显感到胸前有什么东西在爆炸，一股气血直往脑袋里涌。但越是生气，她就表现得越镇定："真不懂你的意思。再解释一下。"

"在专业级的演奏水准下，不论是作曲还是演奏技巧已经不那么重要了，更重要的是灵魂。小诗，你在音乐上是百年难得一见的天才，但是可能是你的好胜心太旺盛了，写出的曲子没有可以挑剔的地方，总是让人感受不到整首曲子的灵魂。"

这番话瞬间击中她的要害。其实不仅作曲是如此，她甚至不擅长演奏太过欢快或浪漫的曲子。她的技巧性十足，知道何时高亢何时轻巧，再困难的地方，她都知道连音用前重后轻的方式来使曲子变得轻盈，却怎样都没有韩悦悦演奏时那种精灵般的感觉。她轻轻说："你是想说，我被野心蒙蔽了双眼对吗？"

"我只是觉得，有时你作曲可以试着保持冷静……"

听见他没有否认自己的话，她终于再也按捺不住了，愤怒道："森川少爷，我不懂你作为一个古典乐演奏者，怎么会给出这样的评价。我不是写通俗音乐的！贝多芬、莫扎特，哪个人做事是按牌理出牌的？你希望我写出滥情的作品，和夏娜变成一类人是吗？你真的是在为我好？真可笑！"

电话那一头长时间的沉默，让她变得害怕起来。因为担心他会挂电话，她很没底气地硬撑着："算了，本来这种事我就不该问你。不跟你说了，再见。"

她自行挂掉了电话，在一片混乱中渐渐感到后悔。她怎么可以这样对森川少爷说话？因为敬重Ricci夫人，不敢对她发作，所以就把脾气全部发泄到他身上？对他过度的依赖，到最后竟然变成无度的任性和霸道，真是讨厌这样的自己。想要给他打电话道歉，可是实在拉不下脸来，只好自己坐在桌旁发呆。

过了半个小时，她还是没做任何事，电话却响了起来。看见屏幕上森川光的名字，她稍微愣了一下，接通电话，小心翼翼地说："喂。"

"现在心情好一点了吗？"他的声音温和且平静，就像静卧在山涧的湖水。

她如鲠在喉，嘴唇抿成一条缝，良久才充满歉意地说："对不起……"

她并不擅长与人交流，但他已经懂了她的意思，只是透过电话，传递给她令人安心的安慰："没关系。你已经压抑很多天了吧，现在统统发泄出来，应该可以静下心来思考下一步怎么做了。"

"嗯。"她用力点点头，"真的……谢谢你。"

"不客气。"

再次挂掉电话之后，她的情绪确实平复了很多。只是森川光都会否认的作品，她觉得也没有什么必要再给Ricci夫人看了。她打电话给Ricci夫人坦白自己写不出曲子的事，对方把她叫到了一家餐厅谈心。然后，她从对方口中听见了意料之外的名字——Betty Yan。

这是她养母颜胜娇在海外的译名。

从第一次公开亮相到现在，她没有和颜胜娇正面进行过一次对话。她想，颜胜娇对她的了解，绝对不亚于她对多年前发生事情的了解。而更让她感到吃惊的是，Ricci夫人之所以退居幕后，不到一年时间胖成现在这样，竟然也和颜胜娇脱不开干系。

多年前她和颜胜娇在欧美古典音乐舞台都非常活跃，前者擅长柔情高雅的圆舞曲，后者擅长悲壮激烈的探戈，无数媒体都喜欢拿她们作比较，她们也暗中把对方当作自己的劲敌，屡次各自开演奏会打擂台。后来Ricci夫人结婚生子了，渐渐把事业的重心放在了家庭和孩子上，颜胜娇却自己成立了音乐公司，对自己旗下的音乐家们进行商业化的推广，甚至还培养出以鬼才Adonis为代表的许多偶像式音乐家。不幸的是，Ricci夫人的女儿得了系统性红斑狼疮，她病危时曾说，想再听一次母亲的演奏。于是Ricci夫人在罗马租用了离医院最近的一家音乐厅，打算专门为女儿开一场演奏会。然而，表演前几日工作人员通知她，颜胜娇临时出天价抢走了当日的演出场地，以举办Adonis的巡回音乐演奏会。她被迫取消演奏会。她还没来得及做二次准备，女儿就系统衰竭死亡了。

Ricci夫人对这个过程并没有描述太多。但裴诗心中却非常清楚，当一个艺术家为了某一个人放弃前程，那说明这个人已经比自己还要重要。她想起自己还在柯家时，颜胜娇也曾用类似的手段消灭掉另一个对手。当时连柯泽都看不下去了，说："妈你是搞艺术的，怎么可以这样不择手段？"颜胜娇只是冷漠地回答："如果母亲只是甘愿成为一个落魄的艺术家，你现在不过是一个在普通学校饱受欺负的、前途未卜的小混混。看清楚你现在身上的少爷光环，这都是母亲的不择手段换来的。"

这番话令裴诗反感，却又如此记忆犹新。

她想起了巴尔扎克说过的一句话：每一笔巨额财富的后面都有深重的罪恶。

回国以后，裴诗一直和Andy保持着邮件联系。但因为两边生活差异太大，渐渐地，彼此回邮件的速度越来越慢，到后来变成忘记对方的存在。她没有忘记Ricci夫人说过的"恋爱的心情"，一直在为自己物色下一任男友。只是从很多年前开始，她的生活就太过简单，又不像同事们那样爱泡吧、逛街、唱KTV，所以目前为止，喜欢她的男生只有一个，那就是在公司给她写情书的小伙子。

她与他通了邮件，了解到他叫宾彬，比她大两岁，是销售部门的客户经理。他是标准的年轻白领，名校毕业，有一点小资情调，喜欢法文老歌，对名牌有一定程度的了解，狂热地喜爱苹果公司的产品，天天加班，周末喜欢和同事们泡泡吧喝喝酒，对快节奏的社会的态度略显消极无奈。还有，对古典音乐完全没有了解——仅凭这一点，她就觉得这个男生完全没有Andy适合她。她开始怀念与Andy聊到法科时那种激动的感觉，愈发觉得比起跟男生聊都市生活、聊工作压力，自己更喜欢一个人待在房间里和琴玩。甚至是揉乱裴曲的脑袋，把他弄炸毛再安抚之，都要有趣得多。

后来她总算发现，他们之间原来还有共同话题，那就是恐怖的boss。据说宾彬的女上司是个李莫愁式的人物，销售部的员工们提到她，都会不由自主抖三抖。但她只要一遇到夏承司，会立刻变成遇见慕容复的王语嫣。"我有个朋友在香港的盛夏分公司工作，听说夏先生很少过去，但只要他到那边转一圈，他们都会紧张得不敢大声呼吸。你在他手下工作，肯定很辛苦。"对于他的话，她不能再赞同了。原来和同事聊天也是一件美好的事。像是夏承司在全公司视频会议上傲慢的态度，平时凶得要命的命令口吻，在大厅里和人谈判时那种六亲不认的模样，做什么事都百般挑剔像是机械纠错一样的习惯，等等，平时都是无法跟人吐槽的。可是，跟同事就可以。在夏承司身边这段漫长受虐时光累积的怨气，终于有了一个发泄的途径。她以前从来不知道，说一个人的坏话也是如此令人愉悦的事。

接下来的时间里，她开始训练自己编制的管弦乐队，把自己谱好的几首曲子演奏录制出来。忙碌之中，又一年过去了。不幸的是，12月31日她没能回家，而是和少董在公司加班。幸运的是，凌晨时小曲非常体贴地帮她送来了夜宵。夏承司虽然还是和平时一样不苟言笑，却对裴曲特别照顾，会问他的工作生活等问题，甚至还告诉他，你姐姐平时在公司是很尽责的员工。裴诗当时正在吃小曲亲手做的汤圆，一整个汤圆噎在喉咙里不上不下，差点呛死。裴曲简直完全被夏承司折服了，回家的路上一直念叨这样的话："他哪里像你说的魔鬼上司，他只是看上去很严肃，实际上人很好啊。"弟弟向来善良，别人给颗糖，他就会对对方推心置腹，她不愿多做评价。

春季之夜温度总是偏低，街边路灯高高挑起的灯泡像是悬在空中，散发着魔幻又诡谲的气息。它们照亮了公园护栏里的植物，枝叶的轮廓像是能吸收光芒一样，被镀上了一圈银色的镶边。在这些路灯与植物的烘托下，护栏外的长街显得有些暗淡，却为春夜平添了一丝柔软。让人误以为在光背后的黑影中，依然是无边无际的幽绿植物。这是春季独有的气息，但公园对面夜店里疯狂的年轻人们却连一秒注意力都不屑给它。

大门口停了很多好车，最显眼的莫过于白色、大红、银灰的三台。裴诗虽然不懂车，但大红的兰博基尼还是认得出来，另外两台都扁得底盘几乎贴到地面，一看就知道是同一个档次的顶级跑车。兰博基尼固然高调，但仔细一看，里面坐的人更高调：他烫了一头韩式小卷发，秀气的鼻梁上架着蓝镜片黄框的墨镜，从衣服到鞋都是纯粹的亮黄色，黄蓝相间的丝巾直接系在脖子上。车里的音乐开得很大，车里一个染了黄发的女孩和他一起随着音乐摇头晃脑。即便隔得很远，裴诗也能从他的皮肤看出来这个男生还很年轻，最多大学刚毕业。看见这辆车的时候她的预感就不好，没想到这男生真是夏承逸。车门翻起以后，他和女孩一起踏着舞步往夜店里去了。

裴诗忍不住看了一眼手机屏保上的裴曲——怎么都是别人的弟弟，夏承司的弟弟做派就这么吓人呢？若说他哥散发着年轻企业家的气质，他每次出现就一定散发着贪玩富二代的气质。不过她和夏承逸并不熟，这个晚上她的主要任务是当夏承司的跟班。

夏承司穿着经典的黑白叠穿修身西装，系着细长的新潮领带。从香水、打火机到手表，全都是最彰显身份的搭配。因为是在夜店里活动，为了压制这一身过于认真的打扮，他还戴着一颗夸张的白宝石银戒指，顿时有了一种优雅又新潮的气息。

夏承逸带来的几个女孩子看上去都又漂亮又娇小，但喝酒特别厉害，不出几分钟就灌了裴诗三杯酒。裴诗本来就没什么酒量，外加头顶的灯光太炫目，酒意渐渐上了脑，只好回到卡座坐下休息。十二点刚过，她听见旁边的陌生人在说"从现在开始就可以尽情愚人了，你做好准备了吗"，于是掏出手机来看了看，发现日期已经跳到了四月的第一天。原本像她这样的人是不会想到愚人节这种节日的，但看见夏承司从人群中走过来在她对面坐下，她忽然起了玩心，想要恶整一下他。

他翘着腿靠坐在沙发上，手指上的白宝石戒指在灯光下如星光般闪烁。可能是夜晚总是会展现人的另一面，他看上去和平时很不一样。蓝紫射线摇晃着呈现出他侧脸的轮廓，那种像是电脑合成一般的精致面孔没了平时的疏离感，反而散发出一种蛊惑人心的魅力。即便是在光线不足的地方，雌性生物们也依然练就了火眼金睛，不会错过任何一个优质男人。尤其是在她和他相隔甚远的情况下，没过多久，两个裹着紧身短裙的女孩子走过来，弯下腰故意展露火辣的身材，用浓黑妆容的眼睛对他放电。他礼貌地笑了一下，指了指裴诗的方向。那两个女孩面面相觑，不甘心地看着他端着酒杯走过来，牵着裴诗的手离开。

也不知是否音乐太过吵闹，被他握住手的瞬间，裴诗的心跳快到了接近危险的程度。她看他高高的个子出类拔萃地出现在人群上方，摇动手臂的人们居然都忘了跳舞，自动为他们让开道，目送他们走到靠近DJ的圆柱下面。然后，他松开她的手，站在她面前喝了一口酒——她这才稍微平复了一些，原来他是拿自己当挡箭牌。虽然松了一口气，却又有一丝莫名的失望。她抬头对他大声说："你以前都是这样？"

他凝神看了她一会儿，明显没听见她说了什么，于是低下头，侧着头示意她再说一遍。她对着他的耳朵说得更大声了："你以前也这样，玩夜场还带个跑腿的？"

他转过头来又看了她一眼，眼中有着不明意味的笑意，然后他把手轻轻搭在她的腰上，又垂下头来，在她耳边说："对，所以今天你也算加班。"

"你怎么敢喝酒了？"

"兑了很多绿茶吧。"他轻轻摇摇杯子。

他其实根本没有说什么暧昧的话，但她整个人已经变成一团乱麻。肯定是因为酒劲上来，不然怎么会看什么都这样晕？而他把她逼到墙角的行为，让她觉得自己非常被动，感觉很不对。大概是真的醉了，她决意要和他过一次愚人节。她朝他勾了勾手指，不等他低头，就踮脚在他耳边说："夏先生，其实我有一件事藏在心里很久了，一直没机会告诉你。"

"你说。"

她拽住他的细领带，把他往下拉了一些，用不大不小的声音说道："我暗恋你很久了……"

刚说出这句话，她就很想立即补充一句"愚人节开玩笑的"，以免他误会。不知为什么，她很害怕他误会。相比较让他觉得自己喜欢他，不如让他觉得自己讨厌他。可拖的时间越短，乐趣就越少，她强忍着继续说下去的欲望，抬头微笑地着看他。可是，有那么一段时间内，不论周围的音乐有多响亮，不论周围的人有多疯狂，他都只是站着不动，像是一幅动态图中静止的bug。只是不看见他的反应她誓不罢休，她心如擂鼓，伸手在他面前晃了晃。可这个动作刚做到一半，原本轻轻搭在腰上的手就加大了力道，身体被迫靠近了他。她差一点就跌倒在他身上，还好伸手抓住了旁边的桌子。

他在比之前更近的距离处，低声地说道："我也是。"

这一回吃惊的人变成了她。她的酒一下醒了，差点一屁股坐在地上。可很快她就回过神来，大笑着推了推他的手臂："哈哈，你也知道愚人节到了啊。没愚到你，真没意思。"

"当然。别忘了我是你上司。"

心情怎么会这么乱？不然这种简单到愚笨的玩笑过后，又怎么会觉得委屈，甚至心酸？这一刻，她突然特别讨厌夏承司，甚至不想再多看他一眼。可他把她搂得这么紧，完全没办法挣脱。她又推了一下他的胸口，皱着眉想抽身离开："你别当真就好，放开我……"

"愚人节的玩笑，我当然不会当真。"他把她推得靠在圆柱上，把她锁在自己的双臂中，"对了，这也是愚人节的玩笑。"

他的嘴唇轻扫过她的脸庞。毫无准备的袭击让她受惊过度，整个人直接往下滑。但他接住她的身子，完全不给她留下一丝逃离的机会。嘴唇离她双唇大约几毫米时，他轻轻笑了一下："这也是玩笑。"

嘴唇立刻被他的双唇覆住。她呜咽了一声，用力去推他的胸口。他被推开了一些，轻轻喘息着："还有这样。"他侧过头，轻轻咬着她的唇瓣，以几近侵略的方式吻着她。身体像是即将爆发的火山，她想要大叫出声，他根本没有留给她机会。

从来没有被如此对待过，她终于认输了。可就在张口说话的瞬间，他已经乘虚而入，长驱直入地深吻下去。只是醉酒带有报复意味的玩笑，谁想到事情会演变成这样。原本被他那一句"我也是"吓得完全清醒，现在好像又醉了，而且是酩酊大醉。她完全跟不上他的节奏，始终处于虚弱又无法反抗的状态……

漫长的吻结束后，她软软地靠在他怀里，像是被拔光了刺的刺猬一样没有了自卫能力。他在她唇上又碰了一下，又意犹未尽地撬开她的嘴唇，与她的舌尖缠绵了片刻，浅浅一笑："这些都是玩笑，不用介意。"

DJ营造出的魔幻电子音震颤着耳膜，在这种环境下不会有人留意这个角落发生的事，可她依然觉得脸颊发烫，高温一直从双颊蔓延到耳根。其实从常理角度看，他这样做是很失礼的，但是，她竟有一点点想要依靠他的感觉……这样的感觉把她吓着了，她赶紧推开他，推开人群，大步流星地朝大门走去。

此时其实是夜生活开始的最佳时段，但已经有不少客人醉得七零八落，被朋友塞进出租车然后皱着眉万般嘱咐。对面法兰西风格的冰冷高大的建筑，无数来往的车辆灯光一闪而过地打在上面，就像天降疾电，把它照得如白昼般明亮。原以为在外面吹吹冷风会让自己冷静一些，但打了两个哆嗦，又想起刚才的亲吻，她更加尴尬了。最近她和夏承司之间到底是怎么了，总是接二连三地发生这种出格的事。难道说成人的世界就是这样，任何事都是逢场作戏？夏承司可能恋爱过很多次了，之前对女友的态度让人觉得他不是人，但她没什么经验，刚才还被他吻成那样……她浑身的鸡皮疙瘩都竖起来，自言自语地骂自己是个笨蛋。为什么要无缘无故地跟他开那种玩笑……

这时，一个女人往门口最显眼的三台车里的白色跑车里放好东西，然后走下来。她穿着一件犹如花瓣般绽放的粉色蜂腰小裙摆，戴了一顶类似于关南施波波头的假发，弯曲手臂上挂着金链小包——夏娜无论走到哪里，动辄挂在身上的百万配件都可以轻易获得别人的注目，这个晚上也不例外。她的视线经过裴诗时，嘴角微微扬了一下，掏出手机拨通快捷号码："泽，我在门口等你。"

没过多久，柯泽从对面的建筑中走出来，来到夏娜身边。夏娜挽住他的胳膊，耀武扬威似的靠在他的肩上，一副陷入热恋中小女人的模样。他们向大门走去的时候看见了裴诗。裴诗站在露天阳台的正下方，她的两侧是夜晚繁华的街景，背后俱乐部的底面由黑白相间的大理石铺成。她站在这样的景色正中央，双颊似乎有些泛红，但看着他们的眼神却依然漠然疏离。她淡色的丝绸黑裙在晚风中拂动，皮肤白皙得令人心惊，就像是站在国际象棋棋盘中央冰冷的年轻王后。

"小诗。"

他在台阶下抬头看着她，眼神因为这个角度显得有些卑微。夏娜像是完全没预料到他会主动和裴诗说话，抱着他胳膊的手收紧了一些，抢在他说下一句之前说道："我哥还在里面等着我们呢，还是先进去吧。"

看到夏娜紧张的模样，裴诗忽然想要报复她一下，走下来两步，对柯泽笑了起来："好久没看到你了。你最近在忙什么呢？"

柯泽愣了一下，居然比夏娜还紧张："我……妈最近在国内待的时间多，我都在帮她弄公司的事。"

看见夏娜瞬间苍白的脸，裴诗很想大笑出声。一般像夏娜这样没什么情商的大小姐，按理说应该是比较单纯的，谁也不会想到她会在背后让人弄断自己的手臂，真是人不可貌相。如果夏娜只是抢了她的男人，她绝对不会往心里去——她一向认为，一个男人如果能被其他女人抢走，那他也不值得自己挽留。但夏娜险些让她一辈子不能碰琴，这怎么可以原谅呢？夜色中她的眼睛深邃如夜，却明亮如星，她低下头再上移视线，这样的角度让她有了一种神秘而诱人的女性魅力。她用轻轻的声音，随性却小心地说道："我和小曲的新家你还没看过吧，有空去我们那儿坐坐？"

"好。"

与他四目相望的刹那，她知道了，要重新得到他的喜爱似乎并不困难，但要把他从夏娜手里夺过来会打草惊蛇。只为让夏娜不愉快就牺牲这么多，有点得不偿失。

"你最近这么忙，怎么可能有时间去玩！"夏娜几乎是拖拽着他往里面走，"看，我哥来了。哥！"

裴诗的背脊僵硬了片刻，她听见夏承司的声音在后方响起。他只是轻轻"嗯"了一声，一如既往地波澜不惊。星光混着灯光洒落在地面上，衬映着地面上的人影。他的影子就停留在她的身后，比她的影子长了一截。夏承司和柯泽、夏娜聊了几句，让他们先进去。然后，他对她说："你在这门外做什么？"

她把手机掏出来，若无其事地说："……查我弟的留言。"

"小曲催你回去了吗？"

她不喜欢他这样叫裴曲，因为裴曲是她一个人的弟弟。除了森川光，谁这么叫他她都不开心。可是裴曲本人却很喜欢和夏承司亲近，被叫小名也完全不介意。她不甘心地点点头，点开微信上和裴曲的对话框，按住说话键想留言，手机却没反应。她松开手又按了一下，还是没反应。

"死机了，按这里。"夏承司伸出食指按了一下手机键钮，垂下头去替她看屏幕，"你肯定在里面存了太多东西，速度真慢。"

他的声音低沉而充满吸引力，如同深沉流动的河水声，就在她脸颊上方不远处响起。他身上的香水味道不浓，但仅闻一下就显得他既有品味，又有些许性感。喷洒的位置应该是手腕，因为他抬手时香气更加明显了一些。这时，他的手掌心又不小心碰到了她的手背。肌肤相触的瞬间她像是被电击了一般，猛地抽回手，还手滑了一下，差点把手机弄掉在地上。他伸手去接手机，却不小心再次碰到她的手。

"怎么了？"他就好像完全不知情，虚伪地问道。

"没事……"又一次抽掉了手，她皱着眉很无力地退向一边，"让我一个人在外面待一会儿。我很快就进去。"

爸爸死去以后，她的精神世界好像已变成了灰色的。除了裴曲和音乐，没有任何事物能让她感到太大的情绪波动。不管是走向计划的道路，还是遇到什么挫折和十字路口，她都很少犹豫。可这一刻，她发现自己正在想一些应该遏制住的事。开始觉得自己遇到这个男人的时间不对，仔细想了想又觉得，一辈子遇到他的时间都不会对。她讨厌他是夏娜的亲人，可他如果和夏娜没有关系，他们也不会有交集。

心中怎么会如此苦涩？为什么会觉得疲惫？为什么会想逃？

心情如此烦躁，她心想，如果他再多对她说一个字，她就要咆哮着让他滚蛋。然而，再度响起的声音刻薄而充满嘲意，却不是属于他的："我算看明白了，裴诗，原来你喜欢的人不是我未婚夫。"那是夏娜的声音。她靠在门前雅致的黄杨木装饰上，如同发现新大陆一样惊喜地看着裴诗："你喜欢的人是我哥。"

裴诗的心狠狠抽了一下。明明不是这么一回事，她却觉得像是被人扒光了衣服丢在大街上一样。她把目光投向了更远的地方。这一刻，不仅是柯泽，连夏承司看着她的表情都带着几分愕然。

"说完了吗？说完就让我一个人待着吧。"她心中乱极了，但看上去还是和平时没什么两样。

夏娜终于满足，带着胜利者的笑容，挽着柯泽进了俱乐部，留下一堆烂摊子给他们。她不敢看夏承司，却完全无法逃避他。因为他开门见山地问道："她说的是真的吗？"

"你认为可能吗？我有男友。"见他不说话，她又画蛇添足地说了一句，"不是Andy，是新的。"

"没问你有没有男友，我问的是，夏娜说的话是不是真的？"他的声音严厉而无感情色彩，与平时问她增值税报表是否准确的口吻没有区别。

果然，他的一切都无法让她喜欢起来。握成拳的手在微微颤抖，但她看上去还是公事公办的模样："不是的，夏先生。"

"真是个好员工，很遵守公司的规定。"

她依然无法分辨他说这句话时是怎样的情绪。但她累了，不愿意在工作以外的时间里去猜测他的想法。

第二天，她真的有了新男友——宾彬。

第二十一乐章 ♪

狂想夜神

如何看待这个世界，会影响你的人生。

两个月以后，裴诗已经彻底放弃了听取Ricci夫人的意见，去写什么充满感情的曲子。如果说她和Andy之间有文化差异，彼此之间更像伯牙子期的高山流水之情，构不成恋爱的模式，那和宾彬的交往可以说和一般情侣没什么差别了。他们经常下班后一起吃饭、逛街、看电影，周末去游乐园约会，过节给彼此买礼物。

　　可就是在这样的状态下，她努力写出的让自己鸡皮疙瘩掉一地的柔情曲子，还是被Ricci夫人完全否决。每个人的天赋都不一样，她想通了，要把重心放在自己擅长的曲风上。就像马克西姆，他擅长激昂澎湃的风格，所以他的曲子也大多是这样的风格。可是，Ricci夫人对她观点的回应却是"His music is very emotional[1]"。这句话让她决定彻底无视对方的意见。感情这种看不见摸不着的东西太难把握，如何让曲子好听、受人喜欢，才是她现在应该做的事。

　　她从谱写的几百首曲子中精挑细选了十首最动听的，请管弦乐队帮忙演奏，自己担任首席，开始密集训练。这期间她除了上班，鲜少和外界联系。收到过一通老爷子的电话，老爷子似乎还是对她与森川光的结合生子抱有幻想。

1　他的音乐很情绪化

她提到他们曾经做过的约定，并且说明现在这个阶段是最重要的，他也没再勉强她。只是在挂电话之前，他又多问了一句"难道你嫌弃我外孙是盲人"。她在电话这头的摇头犹如拨浪鼓，坚决否认。

说这些话的时候，森川光正坐在裴曲的钢琴前，因为她在通话而停止了对她曲子的试奏。但他一直心无旁骛，注意力完全集中在黑白键的位置上。他放在钢琴上的手瘦长而秀气，却蕴藏着充沛的力量。她只演奏了一次曲子，他就基本上记住了，而且还做出了钢琴版的改编。这时的阳光沿着窗栏闪烁，地衣攀爬在对面的小洋房墙壁上，薄烟包围的环境散发着古色古香的气息。他低头时露出的后颈肌肤白皙又细腻，从开始到现在都一直安静到仿佛不存在。相比徘徊在复仇计划和黑色记忆中的她，他干净得像是住在象牙塔里古老贵族的后裔——她怎么可能会嫌弃他呢？他不嫌弃她，她就已经很感动了。如果可以，她希望他们可以永远这样相处下去。

"小诗，其实这一首小提琴和钢琴合奏的曲子，你可以稍微做一点准备。"等她挂了电话，他弹了一段她刚才演奏的部分，"这里有大量E弦高把位的音符，这样尖锐的音色很挑演奏环境，一个不小心就会变得很刺耳。录制CD的时候就按你原来的计划，但你最好和小曲配合练习一个钢琴演奏变强的版本，这样以后如果遇到现场演奏需要削弱小提琴的部分，就可以把这个版本搬出来。"

"好。"

正好这时候裴曲在旁边看动漫新番，他摘下耳机，扭过头来无奈地说："我姐不要我和她演奏啊。她说我也是裴绍的儿子，如果把我叫上，跟夏娜的比赛就变成了二对一，是违反规则的。实际上我的水平跟爸爸差了十万八千里好不好，姐姐真抠门……啊，姐，不要揉了，我的头发都被你弄乱了……"

"别念了，你都念了多少次了。"裴诗不耐烦地说道，"只要你是爸的儿子，哪怕是乐盲，人家也会觉得你很厉害。"

森川光转过身去："原来是这样。那小诗你找到合适的钢琴手了吗？"

"还没有，找的几个钢琴手感觉都像没睡醒一样，怎么弹都难听。"

裴曲嗤之以鼻地说："要求那么高，总要花时间给人家练习。森川少爷你不知道，去年在柯娜音乐厅演奏那一回，我还是伴音，在底下简直都快被姐骂成猪头了，她是我见过最可怕的小提琴手……"

裴诗指着他屏幕上定格的动画片说："你要是拿出追这些东西十分之一的努力去练琴，我也就不会骂你了。"

裴曲嘟囔着说了她几句，被她问了一句"你说什么"就立刻噤声不敢多说。森川光忍不住笑了起来，而后抬头对着裴诗的方向："……要不，我来？"

裴诗愣了一下，淡淡说道："不了，谢谢组长。"

森川光有些错愕，但没有继续问下去。他一向是一个多礼到有些多余的人。裴诗又是不喜欢解释的人，如果裴曲不在场，他们俩经常会发生一些没有必要的误会。还好裴曲在，充当了裴诗的翻译机："我姐是怕给森川少爷你带来麻烦才拒绝的。"

森川光原本黯淡的神情渐渐又恢复了光彩，他眨了眨眼，嘴角有不明显的上扬弧度："是这样吗？"

"因为可能会公开亮相，你和老爷子可能都会不方便。"

"没关系，不会不方便。"他终于放心地绽开了笑容，"小诗，我想和你一起合奏。"

她完全没想到森川光会提出这种要求。如果能和他合奏，那就真的是如虎添翼了。她很想立刻点头，但觉得这样重要的事还是要经过老爷子同意才能决定。只是询问老爷子的事不能让森川光知道，他看上去温和，但自尊心其实很强，绝对不会允许被当成小孩子对待。所以，她以要考虑曲风为由延迟了这件事。但她没想到，裴曲这小子就好像青春期再次来袭一样，专门说最欠抽的话："也是，森川少爷这么帅，又这么优秀，如果和姐姐合奏，我未来姐夫肯定会吃醋吧。"

"未来……姐夫？"森川光疑惑道。

"是啊，我姐近些日子桃花运旺盛啊，已经谈了两次恋爱。人家都说恋爱中的女人是最甜蜜最腻人的，但我看姐怎么一点改变都没有呢，还是以前那个冷冰冰的女金刚……"

"小曲！"裴诗呵斥他，脸却有些泛红。

裴曲吐吐舌头，把耳机戴上又拧过头去玩电脑以逃避现实。

"你交男朋友了？"森川光的声音还是和以往一样平静温柔，听不出他对这件事的感情色彩。

"嗯。"

森川光的眼角弯了起来，像个大哥哥一样对她笑道："也是，小诗都这么大了，该恋爱了。"

"小曲，你跟我出去。"

裴诗却一把抓住裴曲的领口，摘下他的耳机，把他直接往外拖去。听见他们离去的声音，森川光紧绷的脊背忽然松懈了下来，他垂头对着钢琴，长而轻地叹了一口气。其实这一天迟早会到来，他真的应该为她感到开心才对。从出生在这个家庭开始，从知道自己有着那样的父亲母亲开始，他就从来没想过要好好爱上什么人。等外公物色到了合适的对象，再联姻，传宗接代，继承家业，这就是这个家族里所有姓森川的人应该走的路。所以素日他除了会处理组内的正事，用以消遣的活动也就只有茶道、插花、剑道、弹琴、听音乐、收集古董，等等。只是，感情这种东西最可怕的地方，就在于它不但拥有记忆，而且还像毒品一样会让人上瘾。完全不接触还好，只要沾了一点就会彻底完蛋。当一个人没有视觉的时候，他的其他感官都会变得特别敏感。他一直知道她有好听的声音，音色是清脆的，却经常被她压得略显低沉。这样的声音让她传达给人一种十分可靠的感觉，但当她极少感性的时候，声音又会变得轻灵且充满女性特质。但他从来不知道，她的肌肤会是如此柔软，又散发着薄薄的香气。他们在大阪有过亲密接触的那一个下午过后，他的生活发生了极大的变化。那些他以往进行最多的消遣活动，一夜之间就变成了磨炼意志的东西。他时常完全没心思品茶，弹琴的时候也是心乱如麻。原本以为对她只是不带任何占有欲的喜欢，却没想到会演变成每时每刻都想与她见面、想要触碰她、独占她的负面感情——他甚至不知道她长什么样。他维持着原本的姿势坐在原处，呼吸比平时沉重了一些。这么多年来，他很少像此刻这样害怕黑暗。

门外的裴诗早已恨不得掐断裴曲的脖子。她捏着他的脸蛋，把他那小小的脸当成橡皮一样玩弄，声音却依然是高高在上的冰冷："裴曲，你今天是吃错什么药了？"

"不喜欢你和别人谈恋爱，我觉得你应该和森川少爷在一起。"

"跟组长？"她差点脸部抽筋，"你怎么也变得跟老爷子一样了？为什么啊？"

"因为森川少爷喜欢你。"

"跟姐姐来这边，姐姐给你拿药吃。"

"姐你简直是迟钝到没药可医了。"裴曲甩掉她的手，用一种近乎哀求的眼神看着她，"森川少爷其实很会隐藏感情，可是他对你的无微不至连我都看得出来。难道你真的看不出来吗？"

"对我好，不代表他就喜欢我。你果然是小孩子，思考事情还是用小学生的模式。"

"我是男生，我知道男生在想什么！"裴曲忽然有些小小的愤怒，"姐你要是不喜欢人家，就不要让他当你的钢琴手，因为和你接触得越多，他就越悲惨！"

她最后确实没有让他当自己的钢琴手。但不是因为裴曲给的荒谬理由，而是因为他的身份太有来头，她不愿在这个时候节外生枝。而且，大概是因为森川光太不染世俗，眼睛又看不见，她总是想要保护他。以音乐人的身份发售CD毕竟太高调，她不愿意把他推到舆论的风口浪尖上。再回头一想，竞争对手不过是夏娜，只要夏承司按她所说那样，让柯氏音乐按同样的发售量发行她和夏娜的CD，哪怕不大力宣传，她也有自信能够战胜夏娜。

九月初，一张蓝黑色的音乐CD出现在全国各地所有的唱片零售店、多媒体购物中心、超市、书城、音乐学院。封面上蓝云弥漫，正中央一个绘制的长裙女人黑影张开了四肢。她四肢细长弯曲，如同软软的面条般抽象，动作乍一眼看去仿佛是在跳舞，仔细一看会发现她其实是在星空下演奏小提琴。而深蓝色的夜幕上布满了跳跃的星子，都是银白色的音符。专辑正中央写着大大的三个字母：Nox。在"Nox"的右下角，有一行到几乎要用显微镜才能看见的小字："裴诗的首张小提琴专辑"。

两个星期后，随便在街上询问一个路人，他或她不一定听过裴诗的名字，却多半对这张CD封面有印象，而且一定在哪里听过这张CD里面一个疯狂而凌乱的片段——他和她或许并不能把这张CD的封面和曲子对上号，但不会忘记这首曲子的旋律。这首曲子叫《夜神协奏曲》，英文名*Nox Concerto*，是*Nox*的主打D大调小提琴协奏曲。Nox是希腊神话中的黑夜女神，具有连众神之王宙斯都畏惧三分的强大力量。这首曲子就像这个暗夜的女神一样，用她不可抗拒的魔力，深深地吸引了所有听过片段的人。哪怕这个片段只有十秒钟。这张专辑有两张CD，加上这一首曲子，第一张CD中只有八首裴诗创作的乐曲——大概还是对创作没有百分百的自信，之前准备收录的十二首曲子又被她砍掉了四首。第二张CD则收录了十首演奏曲，其中有六首古典乐，一首B和声小调的阿拉伯风格音乐，三首百老汇歌剧音乐的小提琴演奏版，都是裴诗最喜欢的曲子。

CD刚到手的第一天，她在家里把整张专辑反复听了许多遍。她想，在这么短的时间内做出这个效果，确实已经尽力了。如果给她更长时间，一定可以做得更完美。专辑发行期间，她无论去哪里都会把这张CD带在身上，就连和男朋友吃饭的时候都会不时地拿出来看一看。

"裴裴。"

见裴诗又在走神，宾彬伸手在她面前晃了晃。她这才抬头看向他。他肤色很健康，长了一双浅色的杏眼，双眼皮部分很薄，配上浓浓的眉，看上去比实际年纪要小几岁。在一起这几个月来，她并没有特别留意过他的长相，只想尽量营造出恋爱的氛围。这一刻她心情如此地好，看他也是越来越顺眼，连他嘴角的小痣看上去都是如此可爱。她单手撑着脸颊，疑惑地看着他："怎么了？"

她化了一点淡妆，一边头发别到耳朵后面，修饰出颧骨到下巴尖的漂亮弧度，这个弧度与她嘴角勾起的弧度相互辉映，让她微笑的样子比平时温暖不少。她说出这三个字的时候，轻轻扬起一边的眉毛，散发着浑然天成的自信。这样的她是他从未见过的，美丽得让他心跳加速，挪不开眼，又觉得有些羞涩："吃完饭到我家里坐坐？"

"好呀。"她随口答应着，又瞥了一眼手机上飞增的唱片销售额报表——其实出CD之前她已志在必得，这时候不该如此高兴，但成果得到肯定的感觉太美好了。她的笑意更深了一些。

他早已发现了裴诗与寻常女性的不同。在大家传统的审美中，最美的东方女性是柔弱的、羞涩的、顺从的、犹如玻璃人儿般敏感的。即便三国时期以美艳著称的貂蝉，内心深处也是一个娇弱的小女子。到了现代，年轻的女孩子们对着手机自拍时，也总是会露出楚楚可怜的表情，让自己变得再可爱一些。可裴诗不一样，与任何男性待在一起，她都鲜少做出让人心疼的低姿态。她对什么都满不在乎，自信满满到让人有些牙痒痒。她有着江南女子的单薄身材，却总是穿着黑衣服让自己看上去精明又难对付。就连笑起来也很少像其他女孩那样爱睁大眼睛，反而时常半眯着眼带着几分邪气。他亲眼看见公司实习的女员工和她讨论粉嘟嘟带镜子的Hello kitty手机壳时，她回了一句"什么破玩意儿"把对方吓得脸都变了。之后，她那个女金刚搭档——彦玲，还火上浇油地说了一句"苹果想破头让他们的手机变得特别薄，你们倒好，一个壳加上去让它变回十多年前的大哥大，拿着这么大个砖头不累吗？"然后就没有了，因为那个女员工第二天就辞职了。

他们谈恋爱几个月，她连手都没让他牵过，也从来没给他任何可以这样做的暗示。对于这样的女性主动出击，对他而言可以说是极大的挑战。可她越是高姿态，他就越想知道她屈服软弱的样子。他在心底里想就这样豁出去了，伸手握住她放在桌子上的手。然而，她居然丝毫没感到受了冒犯，也没有觉得高兴，反而一脸狐疑地看着他："你抓着我做什么？"

这太尴尬了。他大受打击，张开口半天不知该如何解释，最终只得无奈地说："就是想牵牵你的手。"

"哦。"

她给了他一个"你请便"的眼神，又继续看手机。这个反应深深刺伤了他。可连他的手撤离了，她都没能反应过来。那是因为这个时候，她在柯氏音乐的专辑策划发了一条彩信给她。那是夏娜即将发行的专辑封面。封面的颜色是暖色调的，带着一点日系的亚麻色。夏娜一手握着小提琴，一手握着弓，穿着一身雪白长裙赤脚站在金色的麦田里。她一头大波浪卷发包裹着小小的脸，一双眼睛望着远处，令人有一种天使即将腾飞的错觉。专辑的名字就叫作《金色天使》，右上角用红贴纸写着"随CD送20P夏娜个人全彩写真，内附新婚独家采访爆料"——这种风格不像是古典音乐大碟，倒像是流行歌手唱片与日本动漫周刊的结合。但令裴诗感到惊讶的并不是以上看到的任何东西，而是这张唱片腰封上的宣传语——"超越音乐之神裴绍的天才小提琴家，本世纪你绝不容错过的古典皇后！"

从出生到现在，裴诗从未有哪一刻如此憎恨夏娜。因为父亲的名气太大，她不愿意让这场较量变成"裴绍女儿"与夏娜的对决。她是要夏娜输得心服口服。所以在专辑封面上，她对父亲只字未提，没有把神似父亲面容的个人照放上去，没让小曲来搅和，甚至连自己的名字都印得很小。可是她没想到，她没有提到父亲，夏娜反倒利用他的名气来炒作自己。这一刻，胃里一阵翻江倒海，她只想冲到夏娜面前狠狠抽对方几十个耳刮子！

"裴裴，怎么了？"宾彬看出了她的异样，担心地问道。

她伸手示意他暂时不要多说，然后拨通了策划的电话："夏娜那是什么意思？她和我爸有什么关系，凭什么这么写？"

"这只不过是宣传语，你不用太介意。据我观察，她这张碟不会有你的卖得好。"

"不管她是不是卖得好，她都不能把我父亲搬出来给自己当作陪衬！他都已经过世这么多年了，夏娜到底有没有一点良心？"她气得重重一拍桌，把对面的男友吓得往后退缩了一下。她正在气头上，也无法向对方道歉，只是皱眉看看他再摇头，接着继续愤怒道："她愿意用什么方法炒作都可以，唯独这个不行。我现在就打电话给她。"

"我觉得没用的。"策划人叹了一口气，"我也觉得她这个宣传语弄得很不合适，但夏小姐的性格我们都知道，她非常固执，我不认为她会在这个时候接你的电话。"

他说准了。之后无论裴诗打几个电话过去，夏娜都没有接听。她在餐厅里急得焦头烂额，完全顾不上宾彬的情绪。她又打电话给了夏承司，跟他说夏娜这样做绝对行不通，让他一定要阻止她，不能让这个宣传语面世。

"夏娜愿意拿谁比较都可以，她甚至可以说自己是帕格尼尼转世，我这边也没有半点意见。唯独我父亲不行！"她已经完全失去理性了，忘记了正在和她对话的是什么人。等她反应过来时似乎已经晚了，可没想到夏承司居然态度很平静，只说了一句"我去问她"就挂断了电话。

可惜的是，没过多久她就发现做什么都已经来不及。她收到了策划人的短信，按对方的意思打开了微博。柯氏音乐发布官方消息，预告夏娜超越裴绍的《金色天使》即将于下个星期在全国上市。而夏娜的粉丝俱乐部更是以他们的名义，发布了一条投票微博："音乐女神夏娜《金色天使》决战新锐红人裴诗 *Nox*，你们认为谁才是今年古典乐大碟销量的大赢家？"

*Nox*确实引发了轰动，这张专辑在短短的时间内带来的经济效益也远胜过无数经典唱片。但是，家喻户晓的是*Nox*，并不是裴诗。而夏娜自从《骑士颂》之后一直是人红音乐不红，但是也有一群宅男粉丝为她振臂助威。这条微博下的留言中，有一大群她的死忠粉丝为她转发，里面可以见到诸多这类的评论：

"能写出《骑士颂》的女神，怎么可能会输给一个新锐红人呢？那个裴诗是谁呀，听都没听过！"

"我觉得Nox比《骑士颂》好听，但《骑士颂》毕竟是夏娜多年前的作品了，新的专辑一定会有重大突破，投《金色天使》一票。"

"我们娜娜可是超越裴绍的女神，谁都不能和她比，那个昙花一现的红人滚一边去吧！"

"《骑士颂》一出，谁与争锋！大家快来给娜娜投票呀！"

"为了女神那20P的写真，我也要豁出去了，女神不要嫁给别人，嫁给我啊……"

短短十多分钟内，这条微博已经被转了上万次，夏娜的票数以压倒性的局面胜过裴诗。裴诗出道资历太浅，哪怕大部分人都欣赏她的音乐，也都保持中立态度，不会疯狂地为她刷票。相反，这些人对夏娜的超高票数开始好奇起来。《金色天使》尚未问世，就已经有这么多支持者，大家对它的信赖，甚至超过了Nox。难道，那个写出《骑士颂》的夏娜真的要回来了？许多古典乐爱好者都对这张专辑蠢蠢欲动起来。

与此同时，柯泽看了一眼坐在沙发上拿手机刷微博的夏娜，她的脸颊红润，嘴角轻轻扬起，几次哼笑出来，似乎已经无法再隐藏自己的狂喜之情。这样的反应与Nox刚上市时简直是天壤之别。那时看见Nox飞升的销量，在许多商城、餐厅听见裴诗的曲子，甚至连出席的高级晚宴大厅中播放的音乐都是《夜神协奏曲》，她夜夜辗转难眠，还偷偷哭了许多次。

"怎么办，我肯定会输。我的梦想，我的音乐厅，都要拱手让给裴诗了……"当时她坐在黑暗中低声啜泣，声音沙哑地说道，"她太强势了，又那么冷硬，完全没有任何弱点，我怎么可能斗得过她呢……"

看她这样伤心，他有些于心不忍，叹息着安慰道："她不是没有弱点的。"

夏娜用哭肿的眼睛看着他。

"她的弱点，大概是家人吧。"当时他没想到，脱口而出的是令他之后万分后悔的话，"尤其是她的父亲。每次提到裴先生，她的情绪都比平时要激动一些。"

他原本只是想让夏娜觉得好受一些，但怎么都没想到她会直接把裴绍搬出来。其实在现代这个市场经济社会，像夏娜这样夸大的宣传语并不少见，而且往往创作者越默默无闻，噱头就炒得越大。一个才出道的新人歌手可以称之为"堪比Michael Jackson"，一本没有内涵的奇幻小说可以被定义为"堪比《百年孤独》"，一部小投资灾难电影可以冠名为"超越《泰坦尼克号》"……可夏娜选谁不好，偏偏选裴绍，这难免就会让人觉得她心怀恶意。

"娜娜，"他放下笔记本电脑，走到夏娜身边坐下，"我们出专辑的时候，还是把有关裴绍的宣传语取消吧。"

夏娜甚至没有问他理由，就果断地说："不。"

"我是觉得这样对你不好。"

"为什么？"她终于抬眼看了他一下。

"裴先生是世界级的大师，你虽然也很优秀，但毕竟在大众心中他是音乐界的泰斗。而且国外媒体对他的尊重远远超过我们，你这样宣传，别人可能会认为你不够谦虚，对你以后出国发展也不利。"

夏娜望着手机上飞涨的票数，其实心里很清楚，这次微博投票这么高，完全是因为发起者是她的粉丝团，转发人肯定是偏向她这一边的。其他人则是人云亦云。而且，网络与现实有着天壤之别。虽然经纪人已经为她的专辑造成了网络热议，但真正转战到唱片行发行铺货以后，个人实力还是更重要一些。不过，她还有二手准备，一定不会输给裴诗。

"我再想想吧。"她关上手机，搂住柯泽的脖子。

他了解她的脾气，这时候一定不可以再提裴诗，否则她坚决不会放弃这个宣传语。只是如果裴诗已经看到了宣传语，肯定会恨不得立刻从枪支走私贩那里买家伙毙了夏娜。

裴诗确实已经气疯了。接到夏承司电话的那一瞬间，她的声音严肃得连自己都快辨认不出来："她怎么说？"

"我打不通她的电话。"夏承司淡淡说道，"你先冷静一下，这并不是什么大不了的事。"

"没什么大不了？如果是我拿你父亲这样炒作，你能冷静？"她等了一会儿，却没有得到那边回答，才想起夏承司和夏明诚的关系不好，于是一时无言。

"在我看来，这真不是什么大事。大众不是傻子，裴绍和娜娜谁更厉害，别人心里都有数。只是大家已经习惯了这种类型的宣传方式，所以也没几个人会提出异议。"

听见那个"娜娜"，她笑了两声，像是被抽空了所有的力气。看来真是气糊涂了，连自己的通话对象是谁都忘记了。这可是夏娜的哥哥，他怎么可能会偏向自己。挂掉夏承司的电话，"超越裴绍"这四个刺眼的字明晃晃地刺痛了她的眼睛。其实憎恨夏娜的同时，她更恨的是自己。明明再次回来是为了击溃害死父亲的人，没想到最后伤害的人却依然是九泉下的父亲。头疼一阵阵袭来，她撑着额头，充满歉意地对面前的宾彬说："宾彬，对不起。我这边的烦心事太多，让你无聊了。"

"没事没事。"宾彬摆摆手，露出贴心的微笑，"傻瓜，我可是你的男朋友，不开心了当然要让着你。来，吃这个。"

他舀起一勺芒果布丁送到她的嘴边，像喂孩子一样"啊"了一声。她禁不住笑了，张嘴吃下布丁。布丁是冰凉的，但她的心里竟变得温暖了一些。原来除了亲人和森川少爷，这世界上还是有人会对她这么好。这种贴心的感觉或许就是恋爱吧。虽然还是摆着个不近人情的表情，但她已经在心中决定，等和夏娜这一次的比赛结束，就要停下来休息一下，多花时间来陪他。

月底，《金色天使》终于发售了。由于夏娜的号召力和提前的宣传，第一天专辑销量就比Nox第一天的销量高出360％。然而从第二天开始，《金色天使》的销量就开始与日剧减，这与Nox的销售指数几乎是成反比的。到了第七天，它与夏娜以前的专辑销量基本持平，但已低于*Nox*发售后前五日的销量。

这个时代盗版、电子版的唱片相当猖獗，盗版的制作一般都是一张碟刻录几十甚至上百首歌，剽窃的都是原创音乐人多年的心血，鲜少有人知道正版的专辑其实曲目数量不多，就像裴诗的*Nox*那样。然而，夏娜却很好地利用了购买者喜欢看性价比的心理，创作了多少首曲子，就把它们全部放在专辑里。所以她的唱片单碟就有二十五首琴曲。如此一来，很多人都觉得这张唱片物美价廉，也就不会太计较内容，所以之后的销量还是保持稳定。只是时间越长，就越无法与*Nox*相媲美。

裴诗并不后悔自己没有多录制乐曲，不管这个社会是怎样的，这不能影响她自己。毕竟如何看待这个世界，会影响你的人生。她只是和夏娜一样，时刻关注着这两张专辑的销量。到十月中旬，*Nox*的销量几乎高出《金色天使》一倍。而且两边数据变动都非常稳定，几乎已经不会再有任何回转的余地。按这个走势发展下去，不用到年底就已分出胜负。裴诗却觉得有些不安，因为自从夏娜专辑发售以后，眼睁睁地看着她的销量不如自己，除了在各大媒体配合宣传，却也再没做出什么大动作。这不是很像她的作风。

她怎么都没想到的是，十月底，一张名为《银色幽灵》的专辑横空出世！《银色幽灵》封面上的女子同样穿着一身白色长裙，但人站在月光沐浴的深潭中，双臂张开，掌心上方悬浮着小提琴与弓。她就像幽灵一样飘忽，却也有着人类所没有的空灵美丽——这个人不是夏娜，而是韩悦悦。这张专辑的副标题则是：《金色天使》CD2——夏娜&韩悦悦小提琴二重奏。《银色幽灵》刚一发行，裴诗就把它买来听了一遍。听到自己曾经谱写给韩悦悦的熟悉旋律时，她整个人都陷入了绝望。似乎离开她以后，韩悦悦比以前更加努力了。这就是她当初选择韩悦悦的原因——她知道，这个才貌兼备的女孩只要加以包装，再大力推出，就一定会大放光彩。

果不其然，《银色幽灵》的反响不亚于《金色天使》。韩悦悦刚一出道就引发了广泛关注，她和夏娜频频在媒体前公开亮相，成为了仅次于裴诗的焦点新人。夏娜多次接受记者的采访，让记者在通稿上附加她的新CD与裴诗的旧CD在同一时间段的销量对比，并配上"《金色天使》完胜Nox成为本年度最不容错过的古典乐最热专辑"。人们对这一行原本就只是一知半解，所以哪怕是这样产生误导的数据，也让他们觉得夏娜CD的销量真的高出裴诗很多。网络上有一些考据党为裴诗证明了清白，并誓死要揭露夏娜的本质，但因为影响力远远低于大众媒体，也就不了了之了。

《银色幽灵》的走势和《金色天使》差不多，略微比后者高一些。单张销量依然只高过Nox的二分之一又多出少许。可是，这两张专辑加在一起，就比Nox高了。夏娜是故意挑在这个时候发行专辑的。因为马上年底了，裴诗根本来不及创作第二张大碟。而且，她的专辑里已经收录了CD1和CD2，再发行属于自己的新作品，不会再被列入销量数额里。现在裴诗只想知道，夏娜的销量，究竟是按单张CD的销量算，还是二者加起来。

周一的早晨，裴诗打算到公司询问夏承司。但他不在办公室，彦玲说他去了一楼的会议室，于是她直接到会议室去找他。从门前看见他正在里间和什么人对话，一看见她来了，他说："怎么了？"

"我是想问问你关于我和夏娜发行专辑的事。"她顿了顿，"你先忙，我在这里等你。"

夏承司没有理她，继续对面前的人说："这个方案可以再修改一下……"

这时，他对面的人却不紧不慢地说道："承司，你让她说说看。"

他愣了一下，转过头看向裴诗，下巴往屋内偏了偏，示意她进去。她听出了那个人的声音，所以进去的时候十分谨慎并且小心。

坐在夏承司对面的，是那个面容冷峻的女人。她有着年轻的肌肤和苍老的眼神，薄薄的嘴唇被涂成深红色，及肩的短发一边别在耳后，一边往下垂落形成了刀片般的凌厉形状；一身深蓝色的套装款式简单，但一看便知价格不菲。她用审视的目光上下打量了一下裴诗，眼神比之前更加严厉了。她周边的人哪怕站在她看不到的地方，都会微微低着头。就连夏承司坐在她的面前都带着几分谦恭。她是颜胜娇，柯氏音乐的董事长，柯泽的母亲。她抱着胳膊，似笑非笑地看着裴诗，在这样的目光下，任何人好像都是透明的、简单的、愚蠢的。她冷漠地说道："好久不见。"

"颜董。"裴诗的神色同样冷漠。

"说说看，你有什么问题。"

"我和夏娜同时发行专辑是为了竞……"

"我知道你们的竞争，不用废话。直接说重点。"

裴诗并没有生气，也没害怕，只是平铺直叙地说道："夏娜分开发行了两张CD，而且两张CD收录的曲目数量是我的三倍以上。现在她的两张CD销量刚好比我单张CD的销量多一点。我想知道，这样胜负该如何判定。"

颜胜娇冷笑了一下，居然立即给出了答案："既然是商业比拼，判定胜负的标准不应该是销售额吗？"

裴诗怔了一下，隐约记得夏娜的单张CD定价和自己的定价是一样的。这样算下来，她的销售额目前比自己的高。而且Nox发行时间更早，目前销量已经开始下滑了，夏娜的CD2却还是最热卖的阶段。她向夏承司投去了求助的目光："夏先生，你的意见呢？"

"我赞同颜董。"

如果不是有人在，裴诗大概会一下倒在椅子上。她硬着头皮接着说道："截止时间呢，是12月31日吗？"

"没错。"

她觉得头晕目眩。这么短的时间内，就算把之前删除的曲子临时录制成唱片，也来不及制作发行了。颜胜娇像完全看破了她的心思，维持着原本的坐姿，扬了扬下巴："不甘心是吗，觉得夏娜投机取巧是吗？但她可没违反游戏规则，是你自己太狂妄，恃才傲物，失败是早晚的事。"

"失败？"裴诗手心渗出了冷汗，却笑得云淡风轻，"等十二月结束了再说吧。"

第二十二乐章 ♪

心理试探

一个人越是过分强调自己的背景，其实对本身就越不自信。

一周后。

裴诗把手中的报纸全部揉成一团，丢在床头，然后打开搜索引擎，输入"裴诗"二字——这个星期来，与她有关的报道只出现了两个，而且都是一些名不见经传的小网站。报纸期刊上对她的宣传更是少之又少，之前约好的周刊记者，也没有按约定那样大篇幅刊登对她的采访——早上在接到电视采访取消的电话后，她就猜到会是这样的结果。而且，是某人有意为之。

这一想法在下午去公司后得到了证实。

夏承司外出用餐了，夏娜坐在一旁的沙发上百无聊赖地翻看着财经新闻，翻一翻就一边打呵欠，一边把它扔回茶几上。然后，她就看见了拿着文件夹走进来的裴诗。裴诗苗条的身躯如同女军人般笔挺，她像是在对夏娜鞠躬示意，但也只缓慢而官方地朝夏娜点了点脑袋，就回到秘书办公桌前去处理公务了。夏娜撑着下颌，继续懒散地玩手机，用一种女主人的口气说道："我哥还没回来啊。"然而，却没得到裴诗的回应。她有些尴尬地说："我在问你话呢，小秘书。"

"不好意思夏小姐，我以为你在自言自语。"裴诗依旧一副正式而严谨的模样，"是的，夏先生还没回来，如您所见。"

"你工作好像也挺辛苦的。又要做音乐，又要上班，还要接受采访，真是不容易。这样的生活，好像比在英国时那种艺术家的生活差远了嘛。或许留在国外，待在没有竞争的悠闲环境里更适合你。有没有想过再出国呢？"

"没有。"

夏娜等了半天，没有等到她的后文，这样言简意赅的说话方式令她不舒服极了。但她还是没死心，继续微笑着说道："裴诗，你也别跟我怄气。我们说说现实的问题，我们现在所处的社会，就是一个拼爹的社会。你要没有好爸妈，没有好平台，又想早早地出人头地，那就只能做出很多很脏的牺牲。我知道你是个有尊严的人，所以不要如此勉强自己。看着你这样，其实我挺不忍心的。"

"其实你也可以靠自己的。"裴诗的眼睛始终没有离开屏幕，"你不就靠自己了吗？"

"哦？我怎么靠自己了？"夏娜面露喜色。

"虽然你在英国读的是音乐专业，却认识大量媒体专业的朋友。除非是涉及这些人的自身利益，否则你只要打个招呼，他们就愿意为你封杀一个即将出道的新人。这样的人际关系资源就是你自己建立起来的，不是吗？"

"如果不是这样的家庭提供的留学平台，我也不会认识这些人。"

她忽然觉得夏娜很像一个没有安全感的孩童。毕竟一个人越是过分强调自己的背景，其实对本身就越不自信。她继续说道："没错，但这和你优秀的交际能力也脱不开干系，对吗？"

夏娜的眼角渐渐有了一丝得意之色："算是吧。"

"那不就是了。你可以靠自己让那些媒体不报道我的消息，我也可以靠自己，让他们把注意力集中在我身上。"

夏娜愣了一下，好笑又好气地说道："裴诗，你到底哪来的自信说这样的话？刚才你自己不都说了，只要我打个招呼，他们就愿意给我这个人情。你还不明白自己现在是什么状况吗？你现在已经输了，完全输了！"

"我刚才说的是，在不损害他们自身利益的情况下。如果，他们可以报道的对象比你带来的利益还要大，你认为他们还会选择你吗？"

"别开玩笑了。你我还不知道吗，你不认识这样的人。"

裴诗脸上带着漠然的微笑，终于把视线转移到了门口："夏先生。"

听见这个称呼，夏娜原本带着嘲讽和不屑的脸立刻堆满笑容，然后站起来，跑过去缠住夏承司的胳膊："二哥，你终于回来了。"裴诗发现，夏娜害怕自己的哥哥，好像远远多过未婚夫。不过说来也是，夏承司有一张美男子腓力四世的脸，却有一颗暴君拿破仑的心。连她都对夏承司有几分惧意，更别说是和他住在同一屋檐下那么久的夏娜。这样一想，夏娜竟变得有几分可怜。

"有什么事？"夏承司伸了一下胳膊，让自己更加舒服地坐在转椅上。

"我想你，来看看你不可以吗……呜呜，你不疼我了。"夏娜抓着他的手臂摇来摇去，眼角却像是在示威一样扫了裴诗一眼。

"这么大了还撒娇，还要我喂你吃饭吗？"

兄长有些责备的眼神却招来了夏娜更多的黏腻。她似乎只是闲来无聊跑来骚扰他，而且不论他怎么赶，都一直赖在他的办公室不肯走，像个小孩子一样绕着他转来转去。处于六十余层的高楼，窗外眼下的世界都像蝼蚁一般渺小，她如此骄傲，如此不屑一顾，像是把这闪闪发亮的资本世界当成了自己的玩具，像是在向裴诗发出宣言"看，这就是你重视又害怕的人，他也拿我没辙"。

过了很久，夏承司要出去见客户了，她才像嘴上挂着油瓶一样离开。裴诗跟夏承司一起进入电梯，他按下按钮关上电梯门，目不斜视地看着前方："你刚才和夏娜说的人是谁？"

"什么？"根本没料到他会和自己说话，裴诗一时没反应过来。

"比她带来的利益大的人。"

裴诗皱了皱眉，不知道该如何回答，只好装聋作哑。电子屏幕上红色的数字跳到一楼，电梯门打开的同时，夏承司又淡淡地说道："你和森川光并没有结婚，他为什么会帮你这么多，想过原因吗？"

　　裴诗想起了前一个晚上森川光请自己去餐厅吃饭。他在蒙蒙细雨中穿着皮草外套，杵着犀角杖和她走下轿车漫步。他们的影子出现在沾了水的大理石地面上，歪歪扭扭地闪着雪亮的光。在她的搀扶下，他的嘴角渐渐露出了笑容："小诗，我听小曲说，你的专辑现在遇到了一些困难。如果需要我帮忙，随时告诉我。我真的很想和你一起演奏，不会麻烦。"

　　他的声音单薄得仿佛不堪一击，却前所未有地激发了她的保护欲。她觉得很多时候，他的想法根本不像这个家族的后代所应有的。他像是完全不知道这世界有多险恶，人心丑陋起来有多可怕。如果她真的同意了他的话，利用了森川家的势力，赢过夏娜应该不是什么难事。但尽管现在的她早已不择手段，却依然有底线，那就是永远不会让人伤害自己重视的人。除了小曲和死去的至亲，她最想报答、守护的人就是他了——森川少爷。所以，最后她还是拒绝了他。她不会让任何人玷污他，扮演坏人的角色，她一个人就好。

　　"他会帮我，是因为他重视我。"待夏承司走出电梯，她在后面说道。

　　"你的想法还真是单纯。男人不是傻子，不会平白无故给你一大堆好处。"

　　"我确定他对我没有别的想法。他知道我有男朋友。"说完这句，她按下了关闭按钮，不愿意再继续这个话题，"夏先生，我先下去和司机开车上来。"

　　其实提到男朋友，也是因为她想起了这几天必须联络宾彬一次。跟他提前沟通一下，争取说服他接受自己的计划。她走进停车场，拨通了宾彬的电话。然后，除了鞋跟在空旷的车库里发出清晰的回音，熟悉的铃声也同时在不远处响起。正想顺势听一听那个声音的源头，宾彬抱怨的声音传了过来："又是那个古董女，真是烦人啊。"

　　裴诗呆住。

　　"宾彬你真是的，怎么这么说人家……"这是一个女人娇滴滴的声音。

"别提了，开始觉得她拉小提琴的样子挺漂亮的，所以对她有了好感，没想到她爱好古董就算了，人还像块化石。我上次牵她的手，你猜猜看她说什么？她问我抓着她做什么！真是太扫兴了。"说到一半的时候，他的手机铃声也被调成了静音。裴诗这边却没有挂断。

"哈哈哈哈，这女孩也太有意思了。不过你也要替她想想，她是小孩子嘛，想法比较幼稚，这是正常的。"

"所以，我还是喜欢成熟的女性啊，又优雅，又性感，身材又好……"

裴诗终于找到了他们。他那辆藏青色的车正在不远处，车窗摇了下来，宾彬和另一个二十八九岁的女人正坐在后排。他搂着女人的肩，垂头在她的颈项上暧昧地亲吻。裴诗面容失去了血色，她又拨通了他的电话，静静地等他接听。

"唉，怎么没完没了啊，这女人到底有什么事，真是的。一直这么下去也不是办法。宝宝你等等我……"

宾彬刚拿出手机，裴诗的手机就被人夺走了。她惊讶地转过身，看见夏承司正挂断她的电话，小声说道："你做什么？"

"这时候出现，是想给自己难堪吗？"

"这和你没关系，还我手机。"

他倒没有坚持，把手机还给了她。她接过手机，却没有再次拨通电话，只是沉默地站在原地，进退两难。然后，他带着她朝相反方向停车的位置走去，用心不在焉的语气说道："夏娜跟你说的话虽然刺耳，但其实没有错。你是个艺术家，何必让自己这么累？"

"你觉得我过得累吗？"

"在我看来，起码不轻松。"

她忽然停下脚步，长长叹息了一声。他原本出于惯性一直往前面走，听见这一声叹息，也渐渐停下来，回头看着她。她依然穿着深色的套装，看上去还是十分不近人情，但以往的冰冷仿佛正在逐渐瓦解，透露出一丝无奈的脆弱：

"夏先生,这世界上的女强人都是被环境逼出来的。你以为我不想像其他女人那样,遇到一个有责任感的好男人,早早结婚生子吗?"

他的脸上慢慢出现了诧异的神情。

"我也有向往浪漫的心,也想撒娇,也想像夏娜那样被一个男人如此公开地、肆无忌惮地宠着。只是没有办法,我有很多想要保护的人,但没有人会保护我。如果再向别人展现出自己的软弱,只会被现实伤害。"她低下头,有些无助地抱着自己一只胳膊,像是害怕他看见自己努力隐忍的泪水。

有什么东西的根基被触动了,他虽然没说话,却往前走了一步。她警惕地后退一步,以防备的姿态对着他:"夏先生,你不论是家世还是能力都太强了,根本不会理解我的辛苦。以后还是请你公私分明一点,不要再询问我过多与工作无关的事。"

"裴诗。"

"今天让我请个假吧,我觉得很不舒服,想回去休息一下。"她闭着眼摇摇头,好像已经无法再忍受下去了,直接转身小步逃开。

他看着她的背影,原地不动了很久,才坐上车,命令司机开车。但他再也没办法像以往那样悠然自若地翻看笔记本上的资讯,在大脑中模拟攻略下一座城池的步骤。他靠在靠背上,一直紧锁着眉。二十分钟后,他拨通了彦玲的电话:"帮我查一下裴秘书现在的住址。"

无声无息地,黑夜爬上了冬季的天空,把天空、云层和高楼都黏在一起。亿万颗的星与灯已十分难辨,像是夜神掉落的纽扣一般,织成银河撒落在江面上。夏承司开车经过了无数条街道。窗外繁华的夜景越来越少,如同闪着光点的颜料被稀释。渐渐地,他看见了很多老旧的事物:人声鼎沸的火锅店,由白发老者看守的水果摊,坐在院前打麻将的四世同堂住民,只收现金的窄小杂货店,挂在房檐上的赤裸灯泡……自从继承家业,他去过很多地方出差,但基本都在世界各地的中央商务区,看见的总是崭新的金融大楼和高级酒店,已经很久没有到过这样的地方。再往下开去，他甚至开始怀疑自己已经出了城，直达旧时巴黎的"圣迹区"[1]，但GPS又显示地址无误。直到看见目的地偏僻的地铁站，他才下车摸索到了裴诗住的地方。让他松一口气的是，裴诗的住所并不脏乱，只是临近郊区，朴素、宁静而偏远。他按了一下门铃。

很快，扬声器里传来了裴曲的声音："哪位？"

"夏承司。"

"什么，哇，夏先生？你是来找我姐的吗？她刚才送森川少爷出去了，可能要过一会儿才回来。"裴曲快速说道，然后门锁"嘀嘀"两声被打开，"你先上来坐吧？"

到了裴诗家里，裴曲好像很高兴来了贵客，立刻去厨房泡茶。夏承司心不在焉地看了看客厅的结构，发现唯一吸引他的亮点是一个小小角落，那里有裴诗的小提琴、曲谱支架、凌乱如山的五线谱和磨到深深凹陷的松香。然后他转过身，一直站在窗前，眼睛看着楼下。楼下的路灯并不刺眼，却能通透地将半条街照得暖洋洋的。天气越来越冷，在夜间吐出的白雾也越来越浓稠。大概过段时间就会下雪了。不知过了多久，他看见前面的街道中心走来几个晚回家的顽皮孩子，而一个纤细的身影则快步走在他们后面，她拎着一个塑料袋，动作敏捷地钻进了楼道。不过是一个瞬间，她的身影竟如此好认，像这个冬夜一样冰冷，完全与阳光温暖绝缘。这姐弟俩的家很小，原以为裴诗会敲门让弟弟开门，但没想到一分钟后，他听见了钥匙在门锁中转动的声音。在这样小的客厅中看见裴诗推门而入，夏承司竟有些不自然地直了直身子。

"小曲，烤鸡胗给你买回来了，但你少吃一点，这么晚吃这些东西对身体不好……"裴诗脱下外套，换了鞋又抬起头，却正好和夏承司对视，愕然道，"……夏先生？你怎么来了？"

---

1 圣迹区，巴黎旧时的地区，是白日伪装残废乞讨的流浪汉居住地。因为晚上回区后，他们会瞬间变回正常人，犹如天降圣迹，因而得名。

没想到她里面穿的竟是一件白色的高领毛衣。这似乎是他第一次看见她穿浅色衣服的样子。换了一套衣服，她的气质与以前完全不同了。黑色的长发垂在白毛衣上，她又有些紧张地把一边头发别在耳朵后面……从来不知道，这个叫裴诗的女人也可以如此清纯，毫无攻击性。

"我想和你聊聊今天的事。"他开门见山地说道，"与工作无关，所以我也没选在工作时间来找你。"

裴诗看了看厨房，叹了一口气，重新拉开门："出来说吧。"

两个人一前一后地走出了家门，她击掌让声控灯亮起来，转身看向他，却没有一点打算主动带动话题的打算。他低头看了她一会儿，语气比在房间里多了几分人情味："如果你觉得今天下午的事对你的情绪有影响，你可以请几天假。"

没想到她竟毫不客气地说："好。"

他思索了片刻："是不是和娜娜的竞争给你的压力太大了？"

"可能吧。"

这样的回答后，又没了后文。他又继续说："你想好接下来该怎么做了吗？"

她沉默的答复令他有些尴尬。他叱咤商界多年，还从来没有碰过这样的钉子。女人方面就更不用说了，熟人都一致认为他比他父亲能耐得多，哪怕再虚荣的女友，也只敢在朋友面前炫耀一下，绝对不敢让他们的绯闻登上报纸。他在男女关系中一向占领绝对主导地位。想到这里，他就决定不再这样温和，只是冷静地与她对峙，等待她的回答。许久，她终于无奈地说道："你到底希望我回答什么呢？把我这边的计划全盘告知你妹妹吗？恐怕你会失望。"

"这是不可能——"

他话未说完，她已打断道："我打算放弃。"

"什么？"

"我打算放弃这次竞争，然后和森川少爷结婚。"看见他有些讶异的面容，她皱着眉，转过头去，"我知道你在想什么，你在想我是不是真的喜欢他。老实跟你说吧，这不重要。你之前猜得没错，他喜欢我，这就够了。"

"他喜欢你，你就要和他结婚吗？"

"对。"

他不可置信地笑了："这就是你对婚姻的定义？"

"其实不瞒你说，我父亲去世太早了，所以从小到大，我向往的生活就只有一种，就是嫁给一个有责任感的男人，组成一个温暖的家。现在我越觉得疲倦，对这种生活就越是向往。如你所见，我很热爱音乐，但这些和对家庭的渴望比起来，完全算不了什么。而且，我对这个男人的要求也不多，他不必帅，不必有钱，但一定要喜欢孩子，不管再忙都要陪自己的儿子女儿吃饭、去游乐园。"

这番话让夏承司怔住了。刚好这时候，声控灯熄灭。在陡然绝望的黑暗中，首先苏醒的并不是过往的回忆，而是手臂和腿骨的痛感。小学时，自己曾经被人从家里的二楼踢到一楼，大概滚了二十多个阶梯，重重跌倒后，肘关节脱臼，小腿骨骨折。不管过多少年他都不会忘记，当自己抱着身躯在大理石地板上痛苦不堪的时候，抬头看见了夏明诚在阶梯顶端冷酷的脸。那是父亲八个月来第一次回家，对他说的第一句话却是："你在电话里对霍阿姨说了什么？立刻去向她道歉。"姓霍的年轻女人是父亲的情妇，后来死于事故。但她的死也没能让父亲多回家一次。

击掌声让灯重新亮起，打断了他的思路。裴诗长叹了一声："夏先生，你是含着金汤匙出生长大的公子哥，真的不能理解我们普通人的渴望。这些东西，Andy给不了我，宾彬给不了我，森川少爷却可以。哪怕我不爱他也没有关系。我只是想安定下来，想要有一个家。"

他微微皱了皱眉心："爱情是婚姻的基础。如果你不爱他，肯定没法走到最后。"

"我没有权利去选择自己喜欢的人，因为他不喜欢我。"她果决地说道。

"不忠于你的男人，没必要去记挂。"

"我说的人不是宾彬，是一个得不到的人。"

"Andy？"

"不是，这个人没和我在一起过，也不喜欢我。别说靠近他，我甚至没法想象和他恋爱的样子。"

"怎么说？"

"据我所知，他从来不会亲自送花给自己的女友，有时候女友生日当天都是下属提醒了，才让他们选礼物送过去。最糟糕的是，他谈个恋爱就像是隐藏军事机密一样，不会让任何人知道。你想想看，哪个女人会不希望全世界的人都知道自己被爱着，被宠着？所以，我根本不敢尝试去靠近他。不论结果是什么，一定会受伤的。我不能再受伤了。"

每说一句话，她都能察觉到自己上司神情的改变。最后，她红了眼眶，声音哽咽地说："他是那种根本没有一点感情的男人。他只有野心，没有爱心，也太冷静了。你懂吗？他太冷静了。"

"阿诗……"

他动容地上前一步，想要伸手去抚摸她的头发。可是，手却被她拦了下来。她赶紧收回手，像是防范毒蛇猛兽一样，身体略微蜷缩："别碰我。你别想说什么话来令我改变主意，我会和森川少爷结婚。因为女孩子喜欢的浪漫、惊喜、温暖，他都能给我。"

"你为什么以前不告——"

"夏先生，现在不早了，我就不送你下楼了。"她退回家里，把他锁在了门外。

之后，他没有再来敲门，也没有打她的电话。然而，她靠在门上出神了很久，才听见外面传来脚步声，声控灯的金橙色灯光从门缝里漏进来，他的脚步声渐渐远去。

屋外，草坪里凝结了冰霜。夜晚像一座灵魂的牢狱，空旷的冬季填满了它。

虽然口头上是说要请假几天，但第二天裴诗还是照常去公司上班了。夏承司还没有到办公室，她却接到了快递专员的电话，对方没有盛夏的通行卡，只能在一楼等她下楼拿快递。难道是她把网购的地址不小心填成了公司的？裴诗怎么也不记得自己做过这样的事。她莫名其妙地走进电梯，到某一层停下来时，她刚好看见抱着箱子走进来的宾彬。面对她仔细审查自己箱中物件的目光，宾彬的面子实在挂不住，沉声说："不用看了，就是你看到的这样。我被炒了。"

"为什么被炒？"她对他自然早没了怜惜之情，但还是有些好奇。

"我怎么知道？一来就接到人事部的邮件。他们列出了一堆我违反员工合同的条例，让我立刻离职。其实都是很勉强的理由啊，硬要按这标准裁员，现在盛夏恐怕早就变成空楼了。说要见副总裁，他们也不允许。我想我是无意间得罪人了吧。"

"那现在你打算怎么做？"

宾彬耸耸肩："没有关系，在盛夏待过，好歹也是为夏先生工作过的人，这名号报出去，在地产业根本不愁混不到一口饭吃。只是，我真的很好奇是哪个小人在背后咬我。"

这时电梯抵达一楼，宾彬重新抖了抖怀中的纸箱，大步朝门外走去。看见裴诗跟自己一起，他突然觉得有些感动："亲爱的，这时候有你陪在我身边，我突然什么也不怕了。"他留意到裴诗没有在听自己讲话，就顺着她的视线往前看去——那里站了一团火红的东西。竟是一捧鲜红的玫瑰。在冷冰冰的盛夏集团大楼，这样艳丽而鲜活的东西无疑会夺走所有人的视线。而他与裴诗都还没来得及仔细观察，那团玫瑰已经朝着他们的方向飞过来。仔细看去，原来是一个人捧着它走来。

鲜花停留在裴诗面前，后面探出一张快递员黝黑的笑脸："您就是裴诗吧，这是您的花，麻烦在这里签个字。"他递出一张快递签单。

　　裴诗怔怔地看着那束鲜花："我没有订花。你看看这是不是夏承司先生订的花，不过写上了我的名字。我是他的秘书。"

　　快递员拿出手机，低头看了看短信，赶紧抬头说："啊，不好意思，我弄错了。这花确实是夏承司先生订的。那么，请您代他签收一下。"

　　裴诗在快递单上签了名字。宾彬扫了一眼花束，看见旁边掉下的一个小小镀金名牌，知道它源自一家著名的玫瑰花店。这家店矗立在江边空旷的五星级酒店前方，被左右两边世界顶级品牌专卖店夹在中间，里面所有的鲜花都是从保加利亚空运过来的，附近一个小时停车的费用都够在其他地方吃上一顿饭。在这家店里，你不能在一朵玫瑰上发现一丁点儿的瑕疵，一朵玫瑰的价格也刚好顶得上一枚碎钻。他经常听见自己的地下情人和她的女友们讨论这家店，情人还当着他的面放话说过"谁要是肯用这家店的花来追求我，我就立刻嫁给他"——花并不是天价，但能轻松买下这家店鲜花的人，一定买得下天价的跑车。宾彬知道，自己一个月的薪水刚好够买这样一束花。想到以后离开盛夏可能还未必有这样的待遇，他心中有些不是滋味，故作若无其事地说："夏先生买花是打算送给女友吗？"

　　"不知道。"不讨论上司的私生活是盛夏的生存原则。

　　"哦，我以前还不知道，原来夏先生也会送花给女人。他保密功夫做得还真好。"没得到回答，他又继续追问，"肯定是送给模特或者选美冠军的吧？"

　　那是他爸爸喜欢的类型。夏承司以前的约会对象似乎都是名媛。裴诗心中这么想，嘴上还是照常回答："不知道。"

　　熟练地在上面签上夏承司的潦草签名，她把表单递给快递员。但还没接过花，她就看见夏承司的车停在了大楼门外。因为让人把花送到众人面前一向不是夏承司的作风，她觉得还是先过去问问他比较妥当，但往前走了两步，就觉得周围人的目光都集中在了她身后。然后，一个带着金属冰冷质感的男人声音从后面响起："打电话的时候，不是说要我亲自签收吗？"

　　快递员忙说："是，是这样吗？对不起，是我们公司的疏忽……"

她转过头，居然看见了夏承司。他单手拿着那一大捧花，似乎比快递员轻松多了，一身黑色正装却把花朵显得更加鲜红如血。宾彬平时看上去还有几分新潮精英的味道，站在他身边也好像变成透明的烟尘一样。然后，夏承司的视线转到她身上："你做什么？"

裴诗没敢转动脑袋，只是眼珠子左右转了转，确定他是在跟自己说话："我在帮夏先生签收鲜花。"

夏承司直接把花放到她怀里："拿着。本来就是给你的。"

花朵沉甸甸地落入她的臂弯中，植物清香混着纸张上的香水味，好像有了魔幻的催眠效果。她觉得脑袋出现了短暂的晕眩，然后摇摇头赶紧让自己清醒起来："等等，给我的吗？为什么啊？"

夏承司没理她，只是转身走向了电梯的方向。而他们四周，根本没有影视故事中经常出现的私语声，只有一片鸦雀无声。她赶紧追上去："夏先生，你肯定弄错了。"

夏承司停下脚步，转头淡淡扫了她一眼："不是你抱怨的吗？说我从来不会亲自送花给女友。"

她讶异地睁大眼。周围依然是一片死寂，旁边几个穿着高跟鞋的女职员像是从时尚电影海报中走出的pose女郎，完全静止不动了。直到他们一同进了电梯，才听见一声纸盒落地的巨响——那应该是宾彬的盒子。

接下来的几天里，裴诗完全没有和夏承司独处过。他还是和以前一样经常出席一些高级社交场合，也一如既往地把她带在了身边。但这一回，她的身份不再是秘书，而是他的女伴。不过，那些他送的高级定制晚礼服她一件也没穿。夏承司虽然被不少女性觊觎，却是著名的工作狂，从来没有这么频繁地带着女性在公共场合亮相。而裴诗的多重身份又是如此特殊，所以很快地，他们引来了媒体的关注。只是，夏承司的气场就像是他的地产事业——庞大又有着不动声色的威慑力，裴诗却也未对此感到受宠若惊，记者在问到他们二人关系的时候，通常得到的回应都是两张冷脸。

夏娜得知这个消息以后，立刻冲到了夏承司新居中，开门见山地说："哥，她是在利用你炒作啊。"

"是这样吗？我真意外。"夏承司为她开门后，又回到沙发上去看加西亚·马尔克斯的作品。

"我是说真的！你不要不相信我啊，我比你了解裴诗的性格，这女人为了自己的利益什么都可以做，到时候如果在记者面前乱说话，那你怎么办啊？"

夏承司没有说话。夏娜等了许久没有得到回答，只能掏出手机，拨通了裴诗的电话，并打开扬声器。没过多久，她听见电话那一头传来了清晰的一声"喂"。夏承司骤然抬起头。她迅速做了一个嘘声的动作，对手机说道："喂，裴诗，我有话要问你。你打算对我哥做什么？"

夏承司明显对夏娜的把戏不感兴趣，只是换了个舒服的姿势倚靠在沙发上，继续看书。外面飘着小雪，他这点缀不多的单身公寓里却被空调吹得很暖和。他的黑色毛衣V领处露出里面的白衬衫，身后挂着白天穿的卡其色风衣。这让他看上去没有在公司那样专横，但哪怕低着头，也依旧散发着让人不敢靠近的疏离气息。

"哦？你开始感到好奇了。你让我想想……"电话那一头，裴诗的声音变得玩味起来，仿佛听见她的声音，都能想象得到她故作疑虑的模样，"我也还没想好。不过你大概不知道，这可不是我和你哥哥的第一次亲密接触呢。"

听见这句话，夏娜吓得狠狠抽了一口气，赶紧回头看了自己的哥哥一眼。但夏承司的脸孔还是如同大理石般冷峻，连呼吸的频率都没有改变。夏娜盯着他，刷着厚重睫毛的眼睛睁大到有些骇人的程度："你和他……亲密接触？"

由于扬声器，裴诗的声音像是被什么东西蒙住了，染上了电子音的磁性："可能我直接的表达你不能明白——这样吧，摸一摸你现在肩上挎着的2.55。"

夏娜先是惊讶她知道自己背着什么包，接着又有些莫名地去摸了一下链子包的表面，是她喜欢却难保养的羊皮制钻石菱格车棉工艺。裴诗像是能看到这边发生了什么事一样，接着说："然后，你再把包打开看看。"

320

321

　　夏承司本来对这话题没兴趣，但不由得对裴诗奇怪的话感到好奇起来。他抬头瞥了一眼夏娜的包，里面装着钱包、纸巾和化妆品。裴诗说："里面的皮革是不是勃艮第酒红色？"

　　"……你是什么意思？"

　　"记住这个颜色，现在你再把它翻过来，看看背面的口袋。"她顿了顿，好像是在等夏娜行动，"那口袋两端是不是微微上扬？你应该知道，时尚界称之为'蒙娜丽莎的微笑'。"

　　"你到底想说什么？"

　　"不是怕你不理解嘛。你哥哥在顶尖的男人里，就像是这个包在Chanel里一样，不管有多少新款上市，他都是永恒的经典。"

　　"我哥有多优秀，我当然知道。你叫我记住包的颜色是什么意思？"

　　"这个颜色再淡几个号，就是夏先生嘴唇的颜色了。他的笑容是多么典雅、迷人，就像那包背面的微笑。对了，刚才叫你摸了一下钻石菱格包面……"裴诗轻轻笑出声来，带着一丝恶魔的气息，"他的双唇，比那个还要柔软哦。"

　　夏承司怔住。只听见夏娜尖叫一声，涨红了脸说："裴诗，你无耻，无耻！"随后，夏承司又重新转过头去，还是面无表情，只是没有在看书，眨眼的速度也变得急躁起来。

　　"看你这么好奇，说得更能让你理解不好嘛。"裴诗没有丝毫不悦，反倒有些得意起来，"所以，你问我要对他做什么……这个我也说不准。如果他对我一直这样没有防备，我大概会当着大众媒体还他一记也说不定呢。你可不要让他知道。"

　　挂了电话以后，夏娜颤颤巍巍地坐在沙发上，无助地望着夏承司："她说要还你一记……是什么意思？难道她，她想……""亲你"这两个字，实在说不出口。

　　夏承司靠在沙发一角，用右手撑着太阳穴，眼睛微微眯了起来。

第二十三乐章 ♪

以柔克刚

如果一个女人觉得自己重视事业，是因为没有嫁对人，
其实就等同于放弃了受到尊重的权利。

"怕她告诉夏承司？"裴诗连眼也没抬，专心调音拨弦，"夏承司就在她旁边。"

　　"什么？你怎么知道？"

　　看见弟弟大惊小怪的样子，裴诗挪出手拍了拍他的肩："夏娜这人虽然坏事干了不少，但她在撒谎掩饰方面却天真得很，从她打电话过来说的头两句话中，我就能听出她身边有人。是什么人还用猜吗？"

　　"可是，你这样说，难道不怕夏先生听到吗？"

　　"为什么怕他听到，如果他不在旁边，我还不会这么说。"

　　"你……是故意说给他听的？"

　　"对。"

　　"姐……我不明白，这是为什么啊？"裴曲沉默了片刻，忽然绕过桌子，一脸严肃地坐在裴诗身边，像是审问犯人一样盯着她，"难道说，你想勾引夏先生？还是说……"他倒吸一口气，"天啊，夏先生原本就喜欢你，你现在是在利用他的感情炒作，想要为专辑造势吗？！"

　　"不，夏承司是一个感情观很不正常的人。他不会喜欢人，更不会喜欢我。他只会喜欢攻略目标。"

"什么意思……"

她自诩观察力还算敏锐，在夏承司身边待的时间也不短了，所以，她并非完全不了解他。她跟着他在金融圈认识了不少富商后代，她发现只要是家境优越的孩子，不论男女，性格总是会有那么一些无法弥补的缺陷，而所有人都认为，他们在夏承司身上几乎找不到任何缺陷，甚至很少能看见他皱眉苦恼的时候。可是这是不符合万物发展定律的。到底是怎样的生活环境，才会让他长成这样一个无懈可击的人呢？这个问题大家都不理解，但裴诗却知道，这个男人的EQ和IQ确实非常高，内心深处却有着常人看不出来的征服欲。如果他不是用冷静的外表遮掩本性，那么解开他那一丝不苟的领带，释放在阳光下的，恐怕会是一个战争恶魔。

"他也不完全是个机器，他有弱点。但是，他的脑子比机器还要聪明。一旦发现漏洞，他会把它修补得比优点还要坚实百倍。"裴诗的拇指从G弦拨到E弦，让小提琴空荡荡的肚子里发出竖琴一般的天籁之音，然后她突然转过头来，堆着一脸公事公办的微笑看着他，"但是，这个弱点只能消费一次。"

过了半天，裴曲只眨了一下眼睛，好像这是他可以做出的所有反应。然后她知道了，他不知道她在说什么。她继续用左手转动弦轴，再用右手拨弦，三两下就把四根弦都调好了。

其实，在第二天夏娜和韩悦悦的演奏会结束之前，裴诗一直都不是很有信心。但同一天，夏承司一个小小的动作，让她瞬间看见了一片光明。

夏娜是个很会抓住时机的人，专辑刚发售没多久，就准备好了和韩悦悦的全国巡回演出，第一场就是在柯娜音乐厅。最前排的座位售价高达两千元，这在古典音乐界里绝对算得上是昂贵的价位，比许多国际知名交响乐团的票价都高。神奇的是，出票阶段，这些票就一售而空了。当然，这个消息也毫不意外地上了报纸——除了裴诗外，很少有人能猜到这又是夏娜炒作的小把戏。

这一场演奏会中，夏娜先把自己独奏的曲子从头到尾演奏了一遍，然后和韩悦悦进行了小提琴二重奏。不得不说，姜还是老的辣，韩悦悦虽然是个有天赋的小提琴手，但现场表演还是不及从小就上演奏台的夏娜。裴诗和夏承司坐在贵宾席中，心想着今天音乐厅外面的记者还真是多得有些不正常。一般情况下，记者不会跑到这种地方蹲点。毕竟对他们，尤其是娱记而言，古典音乐厅可以说是最无趣、最挖不到新闻的地方。而且夏娜的音乐造诣她一向是很看不上的，韩悦悦的发挥失常也让她忍不住连连扶额——她想，这次失常多半是看见她坐在第一排的缘故。她打着呵欠，假装睡着，以便减少表演者的压力。

一场音乐会结束后，她跟夏承司一起从侧门出去，然后走向被记者包围的夏娜。夏娜依然穿着表演时那身红色曳地的晚礼裙，回答记者问题比任何人都有名媛艺术家的范儿。在这种场合，怯懦的韩悦悦似乎比她逊色多了。看见她们，裴诗忍不住转过头看了看身边夏娜的哥哥。这一晚，夏承司穿着一套深蓝色的西装，深蓝把他淡色的瞳仁也映成了紫棕色，他的肤色却白皙犹如西方油画中走出来的子爵。但是，令他显得优秀出群的一向不是他的衣着，而是他自身的气质。这是令他在任何一栋豪华写字楼都依然傲慢的气派，同时又散发着典雅的风范，她突然发现，他是真适合站在这座由大理石堆砌的音乐厅前。

想到这里，夏承司突然也回过头来看向她，下巴侧向记者群："想不想和他们说说话？"

"你是说记者还是你妹妹？不好意思，都不想。"

很快，记者们就发现了他们。相较近期曝光率过高的夏娜，神秘的夏承司更讨他们的喜欢。但夏承司的职业显然不是音乐人或是演员，他们只敢站在离他有一定距离的地方，趁他不注意偷偷拍几张照片。他没有继续说话，看着裴诗没动，似乎是一个拿着棋子正在等对方行动的下棋者。但她只是面无表情地回望着他，如同一个等待发号施令的士兵。

过了一会儿，夏承司终于没耐心了，低下头，在她耳边轻轻说道："前两天，在和我妹妹的电话里……你不是有什么计划吗？"

裴诗身体僵了一下，错愕地往后退了一步，像是在克制自己恐慌的声音："你知道我只是为了气她而已。"

夏承司扬了扬嘴角："那你对我嘴唇的记忆，还真够深刻。"看见她更加惊慌的表情，他笑意更深了，拉近了彼此的距离："怎么突然变得这么胆小，这可不像你。阿诗，来，兑现你的诺言吧。"

他的声音就像催情药一样令人四肢发软，他的笑容诱人却又显得有些可怕。她知道这不是实现计划的最佳场所，夏承司也并没有到达濒临爆发的那个点，所以她不会进行下一步的。终于，他的手搭上她的腰。她轻巧却坚定地推开了他："不，别碰我。"

他们身上已有几道照相机的光闪过。夏承司的眼睛突然眯起，像是变成了深深的黑夜。然后他右手握成拳，用大拇指轻轻擦了一下下巴，冷冷说道："明白了。我派车送你回家。"

随后他说了什么，她也都没有记住。她只是在离开柯娜音乐厅以后，发了一条短信给小曲："小曲，这一回，姐姐赢定了。"

小曲回了一个睁大眼疑问的表情。她没再发下去，只是学着夏承司的样子，用大拇指擦了擦自己的下巴——就是这个动作，她记忆犹新的动作——之前他和一群业内大佬开会，当其中一个人说出对他提出的六十亿融资有兴趣时，他做出过这个动作，然后冷冰冰地说"这个话题我们再议"；他曾经和一个有拉丁血统的女孩有过来往，那女孩第一次对他说出"你以为我会和其他女孩一样，一定选择你吗"以后，他就做出过这个动作，然后冷冰冰地说"这是你的选择，不必告诉我"；当他哥哥出差回来后对他说"我给你带了西班牙特制布丁"，他也会做出这个动作，然后冷冰冰地说"这种东西，娜娜比较喜欢吧"……

每次当夏承司做出这个动作之后，他的反应总是会比平时还要冷漠一点，但从这一刻起，他志在必得，不达到目的决不罢休。当然，根据她长期观察，最终他也都是胜利者，100%，没例外。

源莎之后他没有再交过女友，但在去英国之前，和他来往的女性一直没断过。这些女性外形、性格各有千秋，但没有哪一个不是高挑美丽可被奉为女神的。可遗憾的是，她们与他的关系维持的时间都不长，几乎都是因为受不了他的忙碌和冷淡，主动提出不再来往。但在暧昧试探阶段，她们其中很多人却特别爱和他玩恋爱游戏，例如假装对他不在意，故意拒绝他的邀约，甚至摔碎他送的礼物。这种时候，夏承司不论有多么想要继续挑战，都只会淡淡地接受对方的任性，然后继续忙自己的事。一般一天到一周内，就又有一个可怜的女人被这个情绪操纵者俘虏。

这个晚上，裴诗已经拒绝了他。以过去的经验来看，接下来他会不再联系她，直到她忍受不了主动联系他为止。裴诗知道这男人是很高傲的，绝不会轻易向女人低头，可立刻和他联系又会浇灭他的征服欲。因此，三天，这是最好的时间。

回家之后，她正想着三天后如何开口才能顺利吊住他的胃口，手机铃声却传来了《地狱镇魂曲》——夏承司的专用短信铃声。她不可置信地掏出手机，再三确认屏幕上确实是显示了他的名字，才按下了接听键："……喂？"

"到家了吗？"真的是夏承司的声音……这是怎么回事？啊，她想起来了，肯定是为了工作的事。

"到了。"

"明天晚上有空吗？"

哦，应该是为了工作的事。裴诗松了一口气："有的。"

"行，那我带你去吃饭。六点过来接你。"

"等等，为什么……"话还没说完，电话已经挂断。裴诗傻眼了。

下一次的对话就直接跳转到了第二天下午。夏承司竟然真的亲自开车来接她了。在她印象中，他似乎永远都是坐在商务车的后排或副座上，这回坐在司机的位置上就像看见幻觉一样。她在副座上坐下，系上安全带，看着他左手撑在窗台上，右手扶着方向盘，平稳而快速地把车开了出去。车里飘着很淡的香气，那是每次靠近他都会隐约闻到的味道，这一回竟一直将她包围。她有些晕眩。他依旧看着前方，说道："想吃点什么？"

"有选择吗？"

"有三个：意大利菜、粤菜、阿拉伯菜。"

她知道不用预订就为他腾出VIP桌位的餐厅绝对不止这几个，但他习惯性给出三个选择。这样给人感觉他准备充分，而且大局在握。她点点头，想了想：
"那我要吃日本料理。"

"……"他脖子也没动一下，只是眼睛自上而下斜睨着她。

"要坐在传送带旁随时可以取下碟子的那种。我想坐在传送带旁边。"

"那甚至都不需要预订。"

"是不用预订，我们直接去就好了。"她轻松地说道。

其实，选择日本料理的主要原因，是源自与森川光一次在日本的经历。当时他需要与几个黑道组的大佬谈一笔交易，地点是在银座的酒吧中。森川光并不喜欢去那些声色犬马的地方，所以让裕太安排人替他去谈话。裴诗一听说银座酒吧立刻来了兴致，与他的对话也从"里面是不是和电视剧里演的一样"发展到了"组长，我真的好想去看一看"。森川光不放心，只好跟她一起去。

事实是，他们去的银座酒吧比她想象的还要高端，陪酒小姐们个个淡妆华服，优雅得像是长颈鹿一样在店里徘徊、为客人倒酒。森川光因为地位尊崇，鲜少开口说话，也不愿意喝陪酒小姐倒的酒，倒是裴诗给他什么他就吃什么喝什么。裴诗的日语有限，很快也对那些人的谈话失去了兴趣，转而把重点放在了那些陪酒小姐身上。她洞察力一向不差，很快发现了陪酒小姐服务客人与在餐厅的男女约会大有不同：前者总是围成一个小桌子靠坐在一起，后者通常是面对面地坐在餐桌两端。在她看来，明显前者的坐法更亲昵，这又是为什么呢？她百思不得其解，然后问了森川光。

"你没有发现，这些陪酒小姐总是会在聊得最畅快时突然离开，换成下一拨人吗？"森川光目无焦点地"看"着前方，嘴角却有一抹微笑，"保持客人对她们的新鲜感，可是她们的工作。"

"那这和这样围着小圆桌的坐法又有什么关系呢？"

"因为在远古时代，男人和女人的劳动是有明确分工的。男人的工作是狩猎，女人的工作是持家和抚育后代。男人在野外总是追捕前方的猎物，对于前方数米的目标总是能保持精力的高度集中，却无法顾及周边的事物。女人习惯了一边带孩子一边照顾周边的事物，即便有干扰也可以同时进行多件事，但对于前方目标的集中力，却不如男人。从以前开始，餐厅就是男性追求女性、男性与男性谈判的场所，所以桌椅以用餐对象面对面的方式摆放，这样方便男人把精力集中在前方的猎物上，也就是试图说服或攻陷的用餐对象身上。但是银座酒吧不一样，这是一个女性取悦男客人的地方，所以桌椅的摆放会换成对女性有优势的方式。当女人坐在男人的身边，男人的注意力就会很不集中，很容易被逮住弱点。这时候陪酒小姐只要话题切入得好，客人也就会在心理上对她们产生依赖感。"

"原来如此……大长见识。"裴诗犹如醍醐灌顶，歪着脑袋看向他，"虽然组长看不到，但能听见我的声音从旁边传过来吧？那你现在有觉得想要依赖我吗？"

森川光苦笑了一下："小诗，你还真是会现学现用。"

"好啦，我跟你开玩笑的。谢谢组长倾囊相授博学见识，以后如果我有想攻陷的对象，一定会一直坐在他旁边的。"听见森川光用日语嘀咕了一句话，裴诗笑了，"那个男人才不幸运呢，他会被我虐待得很惨的。"

森川光愣了一下，双颊有些泛红："现在你的日语真是好厉害。"

"在想什么，一直走神。"夏承司的声音把她从记忆中拽了回来。

裴诗一本正经地说："我只是在惊讶，你居然会开车……"而且不管是操纵方向盘还是换挡，都只用单手开，这是在要帅吗——虽然这么想，却觉得这样的夏承司确实有几分帅气。想到这里，她赶紧摇摇头，像是要把自己对他产生的好感从脑袋里甩出去。

夏承司"哼"了一声，嘴角露出了一抹挖苦人似的傲慢微笑。然后他踩下油门，把车当飞机一样"嗖"地开了出去。裴诗吓得倒抽了一口气，却让他开得更快了。

等他们在日本料理店坐下后，裴诗意识到森川光说的话确实没错。和自己并肩坐在一起的夏承司比平时的杀伤力小了很多。她不再感到害怕，但是坐在离他这么近的位置，心跳却莫名其妙变得有些快。果然，哪怕是驯服的老虎，也依然会让人本能地感到担心吧……但是，更让她感到泄气的是，从坐下来以后，他就一直在忙着放纸巾、掰筷子、拿传送带上的食物，并没有转过头来看她。如此一来，她怎么才能知道他在想什么呢？其实他的表现频频超出她所预期的，令她已经开始有些担心，现在好像更加……

"你喜欢吃明太子吗？"他终于开口说道。

"有点重口，不过还不错。"

他端了一盘明太子寿司，放在她面前。她手撑着下颌，用筷子夹起一颗颗亮晶晶的红色鱼子，丢到嘴里咬破，喃喃说道："其实我一直很好奇，这鱼的名字是怎么来的？"

夏承司很正经地说道："那是因为日本江户时代有一个太子就叫明太子，传说他跳到了河里，就变成了现在这种鱼。"

"啊，真的吗？"她惊讶地看着他，"这个明太子为什么要跳到河里？他是自杀的吗？"

夏承司想了想，摇摇头："不，他是被人陷害的。"

"为什么？"

他总算回头看向她。见她睁大漆黑明亮的双眼，一脸好奇地看着自己，他勾起了嘴角，继续回头吃碗里的生鱼片。等了半晌没得到他的回答，她靠近了一些："明太子为什么会被人陷害呢？"

这时，在传送带后方忙碌的厨师大叔总算忍不住了，大笑起来："哪有明太子这个太子，明太子的意思是'明太鱼的子'。小姑娘居然还一直问得这么认真，你被你男朋友骗了啊。"

"没，他不是我……"裴诗呆住了，"你骗我？"

夏承司眼里的笑意更深了，却只是用筷子指了指她的盘子："味道还不错，吃吧。"

裴诗看见了他眼中的喜悦，忍不住也笑出来了，伸手推了推他的胳膊："你好二，编的什么故事，我还信了。"

厨师大叔笑着摇摇头："呵呵，小两口感情真好。"

他没有说话，只是伸手揉了揉她头顶的发。

裴诗大脑短路了有几秒钟，然后垂下头用门牙干巴巴地咬破了好几粒明太子，怎么也抬不起头来，耳根却越来越热了。花了很长时间，她都没能从这个奇怪的状态里抽出身来。真是很奇怪，明明她已经坐在了有利于自己的位置上，怎么还是没法集中精力呢……

过了一段时间，迷糊的状态逐渐变得明朗起来，转化成了一种难以掩饰的快乐。似乎和夏承司的每一次对话，每一次眼神的交流，都令她觉得充满了期盼。这种状态一直持续到一顿饭即将结束，她的手机忽然响起。

铃声来得又快又急，虽然不大声，却让裴诗的心跳骤然停止了一拍。她看了看上面的名字，神志立刻恢复到最清醒的状态。这一刻，她的脑中迅速闪过了一个画面：夏季的夜晚燥热黑暗，就像炼狱的双手紧紧勒住了大地。年幼的她，抱着更小的小曲，如同这炼狱中两座下了禁咒的雕像一样，在没有开灯的卧室中一动不动。

她接通了电话，笑得一脸灿烂："嗯？没有呢，我在外面吃饭。是日本料理。是跟……跟……"她转过头偷偷看了一眼夏承司，脸上的笑容褪去了一些，"是跟同事一起。"

听见同事那两个字，夏承司的眉微微皱了一下。裴诗垂下头，把声音压低了："嗯，我马上吃完，然后就回家……好啊，那一会儿见……"她挂掉了电话，对夏承司充满歉意地说："不好意思，我今天要提前回家，我再坐几分钟就得走了。今天真是对不住了……"

"好。"夏承司抬手看了看表，对服务员做了个买单的手势。

之后她又和他解释了一下今天时间的紧迫性，并表示深深的歉意。她注意到了，她的态度越是愧疚，夏承司的反应就越冷淡。不管她说什么，他都只是沉默寡言地点头，最多回答一个"好""我理解"，就像平时在办公室处理公务一样，不带任何私人感情。

他买单和她一起离开料理店，顺着门前破碎石块铺陈的小路走向停车场。之前下的一场小雨润湿了复古日式庭院的篱笆，两旁的红梅花在夜间像是血一样诱人。这令她想起了多年前从高楼窗户往下望，地面上的一团鲜血。前方的街道宽敞通明，他们就像是从一个漆黑的隧道走向了喧闹的尘世。但好像不论过多久，都无法从这片压抑中逃脱。她好想摸一下小提琴。哪怕只是拨一拨弦也好，起码让她觉得自己是活着的。

她半眯着深黑的眼睛，听见自己的呼吸深沉而缓慢。刚才使用过的手机屏幕亮着，上面是她和小曲的微信对话：

——"姐，你在电话里都在说什么呀？你是不是产生幻觉了，打电话的人是我啊。"

——"回去再跟你解释。"

周遭空旷无人，只有水滴从植物上滑落拍打在石头上的声音。就在她觉得自己即将窒息的时刻，走在身边的男人忽然加快脚步，挡住了她的去路："是要去找森川光吗？"

"与你没有关系。"她的声音突然变得冷硬起来。

"为什么突然不高兴了？"夏承司觉得有些莫名。但等了很久都没得到她的回答，他又不确定地继续说道："你和他之间有问题，对不对？"

"我都说了，和你没有关系。"

"裴诗，有没有人跟你说过，你的自尊心强过头了？"

裴诗提起一口气，皮笑肉不笑地说："我想，我该说的都已经跟你说过了。现在如果可以，麻烦你让一下路，我要回家。"

夏承司没有让开，也没有回答，只是静静与她对峙着。她等了一会儿，直接绕过他想走开。他却再度拦住她，拉住她的手："我也是一个很传统的男人。"

"什么？"裴诗蹙眉看着他。

"我在公司定了很多对女性非常苛刻的规定。但在私人感情上，我也是很传统的。我认为男人就是应该照顾女人，让女人觉得有安全感，成为女人的依靠。"

"……所以？"

他努力搜寻一些恰当的语言，缓缓说道："那天你在你家说的话我仔细想过，如果你需要，不管是感情上，还是经济上，还是在事业上，我都可以成为你的依靠。"

裴诗眼也不眨地盯着他，不再神秘，不再掩饰，眼中只有满满的迷惑："……为什么？"

他陷入了沉默。街道上的车从他背后照过来，却令她更看不清他的双眼。她眯起眼睛，等那辆无礼的车开过去，然后继续冷静地说道："你想要什么？"

他凝视着她，像是要望入她的内心深处："你。"

"我？"

"对。"

裴诗笑了一下："你把我当成什么了？商品？消费品？"她绕过他，大步走向街道。

"等等，阿诗，你曲解我的……"

他跟了过去，她却忽然转过头来，用十分防备的眼神看着他，指着他说："不要跟过来！否则我不会再和你说一句话！"

他终于中止了脚步，停留在了大簇红梅的中央，任她瘦削的背影消失在车来车往的路口。

这已是12月21日晚上，还剩下不到十天的时间。

直至这一日，夏娜与韩悦悦巡演的海报已经贴满了公交车站、戏剧院前、音乐厅前，甚至报纸杂志上。她们二人接受了不少于五家电视台的采访。夏娜团队聘请的水军在网上没日没夜地炒作，她的微博转发里，总是可以看见"你比裴绍还厉害"这样的话。一夜之间，这两个美女小提琴家的热度就像太阳一样，照遍了每一个有话题的角落。

相比较夏娜，裴诗的专辑依然稳定地热卖着，但因为被媒体打压加上盗版的出现，已经在走明显的下坡路。连裴曲都开始替她担心，每天开电脑在各大网店查询*Nox*的销售状况。然而，事到如今，胜负几乎已成定局。这个晚上，裴诗回家以后一直埋头玩手机，裴曲关掉电脑，转身担心地看着她："姐，你别难过，你作为一个新人，能有这样的成绩已经很不错了。这次就算失败也没关系，以后还会有机会……"

裴诗在手机上查看邮箱，不带感情地说道："24日晚，柯氏音乐和其他几个集团会举办一场平安夜音乐晚宴，很多古典音乐界的重要人物都会参加，就在江边的盛夏大酒店里。我和夏娜都在表演嘉宾当中，到时候你去给我伴奏。表演好点，让别人看看我们的实力。"

"如果表演得很好，对你的销量影响会很大吗？"

"不会。"

"姐……"裴曲抱着椅背，突然觉得很心疼自己的姐姐，"姐真的太辛苦了。如果你跟森川少爷在一起就好了，他这么强大，你也不用这样拼了。"

"你认为姐姐的作用就是嫁人，然后过悠闲日子吗？"

"当然不是，但确实所有女强人几乎都是被逼出来的，我不希望你也变成那样……"

"小曲，你还真是个小孩子。"裴诗笑了笑，站起来拍拍他的肩，"如果一个女人觉得自己重视事业，是因为没有嫁对人，其实就等同于放弃了受到尊重的权利。"

平安夜的晚上，盛夏大酒店。

裴诗穿着黑色纱裙，站在电梯里为裴曲理了理领结。裴曲显然有些紧张，因为知道这个晚上Adonis和苏疏都会来。这两个人分别是小提琴与钢琴的泰斗级人物，Adonis名声太响，"钢琴之王"苏疏又是他的偶像。在他们面前表演，真是压力山大。裴诗拍拍他的肩，温和地说："没事的小曲，他们见多了新人，不会对你评头论足的。何况，你可是很厉害的新人。"裴曲抿着唇用力点点头，然后，她推开门走入宴会现场。

豁然间，视野已容不下两岸的奢华夜景，对面美国人投资的摩天大厦上，从顶到底覆盖着电子屏幕，上面写着"Merry Christmas"的字样。街上的行人穿着厚厚的冬装，吐着浓雾快速穿梭在天寒地冻的城市。而与这相反的是华灯初上的酒店，它就像是一座在黑暗中运转的巨大烘炉。顶楼的露台上，音乐界的名流与投资者们却步伐舒徐，衣服薄得像是一点不怕冷。他们端着高脚杯，低声细语地谈话。摄影师的闪光灯不时地如银电劈过，摄影机旋转着，准备直播这个晚上的表演实况。

这是一幅生动昂贵的流动画卷，中央的钢琴与小提琴架成为了全场最夺目的点缀，它们脚下踩着透明的蓝色玻璃，如同一个天然荧屏，放映着楼下酒店的极尽浮华。唯有江河是冷静的，几乎凝结成了一条长长的冰河，将这座城市一劈为二。

裴诗在人群中首先认出的人，是夏明诚、他的太太郭怡，以及大儿子夏承杰、小儿子夏承逸。她在他们周围没有搜索到夏承司的影子，于是留意了一下他们的行动。似乎是夏明诚正在向别人介绍自己的太太和儿子。其实，全世界的人都知道了他的情妇无处不在，但在人前对太太的照料和呵护却让人有一种他是绝世好丈夫的错觉。而夏承杰在才能上一直不如弟弟们，父亲却对他一直很照顾。夏明诚也很宠夏承逸，任他去做自己喜欢的事。其实几个孩子里，最出息的就是二公子夏承司，可夏明诚对他表现出来的却只有苛刻。

"夏董，怎么不见你家二公子呢？"

"他是死脑筋，只知道工作，这个晚上大概又加班了。"

"夏董真幸福，几个儿子都这么优秀。大公子脚踏实地，小公子才华横溢，二公子更是一表人才、人中龙凤。"

"得了吧，就他那样，以前在国外就知道玩，也不知道本性能不能改掉。"

对方本来马屁拍得滴水不漏，也面露尴尬之色："这……孩子嘛，总是爱玩的。您也不必给他那么大的压力……"

"我觉得承司是很优秀的。"郭怡一向以贤妻良母著称，居然破天荒介入了他们的对话，"他承受了他不应该承受的压力，能做到今天这样，已经非常不错了。"

夏明诚看了她一眼，转而圆滑地笑了："太太说得没错。"

没过多久这个人离开了，裴诗却捕捉到了相当有意思的一幕：郭怡似乎面有愧色，想要去帮夏明诚理一理袖子，夏明诚却微笑着把她的手推开，带着夏承杰去找其他人谈话了。

这是怎么回事？在这段夫妻关系中，最该被惩罚的人不应该是夏明诚吗？怎么他在人前对妻子照顾有加，私底下却……果然是家家都有本难念的经，他们家的经还是非一般的大。不过这与她没什么关系。她现在最该担心的事，是夏承司几点来，到底会不会来。如果没记错，她是第二个演奏者，就在夏娜后面。而夏承司迟迟没有出现，却令她有些担忧起来。他能否出现，与她今天晚上要表演的曲子有重大关系……

裴诗转过身，想要去找主办人确认表演时间。但刚一回头，看见的人竟是柯泽。他还是穿得时髦又帅气，眼角总是挂着一抹邪邪的笑意。可是这一回看她的眼神，却很像是犯错的顽皮孩子。他摇摇手，小心翼翼地说："嗨，小诗、小曲，好久不见了。"

裴诗拦住即将表现无比热情的裴曲，礼貌地笑了一下："晚上好，柯少爷。"

听见这个称呼，柯泽的脸色白了很多，笑容也尴尬地僵在脸上："嗯，你们最近都在忙什么呢？"

裴诗不想和他有太多瓜葛，免得过一会儿夏娜过来又要找她的麻烦。她看看时间，刚想以要演奏为借口离开，就看见柯泽身后高挑夺目的身影。夏承司总算来了，而且正在看着她。她假装没看见他，忽然往柯泽的方向靠近了一些，抬起头用无辜的眼神看着他："哥，我叫你柯少爷是在跟你开玩笑，你居然一点也不生气？"

柯泽完全傻眼了："不，不，我怎么可能生你的气。"

"那也太无趣了。"虽然说着这样的话，裴诗却没一点不开心，反而流露出柔情又妩媚的气息。

柯泽已经完全受宠若惊了，他眼中的喜悦显而易见，但很快又转变成深深的懊悔。他扶住裴诗的双肩，蹙眉说道："小诗，其实有一件事我觉得一直心存愧疚，如果不告诉你，我是不会原谅我自己的……"

"怎么了？"裴诗根本无心听柯泽说了什么，只是留意着夏承司的反应——旁边的人和他说话，他似乎也没听进去，一直在看着她的方向。他的眼神冷峻至极，已经结成了冰。

"其实，娜娜用裴叔叔的名气去宣传，不是她的原意，她绝对没有恶意的。"柯泽顿了顿，吃力地说道，"是我不小心提到你的家人，她当时销量差你太多，所以……"

在听见"裴叔叔"三个字的时候，所有的注意力都立刻回来了。还未等他找到更好的措辞继续下去，裴诗不可置信地打断道："果然夏娜是有计划的？而且……还是因为你在后面搞鬼？"

柯泽急道："相信我，我也是无心的。"

裴诗冷笑了一下，想要说点什么，但到底一句话也说不出来。真是高估了夏娜，也低估了柯泽。她带着裴曲离开了。柯泽原本想要上来再多解释，但碍于现场人太多，也只能放弃。

没过多久，夏娜的表演开始了。她演奏的曲子，都是韩悦悦在《银色幽灵》里收录的曲子。这些曲子都是裴诗与韩悦悦一同创作的，韩悦悦把裴诗改掉的不好的地方又重新改了回来，于是这首曲子又变成了最初韩悦悦创作较多的版本。裴诗想起当时自己是多么强势地叫她改掉这些旋律俗套的地方，她表面答应得好好的，没想到还是这么不知长进。听完这首曲子，裴诗哼笑了一下，觉得当初自己计划栽培她完全就是一场笑话。同时，当她想到夏娜和柯泽在底下计划着如何利用她的父亲，她就恨不得马上上台表演《夜神协奏曲》，一举击败这些虚伪的人！

不行，她不能愤怒。现在表演这首曲子，只能逞一时风光，让在场的人觉得她比夏娜有才而已。她最终的归宿，依然只是一个有才华但被埋没的新人。

她闭着眼，静静地让自己的怒气被身体消化。

还不是表演这首曲子的时候，她还要等。

第二十四乐章 ♪ 复明之夜

成功的女人没有爱情。

终于，夏娜的表演结束，轮到裴诗了。她从盒子里拿出小提琴和弓子，与裴曲走到宴会场地中央，准备演奏。她看了一眼小曲，用眼神示意他放轻松，然后一边擦弦一边调琴。看见她调琴的速度，听见她调出的声音，基本上资深的小提琴家都感觉到了这女孩基本功非常深厚，因为她调节出的声音变化，对很多小提琴手而言，根本是连误差都不能算的差别。她却有一双相当敏锐的耳朵，能听出零点零几毫米弦位置滑动的音色变化。而当着这么多大师的面，她的从容不迫更是让人无法相信，她不过是一个刚刚发行第一张CD的新人。

　　"我知道这个女孩，她叫裴诗，写出了*Nox*，而且演奏水平相当精湛。"

　　"真的？*Nox*？那首曲子实在很出名啊，而且也确实很好听，竟然是这么年轻的女生写的？"

　　"她今天一定会表演这首曲子吧……好期待，这是第一次听现场版的。"

　　Antonis被几个保镖包围着，他的头发苍白，就像这都市醉人的月色，也像怀里波斯猫的毛色。波斯猫弓着背伸了个懒腰，刺猬一般竖起浑身的毛。而听见周围人的议论声后，Antonis本人的眼睛也跟着像波斯猫一样，慵懒而危险地眯了起来。

　　一切准备就绪，裴诗把手指放在了指板上，拉出了第一个小节。当那首美

妙灵动的曲子从她指尖传出，所有人都愣了一下。是大家熟悉的旋律，却不是
Nox——这是莫扎特的D大调第4小提琴协奏曲，回旋曲，优雅的行板。

这一刻，不论是再好的演奏水平，都无法弥补人们的失望。*Nox*太出名，而
裴诗虽然是裴绍的女儿，但由于她的低调，知道这个事实的人却不多。与出身
名门的夏娜不一样，她这个人可以说是毫无话题性。

没有*Nox*的裴诗，没有人会希望她在这里演奏。

因此，当她的曲子表演结束，大家虽然鼓掌，算是对她的表演技巧表示肯
定，但热度也远不及之前夏娜那么高。看见大家的反应，夏娜的内心得到了大
大的满足，她比以前更像交际花了，周旋于未婚夫和诸多名流之间，根本连看
也不想看裴诗一眼——这个女人已是她的手下败将，已是过去式。她以后还有更
宽的路要走，总算可以摆脱这女人的阴影了。

没有表演*Nox*的裴诗，自然也得不到太多记者的青睐。记者们几乎都跑到夏
娜那里去了，只有一个不知名的小记者来询问裴诗演奏感想。

"有这样的机会能在这里表演，我觉得很荣幸。"裴诗微微笑着，就像一
台设定了回复答案的机器一样标准而且滴水不漏，"作为一个刚刚步入古典音
乐圈的新人，我觉得自己需要学习的东西还有很多。"

"裴小姐，那你是怎么……"

记者话未说完，一个声音已经打断了他们的对话："你需要学习的东西其实
并不多。因为你确实有点创作才能，但在做选择上面简直糟糕得一塌糊涂。"

裴诗和记者都吃了一惊，然后他们看向身后发话的人。原来是Adonis，他
身后跟着几个记者，他们有的摄影，有的录音，他却还是肆无忌惮地望着她：
"今天这个晚宴对我来说，就是一个吃了饭逛街的地方，但对你来说，这是非
常重要的平台了吧？"

"没错。"裴诗坦坦荡荡地说道。

"结果你不把看家本领拿出来，反而去拉什么莫扎特。拉了莫扎特就算
了，还中庸得这么让人大跌眼镜。本来我对你的创作才能还有点期待，想着自

己或许以后会遇到个对手了，但现在看来你根本不足为惧啊。"Adonis撇着嘴耸耸肩，"这么基本的选择题都会做错，在人生规划上已经算是智障级的水平了吧。不如直接放弃。"

采访裴诗的记者是个涉世未深的女孩，听见Adonis这番话，吓得眼镜都快从扁扁的鼻梁上滑下来了。早就有传闻说Adonis说话辛辣刻薄，没想到在这么多记者包围的情况下，他还可以如此无所顾忌。想来明天早上又会有媒体大篇幅报道"Adonis目中无人欺负新人"，从而引发一片网络骂战，最终以柯氏音乐出来帮他打圆场擦屁股为句号吧。

裴诗朝他淡淡一笑，却没有回复他一句话，只是转过头对记者说："还有什么问题吗？"

记者扶住眼镜，清了清喉咙："裴小姐，你是怎么开始走向自己创作这条路的呢？据我所知，很多年轻人会去演奏古典音乐大师的曲子。"

"因为我相信总有一天，未来的小提琴家们也会演奏我的曲子。"

这话说得如此狂妄，其劲爆程度绝不亚于Adonis，但从她口中说出来，好像就变成了理所当然的事。记者眨了眨眼，匆匆忙忙地把她的话记下。而过来记录娱乐消息的其他记者，完全不懂小提琴，对裴诗毫无兴趣，只是把本子和笔背在背后，等待Adonis的新动向。裴诗就这样一直被媒体冷落，直到有一个人走向她，一台摄影机才敏锐地转向了他们。

"你这话，我该怎么评价呢？哦，初生牛犊不怕虎。"

Adonis噗嗤一笑，朝她挥了挥手，原想临行前再刻薄两句，他的目光却骤然停留在了江面上。裴诗见他表情这么错愕，也顺势转过头去看向江面。江面上，一艘巨大的加长游轮缓缓飘过，游轮上烟花喷射而出，在空中绽放出七彩的花朵。这个礼花瞬间吸引了两岸所有市民的注意：不管是在酒店里的音乐家和商人，还是街道上的行人，或是街边豪车里的富人……他们都转向了那个方向，看着那艘游轮。而游轮上面立着的彩灯，拼凑成了一行字：

Marry me，阿诗。

这一刻，瞠目结舌的人，绝对不止裴诗和Adonis。大家都像石化了一样看着那里，唯有记者的反应是最快的，立刻掏出相机"咔嚓咔嚓"拍起照来。裴诗的一颗心却像高高地悬在了喉咙间，因为受到了重击而失去了跳动的功能。

阿诗——只有一个人会这么叫她。

可她又不愿意相信这是事实。她根本没想到会发生这样的事，这已经彻彻底底超出她的预料。此时，她是多么希望这个"阿诗"是另有其人。不要是她，不要是她……

当她回过头，却到底还是看见了那个人。他在繁华的夜景中央，身后是成群的金色欧式建筑。然而，他本人比这个夜晚的任何景物都要迷人。

"夏先生……"她睁大眼，不知所措地看着他。

他走到她面前，垂头看着她，脸上没有笑容，但声音却是前所未有的温柔："你想要的东西，我能给你。"

她终于开始感到深深的恐惧。

"你在做什么……不要继续了。"她都知道这些话自己不该说，但这已全部都是本能的反应，她握紧双拳，手心的温度好像比空气还要低，"现在就走，我，我不能……"

他到底在做什么？

这是想把她逼到绝路吗？

心中像是有天使和恶魔同时出现。天使告诉她，小诗小诗，你虽然内心有仇恨，但你依然是善良的人，不能伤害任何无辜的人。跑掉吧，不要给他任何回应。恶魔却说，裴诗，你别忘了，他可是夏娜的家人，他们永远是一国的。这是最好的机会，比你预期的有价值得多，千万不能错过。

"我完全没想到你会告诉我，你喜欢我。"夏承司勾下头，在她耳边轻轻说道，"其实，我也喜欢你。从很久以前开始，就只喜欢你。"

裴诗的脸却完全失去了血色："你可以喜欢，但不要做出任何草率的决定。"

"这不是草率的决定。我说过，我是很传统的男人。一旦喜欢上哪个女

342
343

人，会希望和她在一起一辈子。"

他拿出一个盒子，在她面前半跪下来，将它打开："阿诗，嫁给我。"

全场早已是一片死寂，除了照相机持续的"咔嚓咔嚓"声。当眼睛被闪光灯照得有些胀痛，裴诗只觉得，这就是一场最可怕的噩梦。

她所规划的这一切，不过是希望得到他两个反应，一是他在人前吃醋，二是他在人前亲吻她。如果运气好一点，她会被他求爱。因为跟在夏承司身边这段时间，她自诩非常了解他的脾气，他是个占有欲旺盛的男人。他不懂爱。所以，他的反应与举动，几乎都在她的预料之中。

她只是从来没有想过，他会求婚。

牙关和嘴唇持续颤抖着。这个冬天真的太冷了。她的眼眶里有泪水在打转，似乎是真的再也无法承受这样的严寒。所有的一切，手受伤的过去、柯泽的背叛、夏娜的挑衅、父亲的死、她发现真相头晕目眩的恨意……都在她的大脑中如跑马灯一般飞驰着。她的手臂，永远不会忘记被折断时的痛楚。她的眼睛，永远不会忘记重新拉小提琴时泪水流过的滚烫。

终于，她平静了，微笑着取出那枚钻戒："真漂亮啊，一定很值钱吧。"

夏承司怔住。

她长叹一口气，让戒指在冰凉的手指间转动："不知道这个花的钱多，还是你妹妹用我父亲宣传她专辑时花的钱多？"

夏承司并没有明显的反应，只是瞳孔紧缩了一些。

"你的痴情真令我感动。不过，不好意思，我一点也不想和你结婚。"她手微微一偏，就把钻戒丢到了江里，然后伸手摸了摸他的脸颊，"再见了，夏先生。"

直至这一刻，全场剩下的依然只有一片"咔嚓咔嚓"声、连续不断的闪光灯以及红灯跳跃的摄影机。裴诗在这片诡异的寂静中，拽着裴曲走出了人群。记者们永远是敏捷如同猎豹的动物，很快就分成两拨人，蜂拥而上，把他们俩团团包围起来。他们的表情贪婪而嘲讽，使得他们比实际年龄大了十岁不止。他们采访的问题令人感到难堪，不过裴诗全程都只是冷冷地回答："无可奉告。"而夏承司在保镖的保护下，一直保持着长时间的沉默。

这条新闻立刻通过卫星播放到了全国各地。在场的名流无一不惊讶，从进场起就昏昏欲睡的大提琴家，也连同他的妻女一起做出了相同的表情——用手挡住了"O"型的嘴；Adonis最宝贝的波斯猫掉在了地上。人如其名的疏冷钢琴家苏疏，也微微睁大了眼，看着他们的方向。

裴诗刚刚走到酒店门口，就看见了迎面走来的颜胜娇。她端着鸡尾酒杯，穿着黑白蛇纹束身裙，裹着深灰色的皮草，头顶的钟形帽上，黑色的玫瑰蜿蜒而上。她个子不高，但两个一米九的保镖老老实实地跟在她的后面。至于其他的助理司机等人，早已变成了蝼蚁一般的存在。她眼角斜飞向上，永远都是一副高不可攀又刻薄至极的样子，但这一刻，她的眼中竟露出了欣赏的神色："今晚你真让我意外，小诗。"

尽管裴诗和弟弟从小在她家长大，但她很少回家，就算回家，对他们也都直呼其名。他们多年没见，这一回居然叫她的小名，裴诗觉得有些别扭，却也没太往心里去："没什么好意外的。"

颜胜娇的嘴唇有着红玫瑰的颜色，亦如玫瑰的叶片一样薄而棱角分明："你知道吗，以前我一直觉得你只是一个外表倔强内心软弱的孩子。今天我确定自己是看走眼了。我在你身上看到了我过去的影子。"

"我和你一点也不像。"

颜胜娇无视她的否认，只是把手中的鸡尾酒杯往旁边一横，她的助理就像奥运短跑选手一样冲过来接住，把它递给保镖，保镖再飞奔过去，将它还给服务生，最后迅速归位。颜胜娇收了手，继续说道："你继承了你父亲的音乐才能，又有着不亚于我的头脑与冷静。你还有一个像我的地方，就是都喜欢把事情做绝。这是对的，只有破釜沉舟，才能把自己逼到最巅峰。不过，有一件事你要记住。"

裴诗没有回答，但也没阻止她。颜胜娇很少和她说这么多话，她其实有一些好奇。

"成功的女人，没有爱情。"

说完这句话，颜胜娇露出了相当温和的微笑。然后，她拍拍裴诗的肩，带着两个保镖回到了宴会现场。裴诗没有再转过身去看她，只觉得寒冷的风都快吹透到她的脊背骨里去。颜胜娇到底想表达什么？她自己不是和柯泽的父亲在一起吗？虽然他们一年根本不会说几句话。没有爱情，是指得不到爱情吗？还是她会失去爱一个人的感觉？同时，她听见人群中有人唤着"夏先生"，她越想越无法理解，越想越焦躁。直到她上了出租车，夏娜的一通电话打过来，这种焦躁的感觉更是上升到了顶点。

"裴诗，事情你都已经做到这个份儿上了，我也不再让你去弥补什么。"夏娜的声音有些发抖，但比起平时的大呼小叫，竟显得平静很多，"我只想问问你：你做事这么豁得出去，不就是为了在唱片销量上超过我，然后拿下柯娜的管弦乐队吗？但你是不是也忘记了，发起这比赛的人是谁？难道就不怕我哥取消你的资格？"

说了这么多，还是希望她能够出来说说话，挽回一点她二哥丢失的颜面。不知道夏娜身边有多少记者，但她确定，夏承司肯定也在。"这件事与你似乎毫无关系，毕竟求婚的人不是我。我也没有强迫任何人向我求婚。在竞争上，我可没有违反游戏规则，大家都知道的。是不是，夏先生？"

过了很久，她都没能得到任何回答。但夏娜没有否认，就说明他肯定在。

随后手机被挂断。听见最后"嘟嘟嘟"三声提示，所有的焦躁都消失了。她只是忽然抓住小曲的手，靠在他的肩膀上。裴曲像哄孩子入眠一样，摸了摸她的头发，小声说："姐，别难过。我知道你在想什么，夏先生也知道。他这么喜欢你，会原谅你的。"

她在他的肩上摇了摇头。小曲什么都不知道。夏承司这一晚的举动都很不符合他平时的行事作风。这一瞬间，她觉得很迷茫。不知道究竟是自己利用他的征服欲刺激了他，还是他觉得夏娜对不起她父亲想要弥补她。抑或说，她根本从来没有了解过这个男人。编辑了很久，准备发给夏承司的一条消息"这次对不起你了，你可以炒我鱿鱼"也终究没有发出去。她知道这是多此一举。因为，经过这个晚上，她与夏承司之间，不论是工作关系、朋友关系，还是少许的暧昧、长期建立起来的信任，都彻底完蛋了。

她从口袋里掏出了那枚钻戒。钻石的光美丽而森冷，像是一枚明镜，赤裸裸地倒映着人的心。

夏娜已经气疯了。

在她的心中，夏承司才是真正的哥哥。大哥虽然温柔又老实，但因为比她年长八岁，从小到大又是个标准的功课男，让她总觉得大哥就是大人，而不是一个哥哥。读书的时候，她因为漂亮又高调总被男同学欺负，一直都是二哥出面帮她教训那些混账。她甚至不需要回家向父母告状，他都可以帮她把事情处理得妥帖又风光。每次只要他出现在她的班级门口，女同学们总是会像打了兴奋剂一样尖叫。在她心中，他的地位甚至比柯泽还要重要得多。但他却从来不想依赖她，哪怕她已经想尽了所有方法。这个晚上，他也只是留下一句"娜娜，你好好准备演奏"，就自己回公司去了。自己一向最崇拜、依赖的二哥，居然被那个女人这样对待，简直是太可恶了！

她气得狠狠地跺脚，脑袋几乎爆炸了。因此，当手机铃声再度响起，她想也没想就劈头盖脸地暴怒道："你还有脸打电话过来？"但是，却在手机屏幕上看见一个陌生号码。

"喂！"她怒气未平，接电话的声音也带着一丝不耐烦。但当她听见电话里的声音，所有的怨恨都消失了，只剩下被抽空力气的惧怕，"又是你，你有什么事？"

过了一会儿，她悄悄地偷看一眼身后，确认周围没有人，然后躲到一个无人的角落，压低声音说："不可能，我的专辑才刚出，现在停止演出，没有任何意义！……我就知道，我就知道你要说这件事，是有不少人说《夜神协奏曲》和《骑士颂》风格相似，但那又怎样？你没有证据……"她把声音压得更低了，"你……你这样做到底有什么目的？我上次都告诉过你了，那个女人的手不是我弄的啊，她以为是我弄的我也没有办法！反正没做过的事就是没做过！你要诬赖我就诬赖去吧！"

最后两声她说得特别理直气壮，音量也拔高了。但当对方再说了一些话，她的声音又变得虚弱无力起来："……什么……是你弄的？"

第二天早上，天刚微微亮，裴诗就被同事一通电话吵了起来。她模模糊糊地"喂"了一声，对方惊悚的声音几乎穿透了她的耳膜："裴诗，昨、昨、昨天晚上那个人是你？那个人真的是你？少董居然向你求婚了？我以前完全不知道，你是裴绍的女儿！"

"……"裴诗揉了揉眼睛，看了看床头的钟，懒洋洋地说，"现在是早上六点半。"

"但是我的微信朋友圈被昨天的事刷屏了，我已经发给你了，赶紧看看！"

"行。"

挂了电话，裴诗打开手机桌面，微信未读消息已经多到显示出了省略号。果然，好多人都来问她关于前一个晚上发生的事。她找到刚才来电同事发的微信，看见了一条新闻截图——那是夏承司在她面前半跪着的照片。摄影师很厉害，把她漠不关心又倦怠的神情完全抓拍了下来，让她看上去就像Lisa Marie Presley一样，有一张仿佛永远都在对人翻白眼的脸。照片的标题是"夏承司向新锐小提琴家裴诗求爱遭辱，百万钻戒被扔入江中"。下面有各式各样的评论：

"救命！男神你太让我失望了啊！你这是什么眼光，那女人看上去就不是什么好货色！"

"那个裴诗是什么人，这么厉害？"

"*Nox*的作曲者兼演奏者，是个才女啊。"

"夏承司好痴情，唉，这小提琴家太过分了啦。要拒绝也不要拒绝这么狠啊，给人家一点台阶下好吗？这下弄得满城皆知，真让人忍不住怀疑她的动机。"

"这下夏承司栽跟头了，穷屌丝表示最爱看高富帅栽跟头。"

"裴诗女神干得漂亮，人美心更美，不受这些富二代的诱惑，真不愧是艺术家。现在就去找她的曲子来听听看。"

"我之前看过夏承司一个杂志采访，记者说十句他才说一句，给人感觉拽得不得了。现在居然遇到这种糗事，哈哈。"

"这女人让人觉得她是一匹脱缰的野马，在自由的草原上放肆地奔腾，然后，她就会乖乖让夏公子骑了。"

"你们没发现夏承司和他爸完全不一样，从来没有花边新闻的吗？以前我以为他是gay，没想到他还是喜欢女人啊。只是第一次追女人就被这样拒绝，总觉得好可怜……"

…………

除此之外，各大报纸、新闻电台、网络视频的娱乐版块都被刷新，统统换成了音乐之夜盛夏大酒店的新闻，"裴诗拒绝夏承司求爱怒扔钻戒"也变成了微博最新的热门话题。一夜之间，"裴诗"这两个字就像洪水猛兽一样冲入人们的视线。这个话题本身就具有争议性，而当音乐爱好者们发现是裴诗写了《夜神协奏曲》以后，*Nox*这张专辑的火爆程度又被推上了一个高峰。

裴诗用手机翻看着一条条新闻，还有那些对她毁誉参半的评论，有那么一瞬间，脑中闪过了一个令她惊讶的念头——如果她答应夏承司的求爱，大概也能造成很大的轰动。但这样的设想立刻被她否决了。圆满绝对不如破碎更能夺人眼球。何况，和夏承司结婚？开什么玩笑。如果她真的答应，恐怕出糗的人就会变成她了。这一刻，她对最终销量已有了七八成的把握，但为了防止万一，她还得再做一件事。她发了一条短信给裕太。

这一天她没有去上班，只是坐在家里和音乐公司的人联系，让他们盯紧这几天的发行量，只要出现缺货情况，就得立刻补上。电话打到一半的时候，她忽然在电脑屏幕上看见一条新的新闻——"夏承司求婚遭拒后失意，与女高管激情车震"。

她惊讶得连电话都忘记挂断，就迅速点开新闻看里面的内容。新闻上是一张偷拍的照片，夏承司坐在驾驶座上，彦玲坐在副驾驶座上，她放下了平日盘起的头发，晚礼服肩带滑在了肘关节处抓着他的领带，吻他的唇。她的眼神蒙昽而意乱情迷，写满了急欲被征服的示弱，与平时那个机器般干练的女人完全不同。文字内容更加夸张，说夏承司因为被裴诗拒绝情绪低落，所以回到公司找女高管乱来，还把她带回家了。裴诗静下心来想了想，觉得这新闻的真实度很低，大概是狗仔队编造的新话题。可是正因为这条消息，夏承司追求裴诗的新闻被炒得更加火爆。有了彦玲的陪衬，许多原本在骂裴诗的人也渐渐觉得，裴诗的清高是值得赞赏的。

一切都是在往有利于自己的方向发展，裴诗当然感到很开心。只是她不是很能理解，夏承司怎么会让别人逮到这样的机会拍照，还允许让这样的消息扩散出去？难道是他大意了吗？

不过，这些都已经无所谓了，她只想知道五天后的结果。

同一时间，夏承司正在办公室里看文件。他发现，这个早上"不小心"路过他门前的员工增加了很多。他的助理向他提起了这件事，问他是否要联系网络部门，让他们联系各大搜索引擎的公司，处理一下这条新闻。他并未给予理睬。人事部的人来过，并没有直接提这件事，只是小心翼翼地跟他说今天早上彦玲没来上班。他马上将话题转移到其他工作上去。

过了一段时间，夏承杰来电话了。

"阿司，新闻你肯定看到了吧？"

"嗯。"

"要不要我帮你找人封锁一下？"

"不用。"

"这……"夏承杰犹豫了一下，"其实，爸刚才也看到这条新闻了，但他打你电话打不通，现在特别生气……为了避免发生更多矛盾，我们还是找人处理一下。"

夏承司把蓝牙耳机扶正，笑了笑，继续翻文件："他为这种新闻生气？"

"唉，我知道你在想什么。可他毕竟是我们的长辈，他的感情生活我们都管不着。你不能因为他犯过错误，就去犯同样的错惩罚他吧。"

"大哥，如果只是他一个人的事，我还真没有兴趣去管。你忘记当时妈差点自杀了吗？你忘记娜娜当初为什么要出国了吗？"

夏承杰沉默了半晌："阿司，今天你怎么了？怎么这么激动？"

"没事，我先去忙工作。"未经过对方同意，夏承司已先挂断了电话，摘下耳机。

他觉得夏承杰说他"犯同样的错"很可笑。因为事情根本不是报道上所写的那样。

前一个晚上，他确实心情不是很好，这种情况他一般会失眠，所以打算回公司拿点资料回家工作。临走前他叫上了彦玲，彦玲刚好在和一个电子公司的头儿谈事情，对方很喜欢她，说她要走的话必须罚酒三杯。连夏承司半路介入都听出来了他是在开玩笑，但她却毫不推拒地灌了自己满满的三杯香槟。到公司楼下的时候她已经像踩着云朵一样走路，进入办公室更是东倒西歪，找了半天才找到他要的文件。两人在电梯里时，他见她已经醉成那样，就说："我送你回去吧。"

她嘀咕着说了一句话，他并没听清楚，想到她是喝醉后胡言乱语也就没再多问。直到两人坐到车上，开了一段路，她才又把那句话重复了一遍："承司，你为什么喜欢裴诗？"

夏承司愣了愣，没有回答，又继续把注意力集中在前方的道路上。但她又不依不饶地说："她不过是个脾气糟糕的黄毛丫头，你为什么喜欢她？是因为她会拉小提琴吗？"

"不是。"

"那是为什么？"

"彦玲，你喝醉了。"

"是，我是喝醉了！但如果不是喝醉，我根本不敢问你这些问题。我和裴诗是完全不一样的，你知道吗？她是真正的理性，可是，可是……"彦玲捂着脸，肩膀缩了起来，"我的理性都是装出来的啊！因为我知道，你喜欢这样的属下。是因为看出了这一点，你才不喜欢我的吗？"

"我没有不喜欢你。"

"你是没不喜欢我，可你也没把我当成女人看，对不对？"等了半晌，她没得到夏承司的回答，她又继续哽咽道，"承司，你知道吗，我才是最了解你的人。虽然我和你一直是工作关系，但我了解真正的你，你的内心深处其实是一个善良又感性的男人。但是因为从小到大，你的父亲总是对你恶言相向，而你家里其他亲人又太过依赖你……从来没有一个人想过要去疼你，珍惜你，保护你，所以你才会让自己看上去无坚不摧，像是完全不会有任何情绪……"

夏承司皱了皱眉，打断她："你真的喝醉了，睡一会儿吧，到了我会叫你的。"

"我不睡！"她拔高了音量，像是疯了一样大哭道，"为什么她就可以？你们才认识了多久，你就这么喜欢她？她是个孤儿，根本不会理解家庭的温暖，也不会给你温暖。你向她求婚，是希望以后一辈子都像以前一样吗？"说到这里，她伸手抓住他的袖口。

夏承司猛地刹住车，两个人都往前震了一下。他转过头，想拨开她的手："我在开车，你不要碰我的手……"

话未说完，彦玲已经抓住他的领带，凑过去吻住他的双唇。那一瞬间，他还没反应过来发生了什么事，她已把晚礼服的肩带滑下来，露出诱人的双峰，凑过去贪婪地用嘴唇描摹他嘴唇的形状。她的主动令他错愕，她姣好的身材也令这个绝望的夜晚变得诱惑起来。但他最终还是扶住她的双肩，把她推开了。

车窗外是封冻的季节，一把叫作寒风的剪刀裁下了枯黄的碎叶。不知是细雪还是小雨，已有白色的残屑随着它们翻卷在黑夜中，舞起了一场极寒的宴会。她抖了一下，像是遭受了巨大的羞辱，她用手盖住脸，缩起双肩靠回座椅靠背上，好像车里的空调不能让她感觉到任何温暖。这之后，有一段漫长而尴尬的沉默。夏承司看着挡风玻璃隔开的冰冷世界，过了很久才缓缓说道："彦玲，虽然你是为我工作的，但对我而言，你一直像一个姐姐一样。"

听到这句话，她的肩膀陡然松开了。不知道是觉得松了一口气，还是彻底死心了，抑或是二者皆有。她没有接话，只是听他继续说下去："我觉得这样的关系，比你所希望的关系稳定得多。我的情史你都知道，并没有哪段感情特别持久过。我的历任女友往往没有我们的工作重要。你想想，她们谁跟着我的时间，比你在我身边的时间长。"

彦玲满脸泪痕，但还是挤出了一个苦笑："少董，你还是这样聪明，这个答案真是完美得无懈可击。"

"因为对象是你，我才愿意解释这么多。"

"其实，你都没意识到自己的变化对吧。以前你拒绝女人的时候，不会这样温柔的。"她幽怨地侧过头，用红红的眼睛看着他，"你说你的历任女友没有我们的工作重要，那如果裴诗成为你的女朋友呢？她还有你的工作重要吗？"

回答她的是他长时间的默然，寂静得就好像是一片无底的深渊。她的笑容变得自嘲起来："你果然还是我初次见面那个养尊处优的夏公子，完全不会撒谎。"

他依然没有说话，只是重新发动了车子。汽车在黑夜中穿梭，苍穹与大地都关上了七彩的匣子，把世界涂成了棺木的颜色。黑夜就像一个堕落的妓女，吞噬着街道上无心留恋的过客。他们匆匆踩在脚下的是白黄交错的碎屑，染上了泥泞之后，变成了时光埋葬的尸体。望着外面的世界，她禁不住再次流下眼泪："不知道为什么，今天晚上感觉特别不好，就像世界末日一样。"

"你喝得太多了。下次记得量力而为。"

"好。"她用手紧紧按住额头，好像是在用最后的力气对他说话，"少董，答应我，认真考虑一下关于裴诗的事。她是很有魅力，具有艺术家优雅、理性的气质，又不失少女的纯真，连我都经常被她吸引。但她不是可以陪你长久走下去的女性。她太以自我为中心了，任何男人跟她在一起都会很辛苦的。"

这一回他总算开口说话了："明白了。"

不管是不是敷衍自己，听到他的答复，她总算欣慰了一些，靠在座位上，直到下车回家，也没再说一句话。

当天晚上，裴诗坐在榻榻米上打了个呵欠，舒舒服服地往手炉前靠近一些。早上和裕太发消息说有事想和森川光说，裕太直接来电叫他来到了这里，说森川少爷刚好也有事想要告诉她。这里是森川光的新家，装修得和他在日本的宅院十分相似。刚进来的时候，她觉得非常惊喜，本来想和森川光分享一下心得，结果裕太说森川少爷很忙暂时不能和她见面，就叫她在这里等待。于是这一等，她就从下午四点等到现在，并饥肠辘辘地吃完了他们送过来的所有零食。

看看拉门外来来往往的森川组组员，她发现这个晚上他们好像事情特别多，所以也不方便催促他们去叫他们的老大。手机上显示的时间是八点五十五分，手机也已经被她玩得只剩百分之五的电量。她站起来，到走廊上去找裕太，很快在一群高大的男人里看见那个金黄色的脑袋。他们都面对着一个大房间，保持九十度的鞠躬大约有十多秒，然后一起转身朝她的方向走来。

她朝他挥挥手："裕太，你有没有我这个手机的……"

"森川少爷忙完了，你先进去吧。他有好消息要告诉你。"他看向她的手机，"哦，对，充电器房间里有，你进去打开白色柜子第二个抽屉就能找到。"

拉开门，裴诗立刻看见跪坐在方桌旁的森川光，惊呼道："哇，组长，这里好漂亮，你今天好帅！"

森川光的反应却不是很自然，别过头去，快速眨了眨眼睛："是、是吗？"

墙上挂着一幅字，上面写着大大的毛笔字"和"。中间有一个围棋桌，上面摆着盛开的墨兰。这个房间很暖和，外面是惊鹿轻响的日式庭院，瞬间模糊了季节。月光像是徐徐前行的驼队，流连在黑夜的沙漠，渲染了榻榻米上的一片苍白，令走廊上莹莹的灯笼变得更加朦胧。森川光穿着深黑色的和服，浅棕色的宽腰带裹着劲瘦的腰，却都被藏在宽大垂地的外披下。一直以来他的坐姿都十分端正，这个晚上更是正襟危坐。裴诗忍不住笑了出来，指了指柜子："我先找找充电器哦。"

看见森川光点头后，她走过去拉开抽屉找到了充电器，然后走到墙角，一边把它插入插座，一边说道："对了，我听裕太说你有好消息要告诉我，是什么好消息？"

"没关系，你先说你的事吧，比较重要。我要说的事不急。"

"这样哦，那我不客气了，因为我的事确实蛮急的。"裴诗把充电器插好了，然后快步跑到森川光桌子对面坐下来，"是这样，我想举办一场*Nox*的音乐会。你可以帮我吗？"

他一向喜欢她的直接，于是也直接答道："好。"

"这就答应了？"裴诗感动得不得了，一双黑漆漆的眼睛弯了起来，然后把头发拨在耳朵后面，凑近了一些，"没有附加条件？我本来想说，门票收入全都归你哦。"

"没有关系，这笔钱你留着准备以后用吧，总会用到。"

"慢着，我知道你不缺钱，但你不要小瞧我好吗？你起码要拿走一半！"

她眼中写满了倔强和孩子气，长发就像黑色陶器一样明亮。她是如此美丽，看见她，就像在荒漠中看见了缭绕着绿洲的烟雾。怎么眺望都不够，怎么前进都觉得不够近。他浅浅地笑了："好。"

"太棒了。"裴诗一下从垫子上站起来，如同顽皮小女孩一样绕到他身边坐下，然后殷勤地为他倒茶送水，"你不能对我这么好。对我这么好，我会被惯坏的。这样以后面对困难的时候，会像小孩一样只会……来，茶杯在这里。"

他接过茶杯，一手捧杯底，一手捧杯壁，用很标准的姿势把茶喝下去。她托着下巴，一心思索着演奏会该放什么曲目，但想到一半，她忽然意识到一件事：刚才她站起来的时候，他的头也跟着偏了一下。以前他从来不会这样。终于，她把目光从墙上的字画上转移到他身上，有些骇然。

"惯坏也没什么不好。"月色如画，他的眼睛温柔如月，清澈而明亮，"只要你愿意，我可以一直这样。"

"组长，你、你……"裴诗在他眼前挥了挥手，然后无声地做一个挥舞拳头打他脸的动作。

他拦下她的手，禁不住笑道："以前你也经常做这种事吗？"

她怔了怔，忽然惊叫了一声，猛地扑过去抱住他。